GUY DES CARS

La corruptrice

Éditions J'ai Lu

GUY DES CARS	ŒUVRES
L'OFFICIER SANS NOM	*J'ai Lu*
L'IMPURE	*J'ai Lu*
LA DEMOISELLE D'OPÉRA	*J'ai Lu*
LA DAME DU CIRQUE	*J'ai Lu*
CONTES BIZARRES	
LE CHATEAU DE LA JUIVE	*J'ai Lu*
LA BRUTE	*J'ai Lu*
LA CORRUPTRICE	*J'ai Lu*
LES FILLES DE JOIE	*J'ai Lu*
LA TRICHEUSE	*J'ai Lu*
AMOUR DE MA VIE	
L'AMOUR S'EN VA-T'EN-GUERRE	
CETTE ÉTRANGE TENDRESSE	*J'ai Lu*
LA MAUDITE	
LA CATHÉDRALE DE HAINE	*J'ai Lu*
LE BOULEVARD DES ILLUSIONS	
LES SEPT FEMMES	
LE GRAND MONDE	
SANG D'AFRIQUE	
DE CAPE ET DE PLUME	
DE TOUTES LES COULEURS	
L'HABITUDE D'AMOUR	
LA VIE SECRÈTE DE DOROTHÉE GYNDT	
LA RÉVOLTÉE	

En vente dans les meilleures librairies

La corruptrice

GUY DES CARS

LA PREMIÈRE NUIT

Pourquoi dater ? Pourquoi perdre mon temps à décrire le lieu où je suis ? Il est triste et sinistre... La seule chose qui compte pour moi est qu'Elle soit là, reposant dans la chambre voisine... La porte restera entrouverte pendant toute la nuit. Avant de s'endormir, elle savait que je serais près d'elle, comme les autres nuits depuis un mois, pour la veiller. Elle commence à reprendre confiance. Elle a compris que je tenterai tout pour la sauver : je ne veux pas que mon amour meure...

Ce qu'elle ne saura jamais, c'est que je me suis enfin décidé à écrire ce soir. Peut-être le ferai-je pendant la nuit entière ? Et une seule nuit suffira-t-elle pour tout mettre noir sur blanc ? Pourquoi j'écris ? Pas pour les autres, bien sûr... ni pour Elle qui ne lira jamais cela, qui ne doit pas le lire ! Ces pages lui feraient encore trop de mal. J'écris simplement pour moi : c'est un besoin qui me tenaille depuis le jour où nous avons échoué ici, Elle et moi.

C'est aussi le seul moyen de clarifier mes idées encore trop confuses, de comprendre à fond le mécanisme insensé de ce drame que nous venons de vivre. J'ignore si j'écrirai tout, absolument tout... Je pense qu'il me suffira de revivre certains moments uniquement dans ma mémoire : ils y sont ancrés pour la vie. D'autres, au contraire, n'y sont pas assez nets : ceux-là, je tenterai de les analyser... Il y a enfin ce qu'a écrit « l'autre », ce qu'elle appelait « son journal intime »... l'horrible journal ! Quand tout se sera soudé logiquement — ce que je dois écrire, les souvenirs de ma mémoire et les confidences hideuses de « l'autre » — je me sentirai plus fort, mieux armé aussi, pour guérir l'unique femme que j'aie jamais aimée et qui m'aime toujours. Comment remédier à un mal si on ignore sa cause profonde ?

Je sais être le seul à avoir réuni tous les éléments de cette crise morale et physique. Qui donc d'autre que moi l'aurait pu ? N'en ai-je pas été le héros involontaire ? Il y a des instants où je me demande si je n'ai pas vécu un cauchemar de deux années ? J'ai l'impression que, demain matin, quand j'aurai tout confié — le meilleur et le pire — à ces feuillets, j'aurai l'esprit enfin libéré... Personne au monde ne pourra lire ce que j'aurai écrit pendant la nuit qui vient... Le crépuscule est tombé vite, comme toujours dans les pays de montagnes. Dehors l'obscurité est totale : c'est le silence. J'aperçois bien, à travers la vitre, par-ci par-là quelques vagues lumières clignotantes accrochées un peu au hasard sur le massif du Pelvoux. On se demande même pourquoi elles sont là-bas, isolées, ces lumières ? Elles s'éteindront, une à une, demain avec la renaissance de l'aurore, quand je n'aurai plus besoin de cet aide-mémoire que je vais forger en une nuit. Alors je pourrai brûler les feuillets dans cette cheminée. Ainsi disparaîtront à jamais les traces de la nuit qui se prépare, de la nuit que je dois vivre... Et je conserverai pour moi seul, jusqu'à ma mort, ce secret qui m'aurait étouffé si je n'avais pas eu le courage de me le raconter une fois en entier...

... Cela a commencé, voici déjà deux ans, en automne, très loin d'ici... Je me souviens parfaitement du jour : un 2 novembre. Le temps était épouvantable comme il sait l'être pour la fête des morts dans l'ouest de la France... Je me revois encore sur le quai de la petite gare où j'attendais l'arrivée de l'omnibus de Paris. Les express n'ont jamais pris le temps de s'arrêter dans une telle gare... Mon attente, balayée par les bourrasques de vent et de pluie, fut longue. A certains moments, quand l'humidité trempait trop profondément mon imperméable, je me réfugiais sous la guérite qui servait de salle d'attente. Mais au fond, ce jour-là, je ne fis guère attention au temps maussade : mon esprit était ailleurs. Ce ne fut que plus tard, lorsque je me remémorai cette journée, que je compris que ce temps lui-même était le seul convenant à la personnalité de celle que j'attendais...

Il n'y avait pas grand monde sur le quai... Je me souviens pourtant y avoir croisé le père Heurteloup, sans doute venu chercher l'un de ses onze enfants — curieux bonhomme que le père Heurteloup ! Je ne pourrai jamais l'oublier : il avait été mon premier client à mon retour de captivité en Allemagne... J'aperçus aussi la belle Mme Boitard, qui me fit un gracieux sourire — décidément, cette femme de notaire avait beaucoup de charme ! Elle était venue à ma consultation la semaine précédente et m'avait dit quelques mots qui m'avaient fait plaisir : — « Docteur, il n'y a cependant pas longtemps que vous pratiquez et vous êtes déjà aussi apprécié en ville que l'était votre père. » Mon père était un excellent médecin et la jolie Mme Boitard a toujours eu le mot aimable. Je trouvais très normal que le nouveau lieutenant des Eaux et Forêts fût amoureux d'elle. On chuchotait même dans le pays qu'il était son amant... Naturellement, le notaire, son mari, ne se doutait de rien !

Qui ai-je vu d'autre dans cette gare pendant que j'attendais le train de Paris ? Personne, je crois. Et même si j'y avais rencontré les cinq mille habitants de notre petite ville, je pense que je n'aurais pas fait l'effort de mettre un nom sur leurs visages, tellement j'étais absorbé par la raison qui m'amenait sur ce quai.

Quand j'étais revenu, à la Libération, après quatre ans de captivité, j'avais retrouvé la maison familiale vide : mon père était mort en 1941, après avoir exercé pendant trente-cinq années. Ma mère ne lui avait survécu que quelques mois. Seule Clémentine, notre vieille bonne, était encore là pour m'accueillir. Pendant les deux dernières années de guerre, notre ville n'avait plus eu de médecin. Je dus me mettre aussitôt à la tâche : six mois plus tard, mon cabinet ne désemplissait plus. Les gens de la ville et des environs avaient reporté sur le fils la confiance qu'ils avaient eue dans le père. Mon grand-père aussi avait été médecin : je crois que nous sommes tous destinés à l'être dans la famille, de génération en génération... Au début, je n'avais pas grande pratique, venant juste de terminer mes études à la veille de la mobilisation de 1939. Et ce n'est pas ce que l'on apprend comme médecin-lieutenant d'un bataillon d'infanterie — et ensuite dans un Oflag — qui peut faire acquérir l'expérience ! Il fallait la clientèle : maintenant je l'ai, mais le drame que je viens de vivre me prouve qu'il me faudra encore des années avant d'avoir le diagnostic infaillible de mon père.

Si j'étais sur ce quai de gare, c'était pour venir y chercher celle dont j'avais besoin : une infirmière-assistante. Je ne pouvais plus suffire : elle me seconderait pour faire les piqûres, donner les soins à domicile, noter les rendez-vous... Pourquoi avais-je choisi cette femme plutôt qu'une autre ? Parce que mon bon maître de la Faculté, le professeur Berthet, me l'avait recommandée, et que je connaissais la sûreté de son jugement sur ses collaborateurs directs. Je me souviendrai toujours de la première entrevue que j'eus avec elle. Ce fut dans le bureau de mon ancien maître à l'Institut du Cancer. Depuis quelques années, le professeur Berthet avait abandonné sa chaire à la Faculté de Médecine de Paris pour se consacrer entièrement à des recherches sur le cancer. Pour le voir, je dus donc me rendre à Villejuif. Il me reçut avec son affabilité proverbiale. Je le sentais heureux de retrouver l'un de ses anciens élèves. Après m'avoir demandé si je réussissais dans ma petite ville de l'ouest, il me dit avec cette brutalité que j'appréhendais tant autrefois à la Faculté : — « Alors, mon petit, dites-moi la raison qui vous amène ? » Je lui expliquai qu'il me fallait une infirmière qualifiée pour me seconder. Mais n'étant pas marié, il était indispensable — pour ne pas choquer la mentalité assez étroite d'une petite ville — que ce ne fût pas une femme trop jeune et que sa moralité fût irréprochable. Je pensais que nul, mieux que mon grand patron, ne pourrait me trouver cette collaboratrice rare.

Après avoir réfléchi pendant quelques instants, il me dit : — « Je crois avoir ici-même la personne qui vous convient. Elle possède tous ses diplômes et travaille dans mon service depuis dix années. Je dois même reconnaître que c'est la première fois de ma vie que je n'ai pas eu à faire une seule observation à une infirmière ! Vous vous demandez pourquoi je suis prêt à me séparer d'une telle collaboratrice ? Simplement parce qu'elle manifeste depuis quelques mois le désir de s'en aller : je crois que l'atmosphère très particulière de notre Institut spécialisé dans l'étude et les soins du cancer ne lui plaît plus. Il n'y a pas de jour où elle ne répète : — « J'en ai assez de Villejuif ! Je veux partir », mais comme tous ceux qui ont vieilli sous le harnais, elle reste toujours... En réalité, elle cherche une situation ressemblant à celle que vous proposez : son rêve est de devenir l'assistante d'un médecin qui soit en contact permanent avec la clientèle courante. Recevoir cette clientèle, aller la visiter, remuer, bouger, ne pas rester pendant des heures dans un laboratoire, lui conviendrait tout à fait, bien qu'elle ait déjà refusé plusieurs propositions de ce genre qui lui ont été faites par d'autres médecins. Elle n'a pas toujours un caractère très facile : son nom est Marcelle Davois... Qui sait ? Peut-être

se laissera-t-elle enfin tenter par votre offre ? » et, sur ma réponse affirmative, mon ancien patron décrocha son appareil téléphonique :
— « Priez Mlle Davois de monter dans mon cabinet. »

Pendant que nous l'attendions, il poursuivit :
— « Sans doute vous paraîtra-t-elle assez étrange à première vue ?... Je préfère vous prévenir : c'est une personne plutôt distante, très réservée, parlant peu... Ce qui, à mon avis, est la première qualité d'une bonne infirmière... Si elle accepte, vous finirez par vous habituer à elle et vous vous apercevrez peu à peu qu'elle vous est devenue indispensable pour les mille et un petits à-côtés du métier dont vous n'avez pas le temps matériel de vous occuper. La médecine générale moderne a un champ tellement vaste, surtout pour un jeune médecin de province comme vous qui devez vous pencher sur toutes sortes de cas sans avoir le spécialiste proche, qu'il faut pouvoir alléger le travail. »

On avait frappé. Quand je me retournai, elle était déjà dans la pièce. Il semblait qu'elle eût traversé la porte sans l'ouvrir, tellement son entrée avait été discrète. Elle se tenait immobile, anguleuse, le visage émacié sous le voile blanc. Les yeux étaient gris et prenaient par moment une fixité étrange. C'était une femme sans âge : elle pouvait avoir quarante ou cinquante ans ? A dix ans près, il était impossible de deviner. Elle ne bougea pas pendant que le professeur Berthet lui exposait les raisons pour lesquelles il l'avait fait appeler. De temps en temps, ses yeux d'acier jetaient un rapide regard vers moi : en un éclair, je me sentais détaillé des pieds à la tête. Mon patron ne m'avait pas menti : c'était une étrange créature. Elle était tout, sauf séduisante. On peut ne pas être belle, mais avoir du charme ou tout au moins un peu de féminité. Marcelle Davois n'avait ni beauté, ni charme, ni féminité. Elle n'avait rien en dehors de ce besoin que l'on sentait en elle d'être « l'infirmière modèle », celle que l'on cite en exemple, qui est estimée pour sa conscience professionnelle, mais que l'on s'imagine mal portant d'autres vêtements que ceux, simples, de l'infirmière.

Quand mon ancien Patron eut fini de parler, elle répondit d'une voix sèche — c'était la première fois que j'entendais cette voix : — « Je vais réfléchir, Monsieur, à l'offre du docteur Fortier et je vous prierai de lui transmettre ma réponse dans quelques jours... » Après une imperceptible inclinaison de tête, elle ressortit comme elle était entrée : en silence. Je venais de faire connaissance avec celle qui s'appellera toujours à l'avenir dans mon esprit : « La Corruptrice ».

Après son départ, le professeur Berthet me demanda ce que je pensais d'elle. A vrai dire, au moment où il me posa cette question, je ne pensais rien : j'étais un peu abasourdi par l'étrange apparition. Je me demandais même s'il était possible qu'il existât des créatures pareilles et surtout s'il était concevable que l'on pût les avoir quotidiennement autour de soi ? Je fis part de mes craintes à mon ancien maître. Certes, la compétence et le dévouement de cette Marcelle Davois ne pouvaient être mis en doute, puisque lui-même — le Grand Patron — m'en répondait, mais son aspect extérieur, sans être répugnant, était tellement rébarbatif que je craignais de voir s'éloigner ma clientèle qui venait à la consultation de son médecin-ami avec confiance. La voix de cette femme était franchement désagréable. Je l'entendais déjà disant à l'un de mes malades : « Allons, dépêchez-vous de vous allonger pour que je fasse votre piqûre ! Nous n'avons pas de temps à perdre... » La première piqûre serait certainement adroite, mais le client accepterait-il que la seconde fût faite par elle ? Le seul véritable avantage d'avoir cette Marcelle Davois pour infirmière-assistante était que personne, dans notre petite ville si cancanière, ne pourrait supposer un instant qu'elle fût dans ma vie autre chose qu'une collaboratrice de travail ! Elle était sensiblement plus âgée que moi et ne pouvait pas inspirer le moindre sentiment à un homme : elle était l'incarnation-type de la vieille fille dans toute sa sécheresse monstrueuse.

Après avoir écouté très attentivement mes

objections, mon maître me dit : — « Je vous avais prévenu que le premier contact avec cette femme vous laisserait une impression de malaise... et j'ai tout lieu de penser que Marcelle Davois produira toujours cet effet regrettable sur ceux qui la verront pour la première fois... Il en sera ainsi avec vos clients, mais ils seront comme vous : à la deuxième ou troisième entrevue, ils changeront d'avis dès qu'ils s'apercevront que, sous ce masque d'indifférence voulue et sans doute nécessaire dans son métier, se cache une femme au dévouement incroyable, passionnée au travail, ne comptant jamais sa fatigue, restant debout pendant des heures et des nuits s'il le faut pour veiller un malade... Une collaboratrice modeste qui a le respect absolu de l'autorité et pour qui le patron — c'est-à-dire vous, si vous vous décidez à l'engager — doit être vénéré de tous. Vous me dites avoir déjà une vaste clientèle héritée de votre père et qui vous aime ?... Il n'est pas mauvais que l'on vous craigne de temps en temps grâce à l'auréole dont vous pare, à votre insu une tierce personne. La crainte affectueuse du diagnostic du médecin est indispensable pour que le malade suive à la lettre ses prescriptions ou ordonnances. Cette femme saura vous faire respecter et votre renom grandira dans la région, croyez-moi !... Maintenant, mon petit, je ne veux nullement vous influencer ! Vous êtes jeune, plein de dynamisme, de désir de bien faire et d'inexpérience... A vous seul de savoir si la présence à vos côtés d'une assistante, dont le métier est sûr, ne vous est pas nécessaire ? Vous êtes venu me demander de vous trouver quelqu'un... Sans hésiter, parce que je vous considère comme l'un des meilleurs parmi mes anciens élèves, je suis prêt à me séparer de l'infirmière la plus intelligente que j'aie jamais eue ou connue pendant ma longue carrière... Réfléchissez comme elle... Je tiens d'ailleurs à vous faire remarquer qu'elle n'a pas encore accepté !... Je vous écrirai dans quelques jours pour vous faire part de sa réponse. Au revoir, mon petit Denys... On m'attend au laboratoire ».

En ressortant de l'Institut du Cancer, j'étais perplexe. Une semaine s'écoula avant que me parvienne le mot du professeur Berthet m'informant que Marcelle Davois voulait bien quitter Paris pour devenir mon infirmière-assistante dans ma petite ville. La lettre m'indiquait aussi les conditions financières : elles me semblèrent lourdes. Je réfléchis encore pendant quelques jours avant de donner ma réponse. Mais je me sentais de plus en plus débordé et — pourquoi ne pas me l'avouer aujourd'hui à moi-même ? — il me parut préférable d'engager cette assistante, même à un prix très élevé, plutôt que de voir un deuxième médecin venir s'installer dans la ville, notre ville qui avait toujours été et devait rester le fief des docteurs

Fortier, et d'eux seuls... Je répondis à mon ancien patron que j'attendais Marcelle Davois le plus tôt possible et que non seulement elle toucherait les appointements demandés, mais qu'elle serait aussi logée, nourrie, blanchie dans ma maison comme elle le demandait, puisqu'elle ne voulait pas avoir à tenir un intérieur pour pouvoir se consacrer entièrement, jour et nuit, à sa seule tâche d'infirmière.

... Voilà pourquoi j'étais sur le quai, le 2 novembre, attendant l'omnibus de Paris dans lequel elle se trouvait. Elle m'avait envoyé, la veille au soir, un télégramme m'annonçant son arrivée.

Enfin le train entra en gare. Peu de voyageurs en descendirent. J'aperçus la longue silhouette de Marcelle Davois se dirigeant vers moi, un nécessaire de voyage à la main. Elle était en infirmière, avec le voile blanc plaqué sur les tempes et drapée dans une cape de gros drap bleu marine. On aurait dit un redoutable oiseau de proie s'avançant vers moi et vers la ville. Ce fut à peine si elle répondit à mon bonjour, se contentant de me tendre un bulletin de bagages. Elle avait une malle plate et deux grosses valises que je chargeai sur ma voiture avec l'aide de Gaston, un employé de la gare que je connaissais depuis mon enfance. Marcelle Davois s'était déjà installée dans la voiture sur le siège avant. De temps en temps, pendant que nous fixions avec une corde les bagages sur la galerie du toit, Gaston jetait à la dérobée des regards curieux vers la nouvelle venue. Regards éloquents qui voulaient dire : « Qu'est-ce que c'est que cette femme ? D'où vient-elle ? Qui est-elle ? Personne ici ne voudra être soigné par elle ! »

Devant de tels regards, je n'avais pas besoin de faire les présentations : le brave Gaston n'y tenait pas du tout, Marcelle Davois non plus. Je m'installai au volant, elle était à ma droite, et nous partîmes. Ma maison est sur la route d'Alençon : il nous fallait traverser toute la ville. Ce fut pendant ce trajet, relativement long, que ma nouvelle collaboratrice et moi eûmes notre première véritable conversation. Chaque question que je lui posai, chaque réponse qu'elle me fit, chaque phrase, chaque mot resteront pour toujours gravés dans ma mémoire...

— Avez-vous fait bon voyage, bien que ce train s'arrête à toutes les stations ?

— Excellent voyage, docteur.

— Voici l'église... L'archiprêtre, le chanoine Lefèvre, est un charmant homme... un érudit... qui est affligé de rhumatismes articulaires.

— Un client ?

— Oui... Comme tous les gens de la ville, même ceux qui ne sont pas encore venus me voir... Il leur arrivera bien un jour ou l'autre quelque chose !

— Il n'y a que ça qui compte, docteur : la clientèle.

— La mienne est assez différente de celle qui se présentait à l'Institut de Villejuif !

— Je ne le pense pas, docteur... Et j'avais peu de rapports avec la clientèle, travaillant surtout en laboratoire, sous la direction du professeur Berthet.

— C'est un grand maître... Eh bien, je vais sans doute vous étonner, Marcelle... Permettez-moi de vous appeler ainsi : ce sera plus commode pour le service ?

— J'allais vous le demander, docteur.

— Donc, Marcelle, je vais vous étonner : depuis six mois que j'ai rouvert mon cabinet, fermé depuis la mort de mon père et pendant ma captivité, je n'ai pas décelé un seul cas de cancer véritable parmi ma clientèle !

— Vous m'étonnez, en effet, docteur.

— J'ai vu pas mal de tumeurs, mais aucune, après examens pratiqués justement à Villejuif ou à l'Institut Pasteur, ne s'est révélée nettement cancéreuse.

— Il faut une grande pratique, docteur, et beaucoup de patience pour découvrir certaines affections... Ne serait-ce que pour les cancers du sein, par exemple, le professeur Berthet ne commençait le traitement par la radiothérapie qu'après avoir bien fixé le siège, les dimensions et les limites de la tumeur...

— Je me rends compte que vous deviez être

une précieuse collaboratrice pour lui... N'allez-vous pas le regretter ainsi que cet Institut où vous vous êtes penchée sur des problèmes aussi passionnants ? Notre pauvre médecine courante ne va-t-elle pas vous sembler bien terne, inintéressante même ?

— Certainement pas, docteur ! Je n'en pouvais plus...

— Le besoin de vous évader, de changer d'air ?

— Peut-être... mais aussi celui de retrouver ma vraie mission d'infirmière qui n'est pas trop confinée dans un laboratoire ou une branche spécialisée... En somme, je reviens à ce que j'étais avant d'entrer à Villejuif.

— Qu'est-ce qui vous avait donné l'idée d'y entrer ?

— La mort de mon père...

— Du... cancer ?

— Il était radiologue à une époque où l'on ne prenait pas toutes les précautions actuelles, où l'on ne savait surtout pas se protéger des rayons... Il fut l'un des premiers martyrs de la science.

— Votre nom en effet me disait quelque chose.

— Vous étiez bien jeune à cette époque, docteur ! Mon père est mort amputé des deux bras : on lui a remis la Légion d'honneur sur son lit de mort.

— Et vous avez voulu continuer son œuvre

un peu à votre manière en entrant à l'Institut du Cancer ?

— Je ne faisais que suivre la voie qu'il m'avait tracée... Car mon père, avant de se spécialiser, lui aussi, avait été comme le vôtre, un excellent praticien de médecine générale à Paris... Ce fut devant la tombe de ma mère, quand je n'étais encore qu'une très jeune fille, qu'il prit la résolution de consacrer désormais sa vie aux rayons qui seuls pouvaient permettre à cette époque d'essayer de lutter contre le mal abominable qui avait emporté ma mère.

— Elle aussi ?

— Un cancer du larynx...

— Je trouve très beau ce que vous avez fait.

— Non, docteur. C'est très bête : j'ai perdu mon temps et gâché ma vie.

— Ne dites pas cela ! Il faut des femmes comme vous pour nous aider dans notre tâche.

— Je vous promets de faire de mon mieux.

— J'en suis sûr, Marcelle... Savez-vous que le professeur Berthet fait le plus grand cas de vous ?

— Le professeur Berthet est d'une nature indulgente.

— Si nous parlions d'autre chose ?... Tenez : voici notre mairie... Nous approchons de la maison... Le nouveau maire, nommé à la Libération, est un homme énergique, peut-être un peu trop arriviste.

— Qui ne l'est pas à notre époque, docteur ? Vous-même...

— Oui... Mon père ne l'était pas !

— La vie de médecin était plus facile de son temps.

— Voici la maison... C'est une vieille bâtisse... que j'aime ! Clémentine nous attend sur le perron... Je suis persuadé que vous vous entendrez bien avec Clémentine : après avoir été ma nounou, elle est devenue notre bonne... Elle fait un peu tout dans la maison !... Elle se permet même, de temps en temps, de donner des consultations ahurissantes à mon insu et je n'aime pas beaucoup cela. Elle doit penser que le seul fait d'être servante de médecin lui octroie une certaine autorité ! Elle est surtout compétente en tisanes... Bonjour, Clémentine... Je vous présente Mlle Marcelle Davois... Vous la conduirez dans sa chambre pendant que je m'occuperai des bagages...

... Telle fut notre première conversation. J'étais content d'arriver : la présence de cette femme à ma droite, dans la voiture, m'avait pesé pendant tout le trajet. Je me demandais même, en la regardant gravir le vieil escalier derrière Clémentine, si je parviendrais jamais à m'habituer à elle ? Mon ancien maître ne m'avait pas trompé lorsqu'il m'avait affirmé qu'elle serait pour moi une collaboratrice de premier ordre : elle était la compétence même, cette femme sans âge dont le passé semblait se limiter à la tombe de sa mère et à la Légion d'honneur de son père... Elle ne s'animait que pour parler « métier » et quel métier ! Celui qui fouille les plaies du cancer. Il semblait qu'elle fût marquée du signe du mal dont le monde a horreur et moi tout le premier... Mais il y avait tout de même d'autres maladies — je ne dirai pas de douces maladies — dont on connaissait le remède, que le médecin pouvait guérir... Saurait-elle se pencher avec indulgence sur ce que j'appelais déjà « mes chers petits malades », mes malades ordinaires, ceux qui contractaient une bronchite banale ou se foulaient une cheville ? Etait-ce un être humain que je venais d'introduire chez moi, sous ce toit familial qui s'était toujours montré si accueillant aux humbles misères physiques de braves gens ? Comprendrait-elle la beauté d'un accouchement dans une simple ferme ? Aimerait-elle entendre les premiers cris d'un nouveau-né ? Pourrait-elle conseiller en souriant au père Heurteloup de soigner ses rhumatismes en buvant un peu moins de calvados ? C'était ça ce qui lui manquait : le sourire. On aurait dit qu'elle l'ignorait et cependant... n'était-ce pas la première arme de l'infirmière ? On peut guérir tant de maux avec un sourire, avec une parole d'espoir ! C'est le pont indispensable qui permet d'établir le contact avec le malade craintif ou méfiant. Et je me demandais, contrairement cette fois à ce que m'avait dit le professeur Berthet, si cette deuxième entrevue, que je venais d'avoir avec elle, n'avait pas fait s'agrandir le fossé qui s'était ouvert entre nous depuis le premier jour où je l'avais vue dans le cabinet de mon ancien patron ?

J'étais dans la bibliothèque quand Clémentine redescendit de la chambre du premier étage où habiterait désormais Marcelle Davois. Ma vieille servante traversa la pièce sans rien dire, ce qui ne lui arrivait que rarement, elle qui était si bavarde... Je sentais qu'elle évitait de rencontrer mon regard. Au moment où elle allait pénétrer dans la salle à manger, je l'appelai : « Eh bien, Clémentine ! Tu es devenue muette ? » — « Je n'ai rien à dire », répondit ma nounou. — « Allons, allons ! Ça te brûle la langue de me donner ton opinion sur l'infirmière... Que penses-tu d'elle ? Parle ! » — « Je pense qu'elle aurait bien mieux fait de rester où elle était ! C'est pas une femme ! C'est un monstre. » — « Qu'est-ce que tu veux dire ? » — « C'est vrai : elle ne dit pas un mot. Je lui ai montré sa chambre et les commodités... Elle a tout regardé comme si ça ne l'intéressait pas ! Ce n'était pas ce qu'il te fallait, mon Denys... » — « Oh ! tu sais... Elle ne fera que soigner les malades... Bien entendu, elle n'a pas droit à la direction intérieure de la maison ! Tu restes la seule gouvernante » — « Je l'espère bien ! Il ne manquerait plus que cela ! » — « Tu lui as dit que l'on dînait à huit heures ? » —

« Elle fera bien d'être à l'heure aux repas, parce que je ne l'attendrai jamais pour servir le potage ! » — « Rassure-toi, Clémentine, telle que je crois la deviner, Mlle Davois sera toujours ponctuelle. »

Je ne m'étais pas trompé. Notre premier repas fut sinistre. Elle mangea peu et sa présence me coupait l'appétit. J'essayai de lui poser quelques questions sur sa vie passée ? sur ses goûts, en supposant qu'elle pût en avoir ? sur une jeunesse qu'elle semblait n'avoir jamais connue ?... Ce fut peine perdue : ses réponses furent évasives. C'était à croire vraiment que cette femme était née dans un hôpital ou une clinique et n'avait jamais eu ensuite la curiosité d'en sortir ? Elle monta dans sa chambre aussitôt après le repas, prétextant la fatigue du voyage et la nécessité de défaire ses bagages. Au fond, cela m'arrangeait. A chaque fois qu'elle disparaissait, j'éprouvais une sensation de soulagement. Ses derniers mots, avant de monter l'escalier, avaient été : — « A quelle heure, docteur, dois-je prendre mon service demain matin ? » Je répondis — « Soyez dans mon cabinet à huit heures : je vous expliquerai le travail que j'attends de vous. Ensuite nous ferons ensemble, en ville, une première tournée de malades qui ont besoin de soins à domicile. Après-demain vous irez les voir seule. L'après-midi est réservée aux consultations ici. Nous en profiterons pour mettre un peu d'ordre dans mes fiches. Vous verrez : vous prendrez très vite la cadence. Bonsoir, Marcelle. » — « Bonsoir, docteur ». Son bonsoir était glacial.

Je revins dans la bibliothèque pour écouter la radio en fumant ma pipe. La soirée du lundi était à peu près la seule où je n'étais pas ennuyé. J'ignore s'il en est ainsi à Paris, mais les gens sont rarement malades le lundi soir en province ou à la campagne. Les nouveaux malades se révèlent le mardi... Je me souviens que le concert était excellent. J'étais emporté par la *Damnation de Faust* de Berlioz quand la sonnerie odieuse du téléphone — cet ennemi mortel des médecins — retentit. Je n'avais qu'à allonger le bras pour prendre l'appareil : — « Allô ?... Ah ! c'est vous, madame Fayet ?... Le troisième ? Il tousse un peu ? Donnez-lui une cuiller à soupe de l'un de ces excellents sirops que vous avez certainement dans votre pharmacie personnelle... et un cachet d'aspirine délayé dans un verre d'eau sucrée... Vous avez pris sa température ?... Ce n'est pas de la fièvre, ça !... Si, par hasard, elle augmentait, appelez-moi demain matin. Je passerai voir ce jeune homme... Non, non ! Vous ne me dérangez jamais... Bonsoir, madame Fayet. »

J'avais menti : elle me dérangeait tout le temps et pour des raisons stupides, Mme Fayet... Une brave femme, d'ailleurs, épouse de l'inspecteur d'enregistrement, qui n'avait qu'un tort : être une trop bonne mère de famille hantée par les maladies que pourrait avoir sa progéniture ! Avec trois garçons et deux filles, elle aurait dû depuis longtemps prendre son parti de voir pénétrer dans sa maison les rougeoles, oreillons, varicelles et autres maladies classiques qui permettent aux écoliers d'avoir des vacances supplémentaires... Au fond, je crois qu'elle adorait les maladies, Mme Fayet ! Et les médicaments ! Son cabinet de toilette était mieux fourni que la pharmacie Poirsault : on y trouvait de tout... Elle conservait aussi les ordonnances : les miennes avaient succédé à celles de mon père. Elle les classait en les numérotant par dates. Ne m'avait-elle pas dit un jour où j'étais venu examiner la gorge de son aîné : — « Vous me conseillez des gargarismes, docteur ? Comme c'est curieux ! Je me souviens que, dans son ordonnance du 3 mai 1941, votre cher père avait prescrit, pour le même cas, des badigeonnages... » — « Badigeonnez-le aussi, Madame, si cela peut vous faire plaisir ! » Au fond, une femme redoutable, l'excellente Mme Fayet...

Mais quand l'appareil fut raccroché, je souriais : ça faisait plaisir d'entendre quelqu'un qui vous parlait de l'un de ces bobos tout simples qui meublent sans risques notre vie courante de médecin. Brave Mme Fayet ! Que dirait-elle si elle entendait ma nouvelle assistante lui parler du cancer ? Elle serait affolée et persuadée que chaque membre de sa famille en avait un, caché quelque part, qu'il fallait soigner à tout prix ! Et je pensai que ce serait une grave erreur d'envoyer Marcelle Davois chez Mme Fayet, même pour mettre des ventouses... Ce problème ne risquait-il pas de se poser pour toutes les autres Mme Fayet de la ville ? Je devais faire très attention, sinon ce serait vite la panique... Dès demain, je prierai mon assistante de ne pas révéler qu'elle arrivait en droite ligne de l'Institut du Cancer. Les gens sont tellement inquiets quand ils entendent parler de ce mal dont ils ignorent tout ! Ils ne seraient pas longs à chuchoter : « — Du moment que le docteur Fortier a fait venir spécialement cette femme, c'est qu'il a dû déceler des cas cancéreux dans la région ! » Et ça, je ne le voulais pas.

La voix pointue de Mme Fayet avait rompu le charme de Berlioz. Je tournai le bouton de la radio et montai me coucher. Au moment où je passai devant la chambre de Marcelle Davois, je constatai qu'un rai de lumière filtrait sous la porte. Elle ne dormait pas encore, et, cependant, elle m'avait quitté depuis près de trois heures ! Instinctivement je regardai mon bracelet-montre : onze heures et demie ! Que pouvait-elle faire ? Ses bagages devaient être défaits depuis longtemps. Sans doute lisait-elle ?

Je rentrai dans ma chambre et me déshabillai. Mais je savais d'avance que j'aurais du mal à dormir cette nuit-là : il semblait que la présence de l'inconnue, dans une chambre voisine, jetait un sort sur toute la maison. Au-dessus de ma chambre, j'entendais Clémentine marcher de long en large : elle non plus ne pouvait pas dormir... Je pris un roman policier et m'allongeai... Au bout d'une heure, je laissai le roman qui m'ennuyait : c'était bien la première fois que semblable mésaventure m'arrivait, car j'adore les romans policiers et celui-là était loin d'être plus mauvais qu'un autre. Poussé par je ne sais quelle curiosité, je me levai et entrouvris ma porte pour voir si Marcelle Davois avait enfin éteint sa lumière ? Et je pus constater que le rai de lumière était toujours visible. Je pensai qu'au lieu de lire elle écrivait peut-être ?

Si je m'étais douté qu'elle commençait ce soir la rédaction de son journal monstrueux... Ce journal qui ne m'est tombé dans les mains que le mois dernier, c'est-à-dire deux années plus tard ! Il est là, sur la table où j'écris en ce moment... En haut de la première page, elle a pris soin d'écrire la date : 2 novembre... L'écriture est serrée, impersonnelle, avec des pleins et des déliés qui rappellent un travail d'institutrice. Je n'ai plus qu'à intercaler par tronçons, dans l'ordre des nuits où elle les a écrites, les pages de sa main au milieu des miennes, pour avoir enfin tout le fil du drame...

« Ce 2 novembre.

« Il me paraît juste que ce nouveau journal débute à cette date : le 2 novembre n'a-t-il pas été consacré au souvenir des morts, de mes chers morts... de mon père et de ma mère emportés tous deux par le mal que je hais ! Car c'est d'abord l'horreur du cancer qui m'a fait échouer dans cette petite ville, dans une chambre sentant la moisissure de la province et la tristesse d'un passé... Sincèrement, je ne pouvais plus voir l'Institut de Villejuif, ni même un hôpital ou une clinique quelconque... J'espère avoir trouvé la vraie solution d'une vie grise en venant m'enterrer ici.

« Pourquoi ai-je accepté de venir chez ce docteur plutôt que chez un autre ? Je n'en sais trop rien... C'est une sorte d'élan instinctif qui m'a poussée vers lui... Parce qu'il est jeune ?

Je ne le pense pas : j'ai rencontré beaucoup d'autres jeunes médecins à Villejuif et aucun ne m'a produit la même impression... Parce qu'il m'a paru ne pas être encore très compétent ? Voilà peut-être la vraie raison qui m'a décidée. Cette inexpérience m'est très sympathique. J'en ai assez de toutes ces sommités médicales et de ces professeurs omnipotents ! Et je pense avoir fait preuve d'habileté en montrant à mon nouvel employeur, pendant le trajet dans sa voiture, que je connaissais à fond ce dont je m'occupais avant qu'il ne vînt me chercher. A plusieurs reprises, il m'a regardée avec un étonnement mêlé d'une sorte d'admiration. Ce n'est pas mal. C'est même très bien de l'avoir ahuri. Il le fallait ! Je n'en puis plus de n'être qu'un simple pion sur l'échiquier, celle qui porte ce quaficatif anonyme : « l'infirmière »... Si je ne suis que ça, c'est uniquement parce que je n'ai pas eu les moyens de terminer mes études de médecine pour devenir « la doctoresse » que l'on craint et que l'on respecte, que l'on admire parfois. Qui prête attention aujourd'hui à l'une de ces innombrables femmes voilées de blanc qui restent perdues dans le personnel subalterne d'un hôpital ou d'un laboratoire ? On en a trop vu !

« Aussi ai-je voulu affirmer tout de suite mon prestige, en sortant de la gare. Je suis sûre qu'ici je dois devenir quelqu'un ! Il faut que, très vite, ce jeune homme acquière la conviction profonde qu'il ne peut plus se passer de moi, que mes services lui sont indispensables. Ce ne sera pas très difficile : je possède mon métier. Il est grand temps de me tailler ma place au soleil : je n'ai que trop attendu.

« La maison ne me déplaît pas, bien que je n'aime pas beaucoup ces vieilles demeures : la bibliothèque m'a même paru assez confortable. Par contre, je n'aime pas du tout la bonne, cette Clémentine... Elle me le rend bien : je l'ai senti dès le premier contact. C'est le genre de vieille servante redoutable, se croyant tout permis, stupidement curieuse et trop dévouée à son patron. Dès que je le pourrai, je la ferai partir pour la remplacer par une femme qui me sera dévouée à moi, quelqu'un que j'aurai en main et qui me devra sa place... Ce qui manquait dans cette maison, c'était une femme de tête. Il est même curieux que ce garçon de trente-deux ans ne soit pas encore marié ? Il est vrai qu'il a été prisonnier : le professeur Berthet me l'a dit. Et s'il avait été marié, je ne serais certainement pas venue. Je ne peux pas supporter autour de moi la présence d'autres femmes... Peut-être a-t-il une maîtresse ? Il faudra que je le sache vite et, si c'était, je l'en débarrasserais comme de sa bonne. Il est indispensable que ce garçon, qui me fait l'effet d'être un faible, ne subisse aucune autre influence que la mienne.

« Dès demain, je commencerai à faire connaissance avec sa clientèle qui paraît importante. Tant mieux ! Ça va m'amuser et surtout me changer. Que d'histoires et de ragots doivent courir dans une petite ville pareille où les gens ont le temps de s'ennuyer ! Peu à peu, je saurai tout sur les uns et les autres : ça me servira. Aller soigner les malades chez eux est un moyen merveilleux pour leur arracher leurs secrets d'alcôves. Et de temps en temps, sans paraître y attacher trop d'importance, je leur donnerai quelques conseils d'ordre privé qu'ils suivront aveuglément. Je vais réaliser ici ce qu'il m'était très difficile de faire à l'Institut du Cancer où personne n'attachait d'importance à ce que je disais : ils se passionnaient pour leurs recherches décevantes ! Ici je brouillerai les gens entre eux, puis je les réconcilierai. Ainsi la clientèle ne pourra plus, elle aussi, se passer de moi... et la clientèle, puisqu'il est le seul médecin, ce sera toute la ville ! Dans quelques semaines, je ne serai plus l'obscure infirmière-assistante d'un docteur ordinaire, mais la Femme qui compte, celle que l'on consulte pour tout et pour rien... Je vais enfin vivre le rêve que je caresse depuis tant d'années. »

Le plus étrange de ce journal est que, sous cette date du 2 novembre, Marcelle Davois n'ait pas noirci plus de feuillets ? Il y a une page blanche et la suite reprend, datée du lendemain 3 novembre. Qu'a-t-elle fait de tout ce qu'elle a écrit le premier soir et qui ne se trouve plus dans le cahier ? Aucune page n'est déchirée... Cela restera toujours pour moi une énigme puisque je n'ai pas trouvé d'autres papiers dans ses affaires... Elle a dû faire disparaître des passages entiers ? Et plus je relis ce cahier, plus j'acquiers la conviction qu'elle ne l'a pas écrit directement. Il n'y a pas la moindre rature ! Tout ce qui est là, sous mes yeux, a été soigneusement recopié d'une écriture volontairement impersonnelle. Ce sont ses brouillons que j'aurais voulu lire, mais personne ne les connaîtra jamais...

Elle était à huit heures, le lendemain matin comme je le lui avais demandé, dans mon cabinet où régnait un désordre indescriptible. Elle ne fut pas longue à tout classer ! On aurait pu croire qu'elle avait fait toute sa vie ce métier : mettre de l'ordre là où les autres n'en voulaient pas.

Son étonnement parut immense d'apprendre que je ne possédais pas encore d'installation radio : « — Mais c'est indispensable à notre époque, docteur ! Surtout pour vous qui êtes seul dans la ville ! » — « Mon père s'en est très bien passé pendant trente-cinq ans ! » — « Si monsieur votre père pratiquait encore aujourd'hui, il suivrait le rythme médical et me donnerait raison... Avez-vous seulement pensé aux innombrables services que vous rendrait une telle installation ? Vous savez aussi bien que moi que la médecine la plus courante ne peut se passer d'examen radioscopique... que ce soit pour les voies respiratoires, le cœur, le tube digestif ou une vulgaire fracture, la radio vous apporte la certitude immédiate, vous évite les tâtonnements, localise le mal, confirme ce que vous pressentiez, mais que vous ne pouviez pas voir ! Qu'un jeune médecin comme vous, avec une clientèle aussi considérable, n'ait pas cette installation, cela me dépasse ! » — « J'y ai souvent pensé, Marcelle, mais j'ai toujours hésité devant le prix de l'installation qui est devenu prohibitif ! » — « Ce n'est qu'une mise de fonds, docteur, que vous rattraperez vite ! Il faut absolument faire cet effort financier ! Je suis persuadée que votre ancien maître qui est aussi mon ancien patron, le professeur Berthet, vous donnerait les mêmes conseils. » — « A quelle maison me conseillez-vous de m'adresser de préférence ? » — « Il y en a d'excellentes en France, telles que Massiot ou la Compagnie Générale de Radiologie... Maintenant, si vous avez plus confiance dans une installation étrangère, Siemens en Allemagne et Philips en Hollande construisent un matériel de premier ordre... Dès que cela vous sera possible, vous devriez faire un voyage à Paris pour vous renseigner et voir ce qu'il y a de mieux... D'autant plus que vous ne serez pas du tout gêné par la place dans votre grande maison ! Ce n'est pas comme les médecins parisiens dont les appartements sont parfois trop exigus. Peut-on vous demander où donne cette porte, docteur ? » — « Sur un petit salon qui servait de boudoir à ma mère : elle y faisait sa tapisserie. » J'ouvris la porte : le boudoir, tendu de cretonne bleu pâle, était resté intact, tel que je l'avais connu quand ma mère y passait des après-midi entiers. La seule qui avait encore le droit de pénétrer dans cette pièce ovale, devenue pour moi un musée de la piété filiale, était Clémentine : elle l'époussetait religieusement chaque samedi en prenant bien soin de remettre le moindre bibelot en place, à l'endroit exact où ma mère l'avait mis une fois pour toutes.

Marcelle Davois regardait ce boudoir aux teintes fanées sans paraître même comprendre tout ce qu'il évoquait pour moi depuis le métier sur lequel ma mère tendait le canevas de sa tapisserie, jusqu'à la bergère, au velours inusable, où elle s'asseyait et aux pieds de laquelle j'avais joué, enfant, pendant de longues heures sur le tapis... Tout cela — comme tout ce qui appartenait au passé des autres — ne pouvait pas intéresser cette femme au cœur insensible et aux pensées impénétrables. Ce qui comptait pour elle étaient les dimensions de la pièce suffisantes pour y installer les appareils du progrès, ceux qui permettraient de détecter encore mieux la souffrance physique ou les tares humaines :

— « C'est l'endroit idéal, docteur ! Il communique directement avec votre cabinet : les malades n'auront qu'une porte à franchir... On pourrait très bien placer la glace-écran ici, la table basculante là et le diaphragme tournant juste derrière... Dans ce coin le transformateur, et, à droite de la porte, le pupitre de commande... Il serait préférable que le parquet fût remplacer par un plancher isolant avec lame de plomb, mais ici c'est moins nécessaire que dans un appartement de Paris, où il y a presque toujours des locataires à l'étage au-dessous. S'il n'y a pas d'isolant, les rayons peuvent traverser le plancher, pénétrer dans la pièce du dessous et amener d'assez sérieux ennuis aux personnes qui habitent dans cette pièce. » — « Aucun risque de ce genre chez moi ! Sous ce boudoir, il y a une cave. » — « Très bien : cela vous fera une économie appréciable dans les frais d'installation... Tiens ! vous avez une autre porte dans ce boudoir ? Où donne-t-elle ? » — « Sur un débarras où ma mère me faisait ranger mes jouets autrefois. »

Sans attendre ma permission, Marcelle Davois avait déjà ouvert la deuxième porte : « — Ce serait la salle rêvée de développement dans laquelle on installerait les cuves et où je pourrais vous tirer immédiatement les clichés. » — « Vous savez faire ça aussi ? » — « Mais, docteur, j'ai mon diplôme de manipulatrice et d'assistante-radio ! » — « En somme, selon vous, nous avons tout ce qu'il faut pour procéder à cette installation et je suis un criminel si je ne la fais pas ? » — « Tout de même pas, docteur ! Plutôt un retardataire ! » — « Voyez-vous, Marcelle, il n'y a qu'une chose qui m'inquiète dans ce projet : je crains que ma clientèle, assez routinière et peut-être un peu « retardataire », comme vous le dites si bien en parlant de moi, n'aime pas beaucoup passer dans cette pièce pour se faire radiographier ! » — « Mais il faudra qu'elle s'y fasse, docteur ! Une clientèle, ça se dresse... C'est une habitude à lui donner. N'est-il pas regrettable quand vous vous trouvez en présence d'un cas douteux — ce qui a déjà dû vous arriver plus d'une fois depuis les six mois que vous exercez — d'être obligé d'envoyer vos malades au Mans chez un radiologue et d'attendre que l'on veuille bien vous réexpédier les clichés radiographiques pour pouvoir fixer définitivement votre diagnostic ? C'est une perte de temps et d'argent que vous faites gagner trop facilement à un confrère... » — « Je vois que vous pensez au côté pratique du métier ! » — « Il faut être ainsi, docteur, sinon un autre médecin, sachant que vous avez des idées un peu arriérées, viendra un jour s'installer dans votre propre ville et vous prendra rapidement la plus grosse partie de votre clientèle parce que son premier soin aura été de procéder à l'installation pour laquelle vous hésitez encore ! » — « Laissez-moi y réfléchir pendant quelques jours. Nous en reparlerons... Maintenant je vais vous faire commencer une première tournée à domicile : emportez cette mallette. Vous y trouverez les verres à ventouses, une bouteille d'alcool, des bandes Velpeau, du coton, des badigeons... enfin tout ce qui vous sera nécessaire pour les soins courants. Bien entendu, si vous estimez qu'il y manque quelque chose, vous n'aurez qu'à la compléter à votre idée. »

La tournée fut banale : pas de cas sérieux, mais beaucoup de grippes, comme toujours au début de novembre. Partout — lorsque je présentais mon assistante et quand j'annonçais que, sauf complications sérieuses, ce serait elle qui me remplacerait dès le lendemain pour ces visites quotidiennes — je sentis une gêne indéfinissable. Les gens l'observaient avec une méfiance très nette, mais ils se taisaient : incontestablement Marcelle connaissait son métier — je m'en aperçus dès cette première tournée — et possédait surtout le don, inappréciable pour une infirmière, de savoir se faire obéir par un malade. Peut-être y avait-il une certaine brusquerie et trop d'automatisme dans ses gestes, mais n'était-ce pas l'aboutissement logique d'une longue pratique ? Je dus reconnaître, par exemple, qu'elle faisait beaucoup mieux les piqûres que moi et que les malades, toujours un peu sensibles et méfiants dans ce domaine, paraissaient ne rien sentir et être tout étonnés que la piqûre ait été faite à leur insu. Après tout, n'était-ce pas beaucoup plus son emploi que le mien ? J'ai toujours eu la conviction que si les docteurs font si mal les piqûres, c'est uniquement parce que ça ne les intéresse pas...

Nous étions rentrés pour le déjeuner : ce fut notre deuxième repas pris face à face. Je me souviens lui avoir dit à table : « — Vous voyez que si mes malades sont nombreux, ils ne se portent pas trop mal ! » Elle ne répondit pas. Au fond, ça devait l'ennuyer de n'avoir rencontré, pendant cette première tournée, que des cas assez bénins... Après le déjeuner, je lui offris, par simple politesse, de prendre une tasse de café avec moi dans la bibliothèque : elle refusa et monta dans sa chambre. Cette preuve de discrétion de sa part ne me déplut pas. La seule chose qui m'agaçait était l'idée, à laquelle je n'avais guère songé avant de l'engager, qu'elle prendrait tous ses repas avec moi ! Mais il était assez délicat de lui demander de les prendre à part, surtout au début. Au bout de quelques jours, on verrait... Je craignais aussi la mauvaise humeur persistante de ma brave Clémentine à son égard : tant que j'étais là, Clémentine n'osait rien dire, mais je me doutais qu'à la première discussion qu'elles auraient entre elles, l'une ou l'autre de ces femmes s'en irait. Et comme je ne pouvais pas faire autrement que de conserver jusqu'à sa mort la vieille nounou qui m'avait élevé, ce serait Marcelle qui ferait ses bagages. Cela m'ennuyait déjà. Cette première matinée me prouvait que mon maître, le professeur Berthet, ne s'était pas trompé : il m'avait trouvé une précieuse collaboratrice. Je devais donc l'accepter pour le bien de ma clientèle, toujours de plus en plus étendue, telle qu'elle était : avec son mutisme horripilant et son visage hermétique.

A deux heures, les consultations commencèrent selon la routine immuable attachée à tous les cabinets médicaux. Le premier client qui se présenta, ce jour-là, fut le père Heurteloup, le gros fermier jovial et rubicond que j'avais rencontré la veille sur le quai de la gare. Naturellement, ce fut Marcelle qui l'introduisit dans mon cabinet : cela faisait partie de ses attributions ainsi que répondre au téléphone. Deux offices que Clémentine était très vexée de ne plus remplir : elle adorait, Clémentine, recevoir les clients pour bavarder avec eux dans le salon d'attente et leur conseiller de prendre une petite tisane... Seulement, elle me faisait perdre un temps fou, ma bonne nounou ! Quant au téléphone, elle n'avait jamais su s'en servir : elle hurlait dans l'appareil, écorchait tous les noms, ne comprenait pas les adresses, se trompait dans les heures de rendez-vous et mélangeait les noms des maladies pour lesquelles on m'appelait ! Vraiment, ce n'était plus possible !

Clémentine resterait désormais dans sa cuisine ou dans la lingerie : ses vrais domaines.

Avec Marcelle Davois, les malades se succédaient sur un rythme accéléré. Quand j'avais besoin d'une serviette pour une auscultation ou d'un instrument de médecine courante, je n'étais plus obligé de le chercher partout pour savoir où Clémentine avait bien pu le ranger ni de hurler après ma bonne dans toute la maison. En quelques heures, mon assistante avait réussi à faire régner l'ordre : tout était à portée de ma main.

Le père Heurteloup venait me voir pour son foie. Un foie qui l'ennuyait depuis des années. La consultation se limitait toujours pour moi à une bonne semonce : — « Alors, père Heurteloup, c'est encore ce foie qui vous taquine ? C'est bien fait pour vous ! Vous ne voulez pas m'écouter et continuez à boire votre satané calvados ! » — « Oh ! docteur, juste quelques « petits coups » de gnole par-ci par-là... » — « Combien de « petits coups » par jour en moyenne ? Soyez franc, père Heurteloup. » — « Je ne les ai pas comptés... dix ou douze... » — « Un de ces matins vous serez emporté par votre bonne cirrhose du foie et puis c'en sera fini des « petits coups de calva », hein ? Plus de père Heurteloup qui vient voir son ami, le docteur Fortier ! Plus rien qu'un bel enterrement où ce sera la famille qui boira la goutte à votre santé dans l'Eternité... Déshabillez-vous et allongez-vous ici : je vais tâter ce foie. » Bien malade le foie du père Heurteloup ! — « Vous pouvez vous rhabiller. Ça vous a fait mal quand j'ai appuyé avec mon index ? » — « Un peu... » — « Vous êtes dur, père Heurteloup, malheureusement l'organisme humain possède des limites qu'il faut respecter ! » Je sonnai : — « A partir de demain matin, Marcelle, vous commencerez votre tournée par une visite chez le père Heurteloup qui s'entête à ne suivre aucune de mes prescriptions : vous l'obligerez à avaler à jeun un verre à bordeaux d'eau naturelle dans laquelle vous aurez délayé de la poudre de Bourget, à raison d'un paquet par litre. » — « Bien, docteur. » — « Ça ne doit pas être bien bon, ce médicament ! » bougonna le vieux fermier. — « C'est salé, père Heurteloup, mais croyez-moi : c'est préférable au petit coup de vin blanc matinal pour laver votre foie et votre vésicule biliaire !... Marcelle, dès que vous aurez introduit le client suivant, vous accompagnerez le père Heurteloup chez le pharmacien pour l'obliger à acheter ses paquets de Bourget et de la teinture de boldo, sinon je le connais : il ne le fera pas ! Quand vous aurez cette petite bouteille, vous prendrez vingt gouttes diluées dans un peu d'eau après chaque repas. Compris, père Heurteloup ? Vous pouvez vous retirer, Marcelle... »

Le bonhomme ne disait plus rien. Il semblait médusé. — « Eh oui, père Heurteloup ! Comme vous êtes pire qu'un enfant de quatre ans, je suis décidé à employer avec vous les grands moyens, sinon nous courons à une catastrophe inévitable. Bien entendu, je donnerai des instructions à mon assistante pour qu'elle veille demain à ce que toute votre provision de calvados soit mise sous clef : votre femme et vos enfants seront chargés de faire la police. Je ne veux plus vous voir absorber une seule goutte d'alcool et si jamais j'apprends que vous fréquentez le moindre bistrot de la ville, je vais moi-même vous y chercher par la peau du cou. Oui ou non, allez-vous devenir raisonnable ? » Le père Heurteloup ne répondait toujours pas. Jamais je ne lui avais vu une figure pareille... — « Eh bien, qu'est-ce qui vous chiffonne ? » — « Oh ! ce n'est pas le remède, docteur... Ce serait plutôt la dame avec son voile... » — « Marcelle ? Vous la craignez, celle-là, hein ? » — « Elle ne doit pas être commode tous les jours ! » — « Il vous aurait fallu une femme comme ça... Votre foie ne vous aurait jamais ennuyé ! Au revoir, père Heurteloup. Vous reviendrez me dire bonjour lundi prochain à la même heure : on verra les premiers effets du traitement. » Quand il sortit de mon cabinet, Marcelle Davois l'attendait, silencieuse et sévère, dans le vestibule.

Les clients se succédèrent. La dernière personne qui entra cet après-midi, dans mon cabinet fut la belle Mme Boitard. J'étais plutôt étonné : elle ne venait d'habitude qu'après avoir pris rendez-vous par téléphone. — « Ça, c'est une surprise, chère Madame ! Qu'est-ce qui vous amène ? » Avant de répondre, elle se retourna pour s'assurer que Marcelle avait bien refermé la porte du vestibule derrière elle et n'était pas restée dans la pièce : — « Il ne s'agit nullement de ma santé, docteur, qui est toujours florissante... Comme je passais devant chez vous, je suis entrée un peu par curiosité pour voir cette infirmière que vous avez fait venir de Paris... Savez-vous que, depuis la tournée que vous avez faite avec elle ce matin en ville, on ne parle plus que de ça ? » — « Les gens n'ont vraiment pas d'autre occupation ? » — « Ils sont intrigués... Avouez qu'il y a de quoi ! Répondez-moi franchement... je suis une amie : quelle idée saugrenue vous a pris d'amener chez vous une femme pareille ? Vous ne pouviez pas la choisir au moins un peu plus jeune et surtout plus aimable ? J'ai peur qu'elle ne vous fasse du tort et n'éloigne votre clientèle... » — « Ce n'est pas mon avis, chère Madame... Mlle Davois est une infirmière qualifiée : si elle avait été trop jolie, on aurait pu jaser. » — « Après tout vous avez peut-être raison : personne ne croira que vous avez le goût assez déformé pour vous intéresser à une telle virago ! Mais je tiens à vous dire que je ne veux pas être soignée par elle s'il m'arrivait quelque chose ! Je vous quitte... Vos minutes sont précieuses. » — « Maître Boitard va toujours bien ? » — « Toujours, docteur, comme un mari qui fait passer ses dossiers avant sa femme ! »

Après son départ, mon cabinet était imprégné d'un parfum subtil, pénétrant, tenace surtout... Un parfum qui devait plaire à l'amant, le beau lieutenant des Eaux et Forêts... Charmante Mme Boitard, qui laissait dans son sillage ce parfum de femme adultère... Marcelle entra. Les consultations étaient terminées. — « Qu'est-ce que vous faites, Marcelle ? » — « J'aère, docteur, en ouvrant cette fenêtre ! Vous ne sentez pas cette odeur qui monte à la tête ? » — « Le parfum de Mme Boitard ? Il ne me déplaît pas... Vous ne devez pas aimer beaucoup les parfums, vous, Marcelle ? » — « Je les ai toujours eus en horreur, docteur », répondit-elle en refermant la fenêtre avec mauvaise humeur. — « Vous devez préférer l'odeur des médicaments, ce parfum des cliniques ? » Elle ne répondit pas. — « Dites-moi, Marcelle, au moment où va s'achever cette première journée, pensez-vous que vous vous habituerez à votre nouvelle existence ? » — « Mais certainement, docteur ! » — « Asseyez-vous... Je voudrais vous poser une petite question : quand votre travail était terminé à l'Institut du Cancer, qu'est-ce que vous faisiez pour vous détendre l'esprit, pour vous changer les idées et ne plus penser à toutes les horreurs que vous aviez vues ? » — « Rien, docteur... Pourquoi aurais-je cherché à m'évader de mon métier ? Je profitais au contraire de ces heures de liberté pour continuer, selon un plan très personnel, les études de médecine que j'avais dû interrompre pour des raisons indépendantes de ma volonté après la mort de mon père. » — « Vous auriez voulu être doctoresse ? » — « Oui, malheureusement après mon année de P. C. N. — qui, pour votre génération, s'appelle maintenant le P. C. B. — et mes deux premières années d'études, je dus abandonner pour gagner ma vie comme infirmière. Aussi ai-je essayé de rattraper plus tard, tant bien que mal, les cinq années qui m'ont manqué au départ. » — « Je suis persuadé que vous auriez fait une remarquable doctoresse. » — « Merci, docteur. Mais il faut aussi des infirmières diplômées, n'est-ce pas ? »

La sonnerie du téléphone interrompit notre conversation. C'était un horticulteur des environs qui me demandait de venir d'urgence : sa jeune femme, enceinte depuis neuf mois, venait d'entrer dans les grandes douleurs. Je promis de partir immédiatement et dis, après avoir raccroché le récepteur : — « Je crois, Marcelle, que vous dînerez seule ce soir... Ne m'attendez pas. J'ignore à quelle heure je rentrerai. » — « Voulez-vous que je vous accompagne, docteur ? J'ai aussi mon diplôme de sage-femme. » — « Non. Tout se passera bien. La mère est en excellentes conditions physiques... Je préfère que vous restiez ici pour assurer la permanence au téléphone. S'il y avait un cas urgent, vous saurez où m'appelez : voici le numéro de l'horticulteur, M. Servais. Bonsoir. »

Au fond, j'étais enchanté. Je bénissais l'accouchement de Mme Servais qui avait été pour moi un excellent prétexte de départ : j'appréhendais un nouveau tête-à-tête avec l'étrange créature. La nuit était déjà tombée quand je sortis ma voiture du garage. J'ai toujours aimé rouler la nuit... N'est-ce pas la destinée de la plupart des médecins appelés à n'importe quelle heure ? La propriété des Servais se trouvait à une dizaine de kilomètres sur la route du Mans... Une route que j'évitais de prendre, à moins de ne pas pouvoir faire autrement, surtout de jour : elle passait devant la grille d'entrée du château et longeait ensuite le mur clôturant le parc pendant deux bons kilomètres. Je craignais toujours de rencontrer la châtelaine, celle qui continuait, dans mon cœur, à n'avoir qu'un prénom : Christiane. Et cependant je savais bien que mon ancienne fiancée portait le nom de celui qu'elle avait épousé pendant ma captivité en Allemagne : un certain M. Triel... Celle que j'appelais autrefois « ma » Christiane était devenue Mme Triel ! Son mari avait su se montrer discret puisqu'il était mort un an après le mariage, emporté par une étrange maladie contractée, disaient les gens du pays, aux colonies. Christiane s'était retrouvée jeune veuve, propriétaire du plus beau château de la région et à la tête d'une grosse fortune.

D'où venait-elle cette fortune de son époux ? De plantations qu'il possédait en Afrique-équatoriale, affirmaient les gens... En réalité, personne, dans le pays, n'avait jamais très bien compris ce mariage ? N'étions-nous pas déjà de grands amis d'enfance, Christiane et moi ?

Elle habitait, à cette époque, la maison voisine de la nôtre, sur la route d'Alençon. Et il n'était pas question alors de château ! Christiane, orpheline, était élevée par l'une de ses tantes paternelles, personne assez austère dont ni elle, ni moi n'avons conservé un très bon souvenir... Ma jeune amie venait passer des après-midi entiers avec moi dans le grenier de ma vieille maison : c'était la joie complète. Nous grandîmes... A chaque fois que je revenais de Paris, où se poursuivaient mes études à la Faculté de Médecine, je retrouvais Christiane avec joie. A dix-neuf ans, elle était devenue la plus jolie jeune fille que l'on pût voir. Quand nous n'étions encore que des enfants, nous avions échangé le serment de nous marier plus tard, mais, au moment où je me retrouvais en présence d'une adorable jeune fille, j'étais assez intimidé : je n'osais plus renouveler ma demande en mariage enfantine... Ce fut elle qui vint spontanément à mon secours un dimanche de juin pendant que nous faisions une promenade en barque sur la rivière. Je l'entends encore me demander : — « Denys, as-tu oublié la promesse que nous nous sommes faite dans le grenier ? » — « Comment voudrais-tu que je l'aie oubliée, Christiane, quand je te retrouve, à chacun de mes retours ici, plus adorable que jamais ? J'aimerais tant que tu deviennes ma femme... » — « Je la serai, Denys, dès que tu le voudras. » Nous échangeâmes alors notre premier baiser dans la barque, au fil de l'eau et en plein soleil.

Il me fallait d'abord terminer mes études. Ensuite, je prendrais la succession de mon père et j'épouserais Christiane. Mais il y eut la guerre, la disparition de mes parents, ma longue captivité... La maison familiale, où Christiane et moi avions ébauché des projets de bonheur, se retrouva vide, sans visites de malades — puisque « le bon docteur » n'était plus là — avec Clémentine pour unique occupante...

... Clémentine espérait mon retour de jour en jour... Toute la petite ville d'ailleurs attendait mon retour depuis qu'il n'y avait plus de médecin. Pour en trouver un, il fallait aller à quatorze kilomètres. « Quand donc reviendra-t-il de là-bas, notre jeune docteur ? » se lamentaient les braves gens qui, au fond, ne m'avaient connu qu'enfant ou jeune homme, mais m'auréolaient déjà du prestige attaché au nom des Fortier. Bien qu'ils ne m'aient jamais vu exercer, ils étaient persuadés que je valais mon père...

... Tous m'avaient attendu dans notre petite ville, tous, sauf Christiane... Depuis quelques mois, en Allemagne, je ne recevais plus de lettres d'elle. Très inquiet, j'avais écrit à ma fidèle Clémentine en la suppliant de me dire la vérité. Et un jour enfin la réponse était arrivée... Elle était gauche, maladroite, cette réponse, bourrée de fautes de syntaxe et d'orthographe, mais quand même écrite par une main de vieille nounou qui avait un cœur de maman : « Christiane s'était mariée... Elle avait épousé un homme très riche, beaucoup plus âgé qu'elle... Un certain M. Triel, qui venait d'acheter le château dans lequel il avait fait de gros travaux... Il ne fallait pas trop en vouloir à Christiane... depuis le temps qu'elle attendait ! Elle avait déjà trente ans et dame ! Les années de jeunesse, ça file, surtout pendant les guerres... Il ne fallait pas non plus avoir trop de chagrin : à mon retour je trouverais qui je voudrais comme femme... Il y avait des jeunes filles charmantes — et jolies ! — dans la région qui ne demanderaient que ça : être la compagne du nouveau docteur... » La brave Clémentine terminait en me disant qu'elle surveillait la vie et le comportement de ces jeunes filles en puissance de devenir femmes... qu'elle leur parlait à toutes de moi et que peu à peu, dans leur esprit, ce médecin prisonnier prenait la figure d'un héros... Le héros lointain qui reviendrait un jour dans son pays natal pour y faire souche à son tour.

J'ai déchiré la lettre de Clémentine : elle s'est éparpillée en morceaux dans la boue de l'Oflag. Et je me suis senti très seul... aussi seul qu'au volant de ma voiture pendant que je me rendais à l'accouchement d'un premier-né... Je longeai le mur du parc, bordant la route... J'accélérai pour passer devant la grille d'entrée qui restait ouverte jour et nuit comme si Christiane était toujours prête à m'accueillir... Je n'ai même pas eu le temps ce soir-là d'apercevoir, au fond de l'allée, la masse sombre du château, ni la petite lumière qui brillait d'habitude à hauteur du premier étage. A chaque fois que je la voyais, cette lumière, je pensais que ce devait être la chambre de Christiane ? Je n'avais jamais pénétré alors dans ce château, ni même franchi la clôture du parc. Ce n'était cependant pas l'envie qui m'en avait manqué quand j'étais enfant, lorsque la propriété était à vendre ! La grille d'entrée, à l'époque, restait obstinément fermée, portant le sinistre écriteau vermoulu : « Propriété à vendre. Pour tous renseignements, s'adresser à Maître Boitard, notaire. » Les mauvaises herbes avaient envahi l'allée, des branches de bois mort y étaient tombées, et, tout à fait au fond, la bâtisse apparaissait sinistre et délabrée, avec ses volets claquant au vent... Pour nous, enfants, ce château engourdi apparaissait comme un lieu de légende. Les vieilles femmes du pays prétendaient que s'il n'était plus habité depuis longtemps, c'était uniquement parce qu'il était hanté. Je rêvais d'escalader ce mur de parc pour pénétrer dans un monde inconnu, mais la crainte de rencontrer quelque fantôme me retint jusqu'à l'âge de dix ans. Ensuite, comme tout le monde dans la région, je finis par m'habituer à ce château oublié qui meublait le paysage et il cessa de m'intriguer.

Ce fut à mon retour d'Allemagne que je vis que tout avait changé : M. Triel était passé dans le château avec ses millions et y avait laissé sa jeune veuve. Les grilles d'entrée s'étaient largement ouvertes pour recevoir les grosses voitures américaines qui venaient de Paris à chaque week-end. L'allée était bien entretenue, les mauvaises herbes et le bois mort avaient disparu, les volets de la façade ne claquaient plus au vent... On disait que Christiane, malgré la mort prématurée de son mari, avait conservé le même train de maison luxueux avec jardinier, garde-chasse, chauffeur, cuisinière, femme de chambre... Personnellement, je ne l'avais pas rencontrée au cours de mes tournées et je finissais par croire qu'elle ne voulait pas sortir du château ? Je me demandais aussi quel effet me produirait semblable rencontre si elle avait lieu un jour, au hasard ? Au fond, je n'y tenais pas trop... Christiane devait être dans les mêmes sentiments puisqu'elle n'avait jamais manifesté le désir de me revoir depuis six mois que j'étais revenu ! Les choses étaient mieux ainsi : Christiane resterait la riche veuve et moi le docteur vieux garçon. Je ne songeais pas du tout à me marier, malgré tous les beaux projets échafaudés par le cerveau de la brave Clémentine...

Toutes ces réflexions — dominées en surimpression par le visage de celle qui aurait été ma femme s'il n'y avait pas eu pour elle la guerre et l'attente de mon retour improbable — contribuèrent à me faire paraître courts les dix kilomètres qui séparaient la ville de la propriété des Servais. Quand j'arrivai, les choses étaient déjà très avancées, et, une heure plus tard, l'heureux horticulteur pouvait contempler avec attendrissement son premier héritier : un gros garçon de huit livres. C'était déjà mon cent douzième accouchement en six mois. Cent douze accouchements et quatre-vingt-quatorze permis d'inhumer pendant cette période : les deux pôles de ma profession... la naissance de la Vie, la venue de la Mort.

Quand je rentrai chez moi, il était minuit passé : dans sa joie bien naturelle, l'horticulteur avait voulu fêter tout de suite l'événement en me retenant à dîner. Mon père acceptait toujours ces invitations qui associaient le docteur aux joies de la famille. Il affirmait que cela faisait partie de la profession. Parfois, ces agapes tardives, agrémentées d'interminables libations, devenaient de véritables corvées, mais ce soir-là, chez les Servais, tout s'était passé d'une façon intime et charmante. J'étais assez gai en gravissant mon escalier... Une gaieté qui tomba instantanément lorsque j'aperçus le rai de lumière sous la porte de Marcelle Davois... Je l'avais complètement oubliée quand j'étais chez les Servais et même pendant le parcours en auto où je ne pensais qu'au souvenir de Christiane... Le simple rai de lumière sous la porte me ramenait à la réalité... Je m'arrêtai sur le palier, retenant ma respiration : aucun bruit ne parvenait de la chambre... Comme la veille au soir, Marcelle Davois écrivait. Voici la date, dans l'horrible cahier...

« Ce 3 novembre.

« J'ai l'impression très nette d'avoir marqué des points dès cette première journée. Il ne sait plus trop que penser de moi : il a même essayé, après les consultations, de se montrer aimable en me demandant comment j'occupais mes loisirs à l'Institut du Cancer ? Mais je me méfie des gens qui s'intéressent à moi : c'est chez eux une manière déformée de sonder mon passé. Il ne saura rien. Je n'ai pas de passé... Ma nouvelle existence a commencé : elle sera moins ennuyeuse que la précédente dans le laboratoire de Villejuif. Ce matin, j'ai senti que tous les clients auxquels nous rendions visite étaient méfiants... Lui m'observait : il a compris que je connaissais mon métier. Ce sera par mon métier seul que je m'imposerai. Ma première impression d'hier soir se confirme :

c'est un bon garçon, consciencieux, routinier même... C'est à croire qu'il s'est donné pour ligne de conduite de reprendre toutes les vieilles habitudes de son père qui a dû être le type même du médecin de campagne redoutable et ignare ! J'ai bien fait de dire au fils que j'aurais dû être doctoresse... Si je l'avais été, ce n'aurait pas été dans une petite ville perdue de province que j'aurais exercé, mais à Paris, ou peut-être même dans une grande capitale étrangère ? En Amérique j'aurais fait merveille : c'est un pays où les femmes peuvent réussir. Le seul vrai drame de ma vie est que je n'aie pas eu les moyens de terminer mes études. C'est même un scandale quand on pense que de jeunes débutants, comme ce petit Denys Fortier, pratiquent et possèdent en quelques mois une vaste clientèle uniquement parce qu'ils ont eu la chance de pouvoir succéder à leur père ! Quelle honte ! Non seulement je me sens plus compétente que lui, mais tout autant que ces soi-disant grands maîtres ou professeurs que j'ai côtoyés journellement à Paris : certains, parmi eux, n'avaient bâti leur réputation que grâce au snobisme. L'un cependant fait exception : mon ancien patron, le professeur Berthet. Un homme que l'on ne peut pas ne pas admirer. D'ailleurs n'est-il pas le seul à m'avoir appréciée à ma juste valeur ?

« Ce qui compte désormais pour moi, c'est l'avenir : celui que je vais me créer ici... J'ai déjà posé la première pierre de l'édifice, qui doit me permettre de régner enfin sur les autres, en lançant l'idée d'installation radio. Mes arguments l'ont beaucoup ébranlé. Dès demain matin, je reviendrai à la charge. Il faut que j'aie cette radio à ma disposition : c'est l'appareil merveilleux pour en imposer à la clientèle. J'ai appris à bien m'en servir à Villejuif : je sais le choc psychologique que peut déclencher chez un malade le seul fait d'entendre — pendant qu'il est torse nu, dans une demi-obscurité, devant la glace-écran — l'opérateur dire : — « Vous avez une petite lésion au bas du poumon gauche... Oh ! ce n'est rien, mais il faudra quand même soigner ça sans attendre », ou même : « ... L'aorte ne fonctionne pas très bien... Elle est mal placée... Il va falloir la surveiller ! » Phrases courtes mais suffisantes pour que le client se sente diminué, amoindri... Parce qu'il a peur, il perd son assurance et il se confie à vous, pieds et poings liés. Il vous dit tout sur sa vie privée... Vous avez barre sur lui : il ne peut plus se passer de vous. Voilà ce que j'obtiendrai avec la radio... Dans un mois, l'installation sera faite. »

... Elle savait ce qu'elle écrivait, mon assistante. Un mois plus tard, l'installation radio était en place, prête à fonctionner. Marcelle Davois avait tellement insisté que je m'étais laissé convaincre : si incroyable que cela puisse paraître, je regretterai toute ma vie d'avoir procédé à cette installation qui fut le véritable instrument d'un crime. Je ne me consolerai jamais non plus d'avoir fait ripoliner les murs du boudoir encore imprégnés de la douce présence de ma mère. Quand je retournerai dans ma vieille maison, je ferai rétablir le boudoir tel qu'il était et tel que je l'ai aimé dans mon enfance : avec ses cretonnes bleu pâle, sa bergère recouverte de velours et, au centre, le métier à tapisserie... Les appareils de radio iront se rouiller dans le grenier. Ce n'est pas aller contre le progrès, c'est avoir le courage de ne plus utiliser ce qui a semé la mort dans ma ville... J'enverrai mes malades se faire radiographier au Mans.

Marcelle Davois obtint, dès les premiers examens radioscopiques, les « chocs psychologiques » qu'elle recherchait chez les malades. Mais j'ai tout lieu de penser que sa plus grande victoire fut sur moi ! Certes, pendant mes études, j'avais souvent manié des appareils de radio et étudié des plaques, mais il me manquait la véritable pratique et surtout de longues observations de clichés pour pouvoir, dès le premier examen sommaire à travers la glace-écran, déceler la nature exacte du mal. Marcelle, au contraire, possédait cette pratique et, tous les soirs — quand les consultations étaient terminées — nous nous penchions, elle et moi, sur les plaques qu'elle venait de développer dans les cuves. Je dois reconnaître qu'elle m'apprit alors beaucoup de choses. Pendant ces séances, j'avais l'impression d'être devenu son élève, ce qui ne devait certainement pas lui déplaire ! Sa voix monocorde parlait pendant que son index suivait les moindres contours reproduits sur chaque plaque : — « Voyez, docteur, cette radio rénale du père Heurteloup... Elle éclaire considérablement votre diagnostic... Le bassinet est déformé, les calices sont amputés... il en manque déjà un : c'est la preuve irréfutable d'une tumeur maligne. Ce qui vous avait empêché de la découvrir jusqu'à cette radiographique est que ce genre de tumeur se développe surtout en avant où elle est prise pour le foie, et comme ce foie est également très malade, il était normal que vous n'ayez pas pensé à une deuxième affection. » Aucun doute n'était possible : le père Heurteloup avait une tumeur rénale en plus de sa cirrhose du foie. De toute façon il était perdu : sa cirrhose l'emporterait dans six ou huit mois au maximum. Pourquoi lui dire également qu'il avait un cancer du rein ? D'abord, comme me le confiait Marcelle, on ne dit jamais à un malade qu'il a un cancer... ensuite le bonhomme ne se laisserait pas opérer. Son seul passage dans la chambre de radio fut toute une histoire...

« — Je ne veux pas qu'on me fasse des « choses » avec ces machines ! avait-il hurlé pendant que je le contraignais à se déshabiller. — « Mais je vous affirme, père Heurteloup, que ce n'est pas douloureux ! Ne bougez plus : mon assistante va vous faire une petite piqûre préliminaire... » C'était nécessaire pour l'urographie intraveineuse. Après bien des réticences le père Heurteloup avait fini par céder au calme froid de Marcelle qui lui avait injecté dans la veine dix centimètres cubes de Tenebryl, ce produit iodé et opaque qui s'élimine par le rein. Cinq minutes après, nous tirions un premier cliché des deux reins. Le vieux fermier parut tout étonné que ce ne fût pas douloureux. Mis en confiance, il accepta que je lui passe une ceinture autour du ventre avec un ballonnet que Marcelle gonfla progressivement pour écraser les uretères sur le bassin. Puis il recommença à geindre : — « En voilà une poule mouillée ! avait dit sèchement Marcelle. Et vous vous croyez un homme ? Je suis sûre que votre femme a fait moins de bruit quand elle a accouché de vos onze enfants ! » Grâce au ballonnet, le Tenebryl s'était accumulé dans les reins. Ce fut le moment précis, à peu près un quart d'heure après le premier cliché, que mon assistante choisit pour en faire un second : celui où elle venait de me montrer la tumeur. « Une bien jolie image », selon sa propre expression.

Quand le père Heurteloup, libéré du ballonnet, ressortit de la chambre radio, il était congestionné et criait en se rhabillant : — « Jamais, vous entendez ? Jamais je ne remettrai les pieds chez vous, docteur ! Je n'aime déjà pas les médecins, mais avec votre père ça ne se passait pas comme ça ! Il n'avait pas toutes ces mécaniques et ce « cinéma » dans le noir... Tout ça, ce sont des trucs inventés par les jeunes toubibs pour faire croire qu'ils sont plus savants que les vieux et doubler le prix de la consultation ! C'est une honte ! Ça devrait être interdit par la gendarmerie ! C'est plus de la médecine, c'est de l'usine ! » — « Ne dites donc pas de bêtises, père Heurteloup... Que vous ne reveniez plus me voir, cela vous regarde, mais que vous m'accusiez de charlatanisme, ça, vous n'en avez pas le droit... La meilleure preuve est que vous ne me payerez pas la consultation et que je vous ferai cadeau de votre radio. » Le bonhomme fut décontenancé : — « Si c'est comme ça, je veux bien... mais vous pourrez la garder, votre photo ! Je n'en veux point ! » Il partit sans même me dire au revoir ; j'en eus de la peine.

Tous mes malades ne se comportèrent heureusement pas comme ce vieux paysan devant l'installation radio. Très vite, l'appréhension et la méfiance instinctives — que chacun porte en soi lorsqu'il va être radiographié pour la première fois — se transformèrent en curiosité et en confiance. C'était à qui de mes clients voulait avoir sa petite radio, même pour les motifs les plus futiles. Cela devint une vogue dans la ville ; les malades ne ressortaient satisfaits que lorsque je les avais examinés devant la glace-écran et qu'ils m'avaient entendu dire : « — Tout va bien ! Vous avez un cœur de coureur à pied et des poumons de champion olympique. » La véritable triomphatrice de cette psychose ancrée dans l'esprit du moindre malade fut Marcelle.

Quelques jours après que l'installation eut commencé à fonctionner chez moi, j'appris que les gens s'abordaient en ville en disant : — « Vous ne savez pas ? Notre jeune docteur fait des radios chez lui ! Si vous voyiez ces appareils ! Ce que c'est compliqué ! Ça a dû lui coûter cher ! C'est exactement comme au Mans... Et on ne sent rien ! » Marcelle Davois avait gagné sa première manche et, comme le dernier des innocents, je ne prévoyais même pas où cela me mènerait... Six semaines à peine après son arrivée, mon assistante avait acquis dans la région la réputation qu'elle cherchait : on la craignait, mais on avait pour son métier le plus profond respect. Moi tout le premier, je l'avoue : elle m'était devenue indispensable.

Un jour cependant — ce devait être au début de janvier, deux mois après son arrivée — je reçus la visite de l'archiprêtre, le chanoine Lefèvre. J'entends encore ce saint homme me dire : — « Je ne viens pas vous trouver pour mes rhumatismes... J'espère bien les conserver le plus longtemps possible, puisqu'on dit que c'est un brevet de longue vie. Alors n'y touchons pas ! Je suis là uniquement pour vous parler de cette personne que vous avez fait venir de Paris... » — « Mon assistante ? » — « Ma démarche ne m'est dictée que par la très solide affection que j'ai toujours portée à vos chers parents et à vous... Mon petit Denys, il faut vous débarrasser au plus vite de cette femme ! » — « Pourquoi, monsieur l'Archiprêtre ? Marcelle Davois est pour moi une collaboratrice de premier ordre ! » — « Beaucoup trop remarquable en effet... Elle a pris dans le pays une importance insensée en quelques semaines : mes paroissiens ne jurent plus que par elle ! Mlle Marcelle a dit... Mlle Marcelle pense... Mlle Marcelle conseille... Elle se mêle de tout, votre fameuse assistante ! Si encore elle se contentait de ne parler que médicaments ou pansements, je ne protesterais pas ! Mais elle a la prétention certaine d'émettre son avis sur ce qui ne la regarde pas, même sur des questions religieuses ! Vous reconnaîtrez que je suis tout de même plus compétent qu'elle dans ce domaine ! Savez-vous qu'elle s'est permis — lorsqu'elle est venue, envoyée par vous, inspecter l'état sanitaire des fillettes de l'orphelinat — de dire aux enfants que le bon Dieu n'existait pas et que c'étaient les bonnes sœurs qui l'avaient inventé pour leur faire peur ! Mes chères Filles de la Charité en ont été consternées. » — « Ça, je suis persuadé que Marcelle n'a aucune conviction religieuse ! Elle ne croit qu'à deux choses : les progrès de la science et les recherches médicales. » — « Ce n'est pas une raison suffisante pour jeter le doute dans l'âme de nos orphelines ? » — « Elle a eu tort, monsieur l'Archiprêtre, sans aucun doute... Je vous promets de le lui dire aujourd'hui même... Voulez-vous que ce soit fait en votre présence ? » — « Dieu m'en garde ! Moins je verrai cette figure hypocrite et fermée, plus je serai heureux... Elle non plus ne doit pas tenir tant que ça à me rencontrer ! Elle déteste tout ce qui est soutane ou robe de bure, comme la plupart de ces filles qui ont travaillé dans les institutions ou hôpitaux de l'Etat... Mais ça la regarde : à chacun ses convictions ! Plutôt que de lui administrer une semonce, qui ne servirait à rien, je pense que vous feriez mieux de vous débarrasser d'elle le plus tôt possible... Vous verrez qu'elle parviendra, beaucoup plus vite que vous ne le croyez, à vous attirer de sérieux ennuis ! Est-ce que votre père, qui fut le modèle des médecins, a jamais eu besoin d'une assistante ? » — « Vous oubliez, monsieur l'Archiprêtre, que le champ d'investigation de la médecine s'est considérablement étendu depuis ces dernières années ! Il m'est impossible de suffire à tout ! Mlle Davois m'a été recommandée par l'homme le plus éminent que je connaisse : le professeur Bertel avertissement, c'était qu'il sentait un danger réel, mais lequel ? Il devait être bien incapable, l'excellent prêtre, de me le définir ! Persone n'aurait pu définir ce danger... Par moments, je le pressentais moi aussi, mais je ne voulais pas trop m'y attarder. Marcelle n'accomplissait-elle pas son devoir professionnel avec une conscience rare ? J'avais eu beau l'observer, l'épier même depuis près de deux mois qu'elle vivait continuellement auprès de moi, je n'avais rien décelé, rien qui pût justifier de ma part la moindre observation. Elle savait se montrer très discrète dans la maison : on ne l'entendait pas... Clémentine elle-même ne disait plus rien sur elle. C'était bon signe puisque je savais que ma vieille nounou ne l'aimait pas. Le seul petit grief que l'on pouvait retenir contre Marcelle était d'avoir mis en doute le principe même d'une religion devant des enfants... Mais les sœurs de l'orphelinat n'avaient-elles pas exagéré ? C'est toujours un peu étroit de mentalité, une bonne sœur : ça vit emprisonnée dans une cornette... Et comment faire la réprimande à Marcelle ? Ne risquerait-elle pas de se vexer et de me demander de quoi nous nous mêlions, le chanoine et moi ? Elle était parfaitement libre d'avoir ses opinions. Que lui répondre si elle me disait : — « Quand vous avez consulté mes diplômes avant de m'engager, docteur, vous ne m'avez pas demandé s'il y avait parmi eux un certificat de baptême ? J'ai le droit de dire à qui je veux ce que je pense d'une religion ! Si ça ne vous convient pas, ainsi qu'à certaines personnes de votre ville, je préfère m'en aller tout de suite ! » Et ça, je ne le voulais plus. Elle m'avait apporté une telle expérience professionnelle — notamment pour les examens radioscopiques et radiologiques — que je me demandais avec une réelle inquiétude comment je me débrouillerais après son départ ? Elle avait aussi allégé ma tâche : je pouvais, pour certains soins subalternes, me reposer sur elle et lui faire pleinement confiance. Toute la population enfin commençait à l'apprécier à sa juste valeur. Le chanoine Lefèvre l'avait bien dit : on ne jurait plus que par elle en ville... Le mieux était donc d'attendre avant de parler de l'incident assez bénin de l'orphelinat. La prochaine fois, ce serait moi qui irai à l'orphelinat, voilà tout...

Quelques jours plus tard, je dus me rendre à Angers pour assister au congrès médical régional. Avant mon départ, je décidai que, pendant ma courte absence, mon assistante continuerait à soigner les malades ordinaires et, s'il y avait urgence pour un cas sérieux, elle appellerait l'un de mes confrères habitant la ville la plus proche : Sillé-le-Guillaume. Aussi dès mon retour, trois jours plus tard, demandai-je à Marcelle :

— Tout s'est bien passé ?

— Tout, docteur.

— Pas de nouveaux malades ?

— Non, docteur... Ah, si ! J'allais oublier... On a téléphoné ce matin d'un château des environs pour que j'aille poser des ventouses à une Mme Triel...

— Christiane ?... enfin Mme Triel ? Qu'est-ce qu'elle a ?

— Rien de sérieux... un petit refroidissement. Cette dame m'a d'ailleurs reçue d'une façon charmante... Elle m'a dit qu'elle vous connaissait très bien, mais qu'elle ne vous avait pas vu depuis assez longtemps... Elle m'a priée de vous transmettre son bon souvenir.

— Merci ! Comment avez-vous pu aller jusqu'au château ?

— Mme Triel m'a fait prendre ici et reconduire par son chauffeur.

— Mais quand elle a téléphoné, c'est moi qu'elle voulait voir ?

— Non, docteur. C'est sa femme de chambre qui m'a parlé à l'appareil... Elle m'a simplement demandé si j'étais bien l'infirmière et, sur ma réponse affirmative, elle m'a dit que la voiture du château allait venir me chercher. Je ne pense pas, docteur, que votre déplacement eût été nécessaire. Moi-même je dois téléphoner demain à la femme de chambre pour avoir des nouvelles, mais je suis persuadée qu'après une bonne nuit Mme Triel sera tout à fait remise.

— A part cette visite au château, rien d'extraordinaire ?

— Rien, docteur.

— Merci, Marcelle.

... C'était à peine croyable ! Christiane, qui m'ignorait volontairement depuis huit mois que j'étais revenu dans le pays, avait éprouvé le besoin subit de réclamer mon assistante et ceci uniquement pour poser des ventouses alors que sa femme de chambre aurait très bien pu le faire ! La réputation grandissante de Marcelle Davois serait-elle parvenue jusqu'au château et aurait-elle aiguisé la curiosité de Christiane ? En tout cas, celle qui avait été ma fiancée pendant des années, n'avait pas exprimé le moindre désir de me voir... à moins qu'elle n'ait pas osé et que ce procédé bizarre fût au contraire un moyen indirect de me faire comprendre qu'elle ne serait pas fâchée de me rencontrer ? Je devais être dans le vrai et j'avais maintenant une excellente raison d'aller rendre visite à Christiane, sous prétexte de m'enquérir de sa santé ? Elle devait attendre ma visite... J'irais dès le lendemain matin et je dis à mon assistante, au moment où elle montait se coucher :

— Marcelle, ce ne sera pas la peine de téléphoner demain pour avoir des nouvelles. Je préfère aller moi-même au château.

« Ce 15 janvier.

« Pourquoi va-t-il chez cette Mme Triel ? J'espère que c'est uniquement parce qu'elle peut devenir pour lui la cliente la plus intéressante de la région... N'est-elle pas très riche ? Son château n'est-il pas charmant ? enfin, n'offre-t-elle pas le très gros avantage d'être veuve d'après ce que m'a expliqué le chauffeur pendant le trajet ? Elle n'est pas laide... Elle serait même plutôt jolie... très jolie ! Un peu frêle, à mon avis : sa constitution physique laisse à désirer. Elle a déjà une légère tendance à voûter ses épaules comme beaucoup de ces jeunes femmes modernes... Elle n'est pas très robuste : ce simple refroidissement prouve qu'elle doit prendre quelques précautions... C'est drôle comme elle a paru étonnée quand je l'ai auscultée: — « Vous êtes donc aussi doctoresse ? » — « Je pourrais l'être, Madame... Vous avez un léger râle sur le poumon gauche, mais c'est insignifiant. Les ventouses vont vous décongestionner à moins que vous ne préfériez un sinapisme ? — « Oh non ! Ça brûle trop ! » C'était bien elle : la femme gâtée par l'existence qui ne peut supporter aucune douleur, si minime fût-elle... Je l'ai comprise tout de suite.

« Mais pourquoi tient-il absolument à aller la voir dès demain ? Elle m'a dit le connaître mais ne pas l'avoir revu depuis longtemps... Quand j'ai prononcé le nom « Mme Triel », il s'est écrié : « Christiane » ? On n'appelle pas par son prénom une femme que l'on n'a pas vue depuis des années si on ne l'a pas très bien connue avant... Peut-être même se tutoient-ils ? Le plus étrange est qu'il ne m'ait jamais parlé d'elle... Il aurait dû normalement le faire quand il m'a dit les noms des différentes personnalités de la ville ou des environs. Une châtelaine, ça compte ! surtout quand elle est veuve, jeune et jolie ! A moins que ?... Il faudra que je me renseigne vite, car l'idée qu'un garçon aussi faible que lui aille chez une femme pareille ne me plaît pas. Elle est dangereuse, cette Christiane, avec sa féminité un peu maladive et sa sensibilité frémissante... »

Comme je l'avais décidé la veille, j'ai commencé ma tournée par une visite au château.

J'éprouvai une curieuse sensation à franchir le portail d'entrée en voiture... C'était bien la première fois que je pénétrais dans ce parc tant convoité quand j'étais enfant et que je m'approchais de ce château devenant de plus en plus pour moi celui de la Belle au Bois Dormant... Celle-ci m'accueillit avec beaucoup de simplicité sous les traits de Christiane. Je la retrouvais telle que je me l'étais toujours imaginée pendant cette séparation qui, pour moi, avait été interminable : elle m'apparut encore plus belle, plus désirable surtout... Elle se tenait droite dans le petit salon où la femme de chambre m'avait introduit après que je me fus nommé. Les yeux noirs, aux cils immenses, se posèrent aussitôt sur les miens... Le regard n'avait pas changé — il ne changerait jamais pour moi, je le savais déjà — avec sa sensualité un peu lourde... C'était toujours le regard d'une amoureuse dans l'attente... C'étaient aussi, par moments, les yeux d'une jeune fille qui n'ont rien perdu de leur luminosité et semblent ne pas s'être attachés au visage déjà disparu de celui dont elle portait le nom... C'était la jeune veuve.

Les cheveux que j'avais encore connus flous le soir de 1939, où nous nous étions dit au revoir, sans nous douter que tant de choses nous sépareraient ensuite, étaient noués en un catogan d'ébène descendant très bas sur la nuque. C'était charmant. La silhouette enfin était bien restée celle de la Christiane que j'avais adorée — et que j'aimais toujours — mais l'attitude était devenue celle d'une femme.

Nous nous parlâmes comme si notre séparation datait de la veille. Il sembla que rien ne nous gênât vraiment, alors que nous redoutions tant, depuis des mois, de nous retrouver face à face ! Les premiers mots échangés furent certainement ceux que le destin avait dû prévoir sans que ni elle, ni moi, ne pûmes nous rendre compte que tout ce que nous disions nous dépassait déjà, était plus fort que nous, venait directement de nos cœurs inassouvis. Ces mots, faits de quelques reproches et de beaucoup d'amour renaissant, comment pourrais-je les oublier ?

— Tu n'as pas changé, Denys...

— Toi non plus, Christiane... Comment te sens-tu ce matin ?

— C'est donc le médecin qui est venu me voir ?

— Mais oui ! Mon devoir n'est-il pas de contrôler les soins que t'a donnés mon assistante ?

— Tu as raison, docteur !... Eh bien, apprends que ses ventouses m'ont fait le plus grand bien ! Je me sens déjà guérie ! Quelle merveilleuse infirmière puisqu'il suffit de la voir une fois pour obtenir un pareil résultat ! Ceci dit, quand j'ai appris par la rumeur publique que tu avais auprès de toi une assistante, j'ai été un peu intriguée... Maintenant que je l'ai vue, je suis tranquille...

— Ne serait-ce pas pour cela que tu l'aurais fait venir hier ?

— On ne peut rien te cacher !

— Mais tu pouvais très bien l'apercevoir en ville ! Elle y circule tous les matins...

— Je vais le moins possible dans « ta » ville.

— Elle a été un peu aussi la tienne, Christiane ?

— Oui... Je crois que je l'ai aimée quand j'étais ta voisine !

— On dit en ville que cette maison où tu habitais va être démolie. C'est vrai ?

— Oui. Je l'ai vendue après la mort de ma tante. Je n'aimais pas ma tante... toi non plus ! Je n'ai jamais été heureuse dans cette maison ! Je n'étais bien que dans celle de tes parents. L'important est que cette maison-là reste la même, comme ta vieille nounou... A propos, comment va-t-elle, Clémentine ?

— Elle vieillit un peu, mais à part ça...

— Je crois que je lui plaisais ?

— A son âge on n'a plus le courage de changer de sentiments ! Alors tu dois toujours lui plaire bien que nous ne parlions jamais de toi.

— Vous m'en voulez, tous les deux ?

— Non, Christiane ! Je pense te connaître assez pour savoir que tu ne t'es pas mariée à la légère ?

— Eh bien tu te trompes ! Je regrette ce mariage...

— Il t'a cependant apporté une foule de choses que je n'aurais pas pu t'offrir ?

— Il m'a aussi apporté le deuil, Denys... Evidemment, tu ne peux pas le comprendre, mais j'avais beaucoup d'estime pour mon mari : il fut un grand travailleur et un homme juste. Je suis persuadée que si tu l'avais connu, tu l'aurais apprécié.

— Même si j'avais été là, je ne l'aurais certainement pas connu, Christiane, car nous nous serions mariés, toi et moi ?

— Tu es amer mais c'est ton droit. Pourquoi j'ai fait cette bêtise ? Parce que tu n'en finissais pas de revenir, Denys... Parce que j'ai été comme tout le monde dans le pays... Parce que j'ai cru que tu ne sortirais jamais de là-bas... Pierre était bon...

— Et tu t'es dit : « Celui-là ou un autre »...

— C'est un peu cela... Sais-tu ce que c'est que l'attente pour une femme, Denys ?

— Figure-toi que je l'ai appris pour un homme, en Prusse-Orientale...

— Pardonne-moi. Ça me fait plaisir de te revoir, Denys.

— Moi aussi, Christiane...

— Il paraît que tu réussis aussi bien que ton père ? Il serait fier de toi ! Et tu le mérites. Déjà, quand tu faisais tes études à Paris, tu aimais passionnément ton métier... Te souviens-tu que tu me racontais tout ce que tu apprenais quand tu revenais en vacances ?

— Oui...

— Et ces projets que nous faisions là-haut dans le grenier ?

— Oui...

— Et les promenades en barque sur la rivière ?

— Oui... Je me souviens surtout d'une...

— Tais-toi !

— Tu as raison : parlons plutôt métier... J'aimerais t'ausculter ?

— Ce n'est pas la peine. Je t'ai dit que j'étais guérie grâce à ton assistante. A part une ou deux anicroches comme celle d'hier je ne suis jamais malade. Je n'en ai peut-être pas l'air mais j'ai une santé de fer... Tu as quand même bien fait de venir, Denys... Je suis très heureuse de t'avoir retrouvé, tu vois... ça va probablement te paraître un peu stupide mais j'aimerais, maintenant que tu as repris le chemin du château, que tu y reviennes de temps en temps ? Moi-même je voudrais te rendre ta visite pour revoir ta maison et tous les souvenirs qui s'y rattachent... Tu accepteras de m'y recevoir un jour ?

— Tu aurais pu y revenir beaucoup plus tôt si tu l'avais voulu ! Clémentine et moi nous t'accueillerons comme si tu ne nous avais jamais oubliés... Il faut que je parte. J'ai une longue tournée à faire aujourd'hui... Au revoir, Christiane. Téléphone-moi quand cela te fera plaisir.

— A bientôt, Denys...

« Ce 16 janvier.

« Il l'a revue ce matin. Quand je lui ai demandé tout à l'heure, pendant le dîner, si elle allait mieux, il m'a simplement répondu : — « Vous aviez raison. Ce n'était rien » et il a changé de conversation. Mais je sens qu'il n'est plus le même : il paraît à la fois heureux et inquiet... Heureux d'avoir retrouvé cette Christiane et inquiet sur ce que pourrait être leur avenir ? A-t-elle vraiment éprouvé les mêmes sentiments que lui en le revoyant ? Voilà ce qu'on lit sur son visage... J'ai enfin appris la vérité : Clémentine a fini par me la dire après bien des réticences ! Ils ont été fiancés mais la guerre a tout changé. Le drame pour moi est qu'elle soit finie : ils peuvent s'aimer de nouveau. Ils sont libres tous deux et elle est riche. Son deuil légal est terminé : pourquoi ne se remarierait-elle pas ? Tout cela dépend d'une seule chose : l'aime-t-elle encore ? parce que lui, je suis sûre qu'il l'aime toujours... Ce serait terrible pour moi qu'il épousât cette femme ! Continuerait-il même à exercer ? Ne préférerait-il pas une vie douillette dans ce beau château ? Je n'aurais plus qu'à partir... et je ne le veux pas parce que j'ai fini par m'attacher à lui plus que je ne l'aurais cru au début. Il me manquerait terriblement, ce petit Denys... Que faire ? Eviter le plus possible qu'il ne la rencontre. Mais est-ce en mon pouvoir ? »

Ce n'était pas en son pouvoir. Trois jours plus tard, Christiane me téléphonait pour m'inviter à dîner avec le ménage Boitard, le surlendemain je déjeunais seul avec elle et le samedi suivant elle arriva à l'improviste chez moi à l'heure des consultations : — « C'est Mme Triel. » Je ne répondis même pas à Marcelle et courus au-devant de Christiane dans le vestibule. Dès que la porte fut refermée et que nous nous retrouvâmes seuls, Christiane me dit en riant :

— Tu ne vas tout de même pas me recevoir derrière ton bureau ? Je ne viens pas te voir pour une consultation mais pour retrouver une atmosphère que j'ai tellement aimée... où nous avons été si heureux !

Elle regardait déjà sur les murs les tableaux,

les gravures qui étaient aux mêmes places. Rien n'avait bougé dans ce cabinet. La seule chose qui dût lui paraître nouvelle était le double cadre, posé sur le bureau et contenant les dernières photos de mes parents. Elle les contempla longuement avant d'ajouter :

— Ce n'était qu'ici, Denys, que nous pouvions vraiment nous retrouver, toi et moi... J'aimerais tant que nous montions dans le grenier comme autrefois ! Tu ne veux pas ?

— Mais, Christiane, il y a des clients qui attendent dans le salon !

— Ils attendront ! C'est une habitude qu'ils ont prise en venant chez leur médecin !... Viens ! Je connais le chemin aussi bien que toi...

Et elle m'entraîna par la seule porte qui permettait d'éviter le vestibule où mon assistante était assise devant une petite table pour accueillir les nouveaux venus et répondre au téléphone.

Quand nous fûmes là-haut, je sentis Christiane toute proche, amoureuse... Si elle était revenue volontairement dans ce grenier de nos promesses, c'était parce qu'elle avait besoin de moi. Une force impérieuse l'avait entraînée jusqu'à cette maison familiale où s'était ébauché un bonheur... force qui avait bousculé barrières sociales et convenances... Ne m'avait-elle pas dit, le jour où nous nous étions revus après tant d'années : « Je voudrais te rendre un jour ta visite ?... » C'était fait.

Ses lèvres s'offrirent, tremblantes... Ce ne fut plus cette fois, dans le vieux grenier, le baiser de fiançailles donné timidement à une jeune fille, mais le lien très fort m'attachant à une maîtresse.

Nous étions ainsi, l'un contre l'autre, oubliant le lieu où nous nous trouvions, oubliant le passé, oubliant nos reproches, oubliant tout... Seule la minute présente comptait. Elle fut interrompue par le bruit de la porte donnant sur l'escalier, qui grinçait, et l'exclamation étouffée d'une voix rauque : — « Oh ! pardon ! » C'était Marcelle. — « Qu'est-ce que vous voulez ? » — « Excusez-moi, docteur, mais M. le chanoine Lefèvre vient d'arriver... » — « Bon. Je descends. » Un claquement de la porte suivit puis un bruit de pas dans l'escalier pendant que mon amour me demandait : — « Mon pauvre chéri, qu'est-ce qu'elle va penser ? » — « Ce qu'elle voudra ! Ça m'est bien égal ! »

Dans le fond, je m'en voulais. Je n'étais qu'un imbécile. J'aurais dû fermer la porte à clef !... mais elles ne fonctionnent jamais les serrures de portes de grenier ! Et puis comment penser à un détail pareil au moment où je retrouvais enfin celle que j'aimais ? Et n'avais-je pas le droit d'embrasser qui je voulais ? Je n'avais aucun compte à rendre à personne, surtout pas à une employée... Ce fut Christiane qui me ramena à la réalité : « — Elle a l'habitude d'entrer ainsi partout sans frapper ? » Non, elle n'avait pas cette habitude ! Au contraire, elle frappait toujours, même plutôt trop... Elle en devenait agaçante et j'étais parfois obligé de crier deux fois : « Entrez ! » Mais Christiane avait raison : cette fois, Marcelle n'avait pas frappé. Elle n'était même jamais montée dans le grenier ! Mais elle n'avait pu résister au besoin de savoir ce que nous y faisions ? J'enrageais. Christiane souriait, ravie : — « Je ne suis pas mécontente que cette femme nous ait suivis et nous ait trouvés ainsi : comme ça, elle ne se fera plus aucune illusion à l'avenir sur la nature des consultations que tu me donneras ! C'est beaucoup mieux. Plus franc aussi. Seulement crois-tu qu'elle saura rester discrète ? » — « Marcelle ? C'est un tombeau... Ne t'inquiète surtout pas : elle ne dira rien. » — « Il vaut mieux, chéri, pour toi et pour moi : les gens sont si bêtes et surtout si méchants ! Ils ne comprendraient pas... Gardons notre secret. Je m'en vais : le chanoine va s'impatienter ! Viens ce soir au château. » — « Mais, Christiane, ce sera peut-être très tard ? » — « Qu'est-ce que ça peut faire, mon amour ? Je t'attendrai pendant toute la nuit, s'il le faut... »

Quand je traversai le vestibule pour reconduire Christiane jusqu'à sa voiture, Marcelle la salua d'un imperceptible mouvement de tête avant d'introduire un client dans mon cabinet.

Lorsque je revins du château le lendemain

matin à huit heures, je la croisai de nouveau dans ce même vestibule... Elle partait pour sa tournée de visites à domicile. Je sifflotais, tout joyeux, en gravissant le perron : la vue de Marcelle Davois, drapée dans sa cape bleu marine et sa trousse à la main, rompit mon euphorie. Ce fut quand même avec le sourire que je lui lançai un sonore : — « Bonjour, ma chère assistante ! On part faire sa petite tournée ? Bonne chance ! » La voix sèche répondit : — « Merci, docteur », et la porte d'entrée se referma sans bruit sur la silhouette anguleuse à laquelle je ne fis même pas attention, tellement j'étais joyeux d'être devenu l'amant de Christiane.

Ma vie était changée. Je la partageais désormais entre l'amour de Christiane et un métier pour lequel je me passionnais de plus en plus grâce à la présence — ça aussi, je dois le reconnaître — de Marcelle. Deux nouveaux mois s'écoulèrent et je pensais, raisonnant en cela comme un véritable enfant, qu'il n'y avait aucune raison pour que les choses pussent se modifier : j'avais l'excuse d'être heureux. Il me semblait que mon bonheur ne pourrait jamais être plus complet.

Un matin pourtant, une ombre vint le ternir pendant quelques instants... Je venais de pénétrer dans mon cabinet de consultation où Marcelle m'attendait, comme elle le faisait chaque matin, pour me dire les noms et maladies de clients auxquels elle s'apprêtait à rendre visite à domicile. Je fus frappé du teint de son visage : les traits étaient tirés, le rictus de la bouche presque douloureux... On aurait dit qu'elle n'avait pas dormi depuis des nuits ! Je lui en fis le plus gentiment possible la remarque : — « Vous n'avez pas très bonne mine, Marcelle, depuis quelque temps... vous n'êtes pas souffrante ? » — « Jamais je ne me suis sentie mieux, docteur. » Mais la voix la trahissait : elle avait perdu sa sécheresse voulue. — « Je crains que vous ne vous surmeniez un peu, Marcelle ?... Les malades de la région ont besoin de vous, mais dites-vous bien qu'ils seraient encore plus malheureux, et moi tout le premier, si vous deviez prendre un repos complet pendant quelque temps. » — « Je ne me suis jamais reposée de ma vie, docteur. Ce n'est pas ici que je commencerai ! » — « Ne croyez-vous pas que vous vous couchez un peu tard le soir ? Je sais bien que ce que je vais vous dire ne me regarde pas, mais tout de même j'ai remarqué plusieurs fois, en passant la nuit dans le couloir, la lumière qui filtrait sous votre porte... Vous devriez essayer de dormir davantage. » — « Le temps passé à dormir ne se retrouve pas. » — « Je ne suis pas du tout de votre avis ! Si je n'avais pas mon compte de sommeil, je serais incapable de tenir le coup. » — « Oh ! vous, docteur, je suis sûre que vous avez un sommeil d'enfant... » Cela avait

vivait qu'avec le souvenir d'un grand amour manqué...

« Elle savait très bien ce qu'elle faisait, l'autre, le jour où sa femme de chambre m'a téléphoné ! C'est surtout cela que je ne lui pardonnerai jamais ! S'être servie de moi comme intermédiaire inconsciente ! Elle se doutait bien qu'en revenant du château je parlerais d'elle à Denys et qu'ainsi elle l'atteindrait après des années de séparation... Si j'avais pu me douter qu'ils avaient été fiancés, jamais je ne serais dérangée ! Elle a fait preuve d'une grande rouerie féminine, mais elle ne me connaît pas encore ! Elle ne perd rien pour attendre...

« Si elle avait pu voir se transfigurer le visage de Denys l'après-midi où je lui ai annoncé, en plein milieu de ses consultations, qu'elle était là ! Elle aurait été folle de joie... Elle aurait compris surtout qu'elle avait gagné d'avance ! Il a couru vers elle sans même me répondre et l'a entraînée dans son cabinet en me laissant toute seule dans le vestibule !

« J'ai voulu écouter, en plaquant mon oreille contre la porte de séparation, ce qu'ils se disaient ? Mais aucun bruit de voix ne m'est parvenu... Voulant être fixée une fois pour toutes, j'ai ouvert la porte brusquement, sans frapper... J'avais une bonne excuse toute prête : l'annonce que le chanoine Lefèvre — que Denys ne faisait jamais attendre — était au salon. J'ai ouvert : ils n'étaient plus là ! Mais je vis que la petite porte, donnant directement du cabinet dans l'escalier, était entrouverte : ils s'étaient enfuis par là pour éviter de passer devant moi dans le vestibule ! Du moment qu'ils éprouvaient le besoin de se cacher, c'était que l'instant devenait grave pour moi... Et je les ai suivis, montant l'escalier à mon tour... J'ai d'abord été directement à la chambre de Denys : personne !... J'ai fouillé tout le second étage : ils n'y étaient pas ! Et, tout à coup, la vue du petit escalier en bois conduisant à la porte du grenier me donna une idée : s'ils étaient là ? J'ai ouvert cette dernière porte sans frapper également et je les ai vus !

« Ils étaient l'un contre l'autre, enlacés... J'ai vu leur baiser... Est-il possible que la seule vision de ses lèvres sur celles de cette femme ait suffi à déclencher le mécanisme obscur qui régit mes instincts sexuels ?... Moi, qui ai toujours été guidée par la raison... Moi, insensible à l'appel des sens et méprisant les femmes qui ne sont qu'organes... Ou serait-ce un lent et sourd travail qui se serait fait en moi, à mon insu, pendant ces années de vie solitaire ?

« Sur le moment, j'ai ressenti un choc violent, ma tête a tourné, mon pouls s'est mis à battre follement, ma vue s'est brouillée et j'ai cru que j'allais m'évanouir en refermant la porte avec peine. Et j'ai rejoint ma place dans le vestibule en ressentant cette horrible morsure au cœur que les initiés à ce genre de torture doivent appeler « jalousie » ? Je commence seulement à retrouver mon calme, après deux mois pendant lesquels j'ai revécu, chaque nuit, en un rêve obsédant, la vision entrevue... Mais c'étaient d'autres lèvres, d'autres yeux, un autre corps... C'était moi ! Je me reconnaissais à peine, tellement le désir transfigurait mes traits... Je sentais son corps tendu contre le mien. C'était comme un long spasme d'amour... le premier que j'aie jamais éprouvé. C'est donc cela la sensation mystérieuse, recherchée par tant d'êtres à travers les siècles et sous tous les climats !

« Chaque matin, j'ai dû faire un effort surhumain pour retrouver l'équilibre et la lucidité qui sont ma nature même, mais mon cerveau restait vide et mon corps épuisé. Jusqu'alors l'acte sexuel m'avait toujours paru monstrueux, mettant l'homme au niveau de la bête. Je n'avais vécu que pour la science... La présence continuelle d'hommes autour de moi ne m'avait jamais troublée. J'étais trop près de la machine humaine, j'en connaissais trop bien le mécanisme pour me laisser emporter par un appétit charnel que les théories médicales m'expliquaient logiquement. Peut-être avais-je trop vécu dans ces salles d'hôpitaux sinistres où l'on soigne les maladies et les dérèglements provenant directement de l'acte d'amour ? Peut-être aussi un instinct secret m'avertissait-il que seule la souffrance m'attendrait si je m'aventurais vers un plaisir qui n'était bon que pour les autres ? Alors pourquoi ce réveil brutal de ma sensibilité à la vue d'un couple enlacé. Pourquoi suis-je devenue brusquement l'esclave de mon imagination et de mon bas-ventre ? Pourquoi ai-je envie de ce garçon alors que tous les autres, jusqu'à ce jour, m'ont laissée froide et indifférente ?

« C'est une sorte d'immense tendresse pour lui qui m'a envahie... Oui, je crois que j'aime sa voix chaude, ses yeux rieurs et son inexpérience qui me font penser à un enfant... Un enfant que j'ai vu embrasser une femme et auquel j'ai envie de crier depuis ce moment : — « Mais vous ne vous rendez donc pas compte, mon petit Denys, que j'aime enfin !... que je vous adore avec toute la violence que seul un refoulement de vingt-cinq années peut expliquer ?... Que la femme, qui était prisonnière en moi, est libérée et que c'est vous qui avez accompli ce miracle ? Je vous ai vu revenir le matin, après votre nuit d'amour... Vous aviez cet air triomphant du mâle satisfait qui a pris son plaisir et qui a su le donner... Vous étiez exalté, vous sentiez l'amant... Vous avez pris un ton désinvolte pour me dire bonjour : *On part faire sa petite tournée ?* Je n'ai même pas répondu, mais ces mots-là sonneront toujours en moi comme le glas de mon amour naissant.. Vos yeux n'osèrent pas soutenir mon regard : vous vous sentiez coupable, devant moi, comme un collégien qui rentre après une escapade. Et je crois que je ne vous en ai aimé que davantage ! Mais qu'avez-vous donc reçu pendant cette nuit où vous m'avez trahie ? Les baisers et les caresses d'une femme qui n'a fait que répéter avec vous les gestes déjà accomplis maintes fois avec son mari et peut-être avec d'autres ? Tandis que moi, je me suis réservée pour vous... Et je vous possède, Denys ! Je n'ai pas eu besoin de votre présence physique pour vous aimer comme vous le méritez. Vous me prenez toutes les nuits en rêve aussi complètement que l'autre le fait en réalité. Je vous donne tout mon amour et vous ne pouvez m'en empêcher, ni vous, ni elle ! Je continuerai à vous prendre ainsi chaque soir dans ma chambre et vous me donnerez le plaisir dès que je l'appellerai : c'est ma force et mon secret. Maintenant vous la trompez avec moi ! »

... Voilà ce que je voudrais lui crier ! Il faut que je lutte pour passer du rêve à la réalité. Mais comment ? Elle est jolie, cette Christiane... Elle a du charme... Elle n'est pas sotte. Beaucoup moins enfant que lui... Elle est « femme » surtout ! Le combat sera dur, âpre... mais je triompherai ! J'aurai la peau de cette femme s'il le faut ! Je dois d'abord trouver le moyen de le dégoûter d'elle pour qu'il revienne à son métier, rien qu'à lui... ce métier que je représente déjà dans son esprit... Il n'y a que par là que je peux le reprendre. Dès que ce sera fait, le reste deviendra un jeu pour moi... parce qu'enfin je ne suis pas laide ! Et je me sens très capable de me montrer « femme », moi aussi... Je n'emploierai pas les mêmes moyens vulgaires que sa Christiane : ce sera pour cela qu'il finira par me remarquer. Je ferai naître en lui une passion violente, irraisonnée : il m'adorera.

« Si je lui étais complètement indifférente, il ne resterait pas pendant des soirées entières à travailler avec moi quand les consultations sont terminées. Il courrait rejoindre sa maîtresse... Elle est jolie ? La beauté, ce n'est pas tout... Si je pouvais la rendre laide, elle perdrait son meilleur atout. Si je pouvais aussi lui retirer son charme, elle n'aurait plus rien ! Tous les soirs depuis que je sais t'aimer, Denys, je me regarde devant la glace de cette horrible armoire de maison de province. Et je me demande pourquoi je ne t'ai pas encore plu ? Pourquoi je n'ai pas encore déchaîné cette passion aveugle que j'attendais depuis si longtemps chez un homme sans même m'en rendre compte ? Elle a eu trop de chance, ta Christiane : un mari qu'elle n'aimait pas et qui lui a laissé une fortune... un fiancé qu'elle a aimé depuis son enfance et dont elle a réussi à faire son amant... C'est beaucoup trop pour une même femme qui ne mérite rien ! Et il n'y a pas qu'elle à être dans ce cas : la belle Mme Boitard est mariée, elle aussi, à un riche notaire tout en étant la maîtresse du lieutenant des Eaux et Forêts ! Un homme jeune qui est très bien de sa personne, lui aussi... Est-ce juste que toutes les femmes inutiles aient tant de chance alors que moi, qui ai mis mon intelligence au service de l'humanité, je n'ai rien ? Cela doit changer.

« Tout à l'heure, je me suis regardée entièrement nue, devant la glace. Je ne l'avais pas fait depuis des années : mon corps ne m'avait guère intéressée. Je viens de le contempler... Je l'ai détaillé comme ces filles qui font un métier de l'amour... Mes proportions sont bonnes, mes jambes longues, mes chevilles fines, mais je manque de grâce et de souplesse. On sent trop que mon corps n'a pas été plié par l'acte de chair, pétri par les mains de l'homme... Je suis trop maigre aussi... Jamais je ne l'avais autant remarqué. Mon visage est émacié, mes yeux creusés, mes traits tirés... Est-ce ma passion pour Denys qui me consume ainsi ? Je ne le pense pas : elle devrait plutôt m'embellir puisqu'elle m'exalte ! Il doit y avoir autre chose : ne serait-ce pas plutôt la fatigue accumulée d'années de travail ininterrompu ? L'état général est mauvais. Je suis découragée... Comment lutter contre les formes pleines et souples de Christiane ? Comment faire désirer ce sein vidé et cette hanche plate ? J'ai honte. Je crains de ne pas réussir... Ne ferais-je pas mieux de ne rester que la cérébrale ? Mon cerveau seul est-il capable de m'imposer à celui que j'aime ? Je ne sais plus... La question sexuelle a tant d'importance ! Elle me hante aussi depuis que je les ai vus l'un contre l'autre... Il faut que je suive un traitement... Un institut de beauté ? Je n'oserais pas y entrer : je serais ridicule. Et pourtant ? J'ai souvent remarqué que l'amour et le désir d'un homme ne tiennent qu'à trois ou quatre kilos de graisse supplémentaire sur le corps de la femme, à ce que nous appelons, en médecine, quelques grammes d'albuminoïdes, de lipides et de sucres... C'est parfaitement ridicule mais c'est ainsi. Je dois donc nourrir ma peau par un traitement d'hormones. Mais ce ne sera pas suffisant pour supprimer ces malaises périodiques que je ressens depuis quelques mois.

« A certains moments aussi j'éprouve de véritables angoisses : j'ai du mal à respirer. Aurais-je une bronchite chronique ou des crises d'asthme ? Ce doit être cela : de l'asthme... Dans ces moments-là je me sens terriblement lasse. J'ai presque envie de me laisser mourir : l'idée de suicide reprend. Il faut réagir ! Je dois aussi continuer à m'observer minutieusement pendant les jours qui vont suivre. Dès demain j'irai chercher des fortifiants à la pharmacie et s'il n'y a pas d'amélioration, je consulterai quelqu'un... Oh ! pas Lui surtout ! Je ne veux pas qu'il se penche sur mon corps autrement qu'avec désir... Sinon il aurait pitié de mon état physique et un homme n'aime pas la femme qu'il plaint...

« Si je vais en consultation, ce sera la première fois de ma vie ! Je n'ai eu confiance dans le diagnostic de personne, sauf peut-être dans celui du professeur Berthet que je crois infaillible. Oui, ce sera lui — et lui seul — que j'irai voir. Il saura trouver le ou les remèdes nécessaires. Je serai obligée de demander à Denys quelques jours de congé sous un prétexte quelconque. Et je lui reviendrai transformée, désirable... Ce ne sera qu'à ce prix que ma victoire sera totale. L'autre aura peut-être été sa maîtresse pendant un temps, mais je deviendrai « sa » femme. Qu'est-ce que ça peut faire, après tout, qu'il soit plus jeune que moi ? Les années, ça ne compte pas en amour. C'est même mieux que la femme soit l'aînée : elle règne plus facilement. »

Elle dut estimer que son état ne s'améliorait pas puisqu'elle me demanda, deux semaines plus tard, un congé : elle avait des affaires de famille à régler à Paris. Je savais que cette absence me gênerait, maintenant que notre collaboration commençait à porter ses fruits, mais il m'était très difficile de refuser : depuis son arrivée, Marcelle ne s'était même pas octroyé un dimanche de repos. — « Combien de temps pensez-vous rester à Paris ? » — « Une quinzaine de jours tout au plus, docteur. » — « Au fond, cette détente peut vous faire le plus grand bien : vous continuez à ne pas avoir très bonne mine ! Je vous sens fatiguée... Vous avez fourni un gros effort ces derniers temps en multipliant vos visites en ville. La réorganisation de la pouponnière vous a donné aussi beaucoup de travail. Je ne dis pas que l'air de Paris soit excellent, mais quelquefois le changement vaut mieux que tout. Vous pourrez partir samedi soir comme vous me le demandez et revenir à la fin du mois. »

Et, peu à peu, l'idée de ne plus voir pendant quelques jours ce visage — auquel j'avais fini cependant par m'habituer — ne me déplut pas. Je savais aussi que Christaine serait enchantée. Elle rêvait de passer vingt-quatre heures chez moi, « pour vivre, disait-elle, complètement mon existence de médecin et voir si elle lui plairait ? » Ce n'était encore chez elle qu'un caprice d'amante ou d'enfant gâtée qui s'ennuyait dans son grand château : — « Comprends-moi, chéri, il faut bien que je sache à quoi je m'engagerai si tu me demandes, comme tu l'as fait autrefois, de devenir ta femme ! » Mais évidemment cette expérience n'était guère possible quand mon assistante était là : elle aurait joué le rôle de trouble-fête.

... Ce fut merveilleux. Christiane arriva chez moi dès le dimanche matin, lendemain du départ de Marcelle. Pour éviter les mauvaises langues de la ville, toujours à l'affût d'un scandale possible, elle avait préféré ne pas venir avec sa voiture : j'avais été la chercher avec la mienne au château. Clémentine était dans notre secret : la pensée que celle, qu'elle avait toujours rêvé de me voir épouser, venait habiter dans ma vieille maison familiale, la ravissait. Elle était sur le perron, Clémentine, pour accueillir Christiane à sa descente de voiture : une Clémentine souriante, aux petits soins, qui semblait dire : « Enfin ! Ce n'est pas trop tôt ! Mais qu'est-ce que vous attendez donc pour vous marier tous les deux ? » Ce que nous attendions ? Christiane et moi aurions été bien incapables de le dire ! Au fond, je crois que cette situation d'amants nous convenait... Ne le sommes-nous pas encore après deux années, alors que j'écris dans cette pièce et qu'elle repose dans la chambre voisine ? Au moment où Christiane descendit de voiture pour prendre un peu possession de cette maison qui ne demandait qu'à la recevoir, nous ne pensions plus au mariage, mais à l'amour.

Les repas furent joyeux. Il était certain que l'atmosphère devenait plus légère quand je n'avais pas, assise en face de moi, Marcelle Davois... A la fin du dîner, Clémentine s'exclama en apportant les fruits : — « On respire bien quand « l'autre » n'est pas là ! » Je devinais la pensée intime de ma nounou : si

Christiane s'installait définitivement, ce serait le moyen infaillible de faire partir l'autre ! Mais Christiane n'était venue que pour tenter une expérience de vingt-quatre heures et les malades avaient besoin de Marcelle Davois. Deux choses que Clémentine ne comprendrait jamais. Pour la première fois aussi depuis que j'exerçais le téléphone ne tinta pas : je ne fus dérangé par personne, même pas par la redoutable Mme Fayet me parlant des bobos de sa progéniture ! Ce fut un dimanche rare, à marquer d'une pierre blanche...

Le lundi matin, je remplaçai Marcelle pour les visites courantes. J'avais laissé Christiane endormie, je savais que Clémentine veillerait sur elle tout en lui préparant un excellent petit déjeuner. Quand je revins, vers midi, tous les vases de la maison débordaient de fleurs : la main de Christiane était passée dans chaque pièce. Cela me rappela l'époque où mon père disait à ma mère : — « Je ne trouve pas que ce vase de roses, que tu as placé sur la table de mon cabinet, fasse très sérieux ! Tu oublies qu'un cabinet de consultation doit avoir un aspect assez sévère. On n'a pas confiance dans un médecin qui vit au milieu des fleurs ! » et, invariablement, ma mère répondait : — « Mon ami, tu as déjà une profession bien assez triste comme ça ! Il faut l'égayer par tous les moyens ! » C'était ma mère qui avait raison, comme Christiane... — « Chéri, me dit-elle à déjeuner, je me trouve si bien ici que j'ai décidé de prolonger mon séjour... J'espère que ça te fait plaisir ? » Si ça me faisait plaisir ? Mais j'aurais voulu qu'elle restât là toujours !

Le temps passa avec une rapidité déconcertante. Je redoutais la question que ma maîtresse finit par me poser à la fin de la seconde semaine : — « Quand revient-elle ? » — « En principe demain soir. » — « Et tu crois qu'il faut absolument que je parte parce qu'elle revient ? Après tout, cette femme n'est pour toi qu'une employée ! » — « Tu feras comme tu voudras, mon amour... Tu sais très bien que tu es chez toi, ici, mais j'ai peur que Marcelle ne te fasse du tort en parlant dans le pays... » — « Elle ? Tu m'as dit toi-même que c'était un mur de discrétion et qu'elle ne s'intéressait qu'à son métier. Pourquoi veux-tu qu'elle s'occupe de ta vie privée ? » — « Elle ne se le permettrait pas, j'en suis sûr, Christiane... Mais les gens, qui finiront bien par s'apercevoir que nous habitons ensemble, lui poseront des questions. » — « Tu n'as qu'à lui dire que, si elle se mêle de ce qui ne la regarde pas, tu la mettras immédiatement à la porte. » — « J'en ferais alors l'ennemie au lieu de la collaboratrice dévouée. » — « Elle t'est vraiment si utile que ça ? » — « Oui, Christiane. » — « Je n'insiste pas. Tu me reconduiras au château demain matin. »

Le soir même, un peu avant le dîner, un télégramme arriva, signé Marcelle Davois, dans lequel elle m'informait qu'elle ne pourrait pas rentrer avant le lundi soir. Je bondis le montrer à Christiane. — « Hurrah, chérie ! Tu peux rester deux jours de plus ! » — « Il est inouï de voir, Denys, comme ta vie est réglée maintenant par les décisions de ton assistante ! En somme elle veut bien t'accorder quarante-huit heures de permission supplémentaire... Cette femme est un véritable adjudant qui a transformé ta maison en caserne ! » — « Je ne le crois pas, Christiane, et si tu la connaissais un peu plus, tu changerais d'avis sur son compte comme beaucoup de gens en ville... Mais cela ne m'a pas empêché de réfléchir à notre conversation de ce matin : si tu veux, non seulement venir dans cette maison mais y rester quand cela te fera plaisir sans que nous nous préoccupions de ce que peut penser une Marcelle Davois ou même toute la ville, je ne vois qu'une solution : annoncer nos fiançailles et nous marier le plus tôt possible. » — « Tu n'y penses pas sérieusement ? Ce n'est pas encore possible, Denys. C'est trop tôt : on croirait que j'ai juste attendu la fin du deuil légal pour me remarier avec celui que j'aurais toujours dû épouser... Ce serait du plus mauvais goût ! Je connais comme toi la mentalité des gens : ils chuchoteraient que nous avions combiné nos plans depuis longtemps... peut-être même que tu étais d'accord, de ton lointain Oflag, pour que je fasse un riche mariage dont tu profiterais à ton retour... qu'un divorce est toujours facile, et qui sait ? que j'ai dû contribuer à la mort rapide de mon mari... Non, il ne faut pas que l'on pense ça ! Il ne faut surtout pas qu'on le dise parce que c'est faux et parce que ça nous obligerait à nous éloigner l'un de l'autre... Nous ne le pourrions pas ! Nous nous aimons, follement, éperdument, comme deux êtres qui se sont retrouvés malgré la Vie qui avait voulu les séparer... Nous nous marierons, mais il nous faut encore attendre avant cette consécration officielle de notre amour... Pour le moment, restons des amants... N'est-ce pas ce qu'il y a de plus beau ? C'est toi qui avais raison ce matin : gardons jalousement notre secret que connaît seule ta bonne nounou. Il ne faut pas que les autres sachent, même pas cette infirmière. » — « Tu oublies qu'elle nous a surpris en train de nous embrasser ? » — « Et après ? Depuis, elle n'a jamais assisté à aucune de nos rencontres ! Elle peut supposer que je ne suis pas la première de tes clientes que tu embrasses ! Il vaut mieux qu'elle te prenne pour un Don Juan de sous-préfecture que pour un homme rivé à une seule maîtresse... Actuellement, elle suppose tout, c'est certain... Mais en réalité elle ne sait rien : il n'y a aucune preuve ni ici, ni au château, de notre liaison. »

Et mon amour voulut profiter des deux jours supplémentaires, mais le dimanche soir, alors que nous commencions à croire qu'il s'achèverait aussi bien que le précédent, l'autre revint... Notre surprise fut totale de la voir sur le seuil de la bibliothèque où nous nous trouvions. Clémentine n'avait même pas eu le temps de nous prévenir. Nous étions très gais, Christiane et moi... Notre gaieté s'évanouit devant l'apparition de Marcelle Davois dont la pâleur de cire et les traits tirés me semblèrent plus accentués qu'avant son départ. Il y eut un silence gênant. Je dus faire un effort pour le rompre : — « Vous ? votre télégramme ne m'annonçait votre retour que pour demain soir ? » — « Si vous le voulez, docteur, je puis repartir ? » — « Mais, non, voyons !... Je crois que vous connaissez Mme Triel ? » — « En effet... » Elle inclina à peine la tête et je compris que Christiane était incapable de faire un mouvement pour lui tendre la main. Mon amour restait figé, cloué dans son fauteuil... — « Etes-vous satisfaite de votre voyage ? » — « Très satisfaite, docteur. » — « Tant mieux ! Eh bien, nous dînerons ensemble tous les trois... » — « Je vous prie de m'excuser, docteur, et vous aussi, Madame, mais je suis assez fatiguée... Je préfère monter dans ma chambre sans dîner pour être tout à fait d'aplomb demain matin. » — « Comme vous voudrez... Bonsoir, Marcelle. » — « Bonsoir, docteur... Madame... » La porte s'était refermée.

Le silence continuait, pesant, dans la bibliothèque. — « Eh bien, ma chérie, tu ne dis plus rien ? » Christiane parut sortir d'un rêve ou plutôt d'une vision de cauchemar : — « Non. Cette femme m'épouvante... Sais-tu à quoi je pensais ? Elle a fait exprès d'envoyer ce télégramme, annonçant son retour pour demain. Elle savait qu'elle rentrerait ce soir... Elle t'a trompé, Denys, pour pouvoir te surprendre... nous surprendre, plus exactement. Maintenant elle est sûre de ce dont elle se doutait. Elle sait que nous sommes amants ! Si tu avais senti la haine qui était dans son regard lorsqu'elle m'a regardée ! » — « Il ne faut tout de même pas exagérer, Christiane... Pourquoi veux-tu qu'elle ait un tel sentiment contre toi ? Si tu étais infirmière comme elle, je ne dis pas... Elle pourrait redouter de se voir évincer, mais tu n'es heureusement qu'une femme, ma chérie... « Ma » femme ! » — « Je préfère rentrer au château, Denys. » — « Tu ne veux pas rester dîner avec moi ? » — « Non. Elle n'a peut-être pas faim, mais elle a réussi à me couper l'appétit. Je vais préparer ma valise pendant que tu sors l'auto du garage. Tu veux bien me ramener ? » — « Mais je t'assure, Christiane... » — « Ne dis plus rien. C'est préférable. »

Le retour au château fut morne. Christiane ne prononça pas un mot pendant le trajet : je la sentais angoissée. Moi-même je commençais à comprendre que cette Marcelle Davois était en train d'empoisonner lentement mais sûrement notre bonheur. Elle n'était pas avec nous dans l'auto et cependant j'éprouvais la pénible impression de sa présence invisible : elle était là, entre nous deux, nous empêchant de parler, de nous confier tout ce que deux amants ont le droit de se dire... En sortant de la voiture, sur le perron du château, Christiane me dit : — « Rentre vite ! » puis elle ajouta, sur un ton de sarcasme que je ne lui avais encore jamais connu : — « Dépêche-toi ! Tu pourrais te faire gronder par ta gouvernante ! » Et elle s'enfuit en claquant la portière. C'était atroce de terminer ainsi deux semaines merveilleuses... Mais les derniers mots lancés par ma maîtresse résonnèrent en moi d'étrange façon, c'était le coup de fouet qui me dictait la seule conduite à prendre à l'avenir. J'appuyai sur l'accélérateur et je revins très vite en ville, fermement décidé à avoir, une fois pour toutes et tout de suite, avec mon assistante, l'explication qui s'imposait. Ça ne pouvait plus durer : ou elle se montrerait plus aimable avec Christiane, ou elle s'en irait !

Quand j'arrivai sur le palier du premier étage, j'eus un moment d'hésitation : le rai de lumière passait sous sa porte. Sa fatigue n'était donc qu'une comédie ?... Je frappai. Je ne l'aurais jamais fait si j'avais pu lire, avant d'entrer dans sa chambre, ce qu'elle avait déjà eu le temps décrire pendant que je ramenais Christiane chez elle...

« Ce 19 avril.

« Je viens de le trouver avec sa maîtresse qui a profité de ce que je n'étais pas là pour s'installer ici et imprégner toute la maison de sa présence ! Sans doute, si je n'étais rentrée que demain, n'aurais-je rien su ! Ils ont fait l'amour pendant que je me débattais à Paris entre l'envie irraisonnée d'en finir une fois pour toutes avec une vie qui ne m'a apporté que le malheur et le désir de prolonger un peu mon existence si je le pouvais... De toute façon je suis perdue. Les preuves sont là, irréfutables... Je les ai rapportées dans ma valise, car il n'y a que moi qui doive les avoir ! Je ne voulais pas les laisser là-bas...

« J'ai un cancer.

« Ecrire ces trois mots est terrible. Ma main tremble... Cette gêne éprouvée quand je respirais, cette oppression depuis des semaines, cette maigreur, ce teint plombé, cette fatigue perpétuelle, c'était donc ça ? Comment Berthet l'a découvert ? Comme il le décèle depuis des années pour tous ceux qui franchissent, anxieux et angoissés, les portes de l'Institut de Villejuif. Mais généralement ceux-là viennent, envoyés par un ou plusieurs spécialistes qui les ont déjà examinés soigneusement. Certes, ils espèrent, ils souhaitent de tout leur cœur que ces premiers médecins se soient trompés, mais ils sont quand même avertis que le péril les menace, que la mort lente les guette... La plupart du temps ils repartent de Villejuif rassurés, car il n'y a que trois pour cent d'entre eux qui ont un véritable cancer : souvent ce ne sont que des tumeurs ordinaires que l'on peut opérer avec toutes chances de succès. Mais, parmi ceux qui sont véritablement atteints, combien guérissent ? Pratiquement aucun. On les prolonge, c'est tout, avec des traitements plus ou moins hasardeux.

« Je suis mieux placée que personne pour connaître par cœur les plus récentes statistiques. En France seule, l'année dernière, 72 128 décès par cancer ont été officiellement enregistrés, soit un taux de 172 pour 100 000 habitants. Les femmes meurent plus du mal que les hommes. Sur le chiffre global que je viens d'écrire, il y a eu 38 858 décès du sexe féminin et 36 270 du sexe masculin. Cela s'explique par le fait que la femme vit en moyenne plus longtemps que l'homme et qu'ainsi un plus grand nombre de femmes sont vivantes à l'âge où le cancer est fréquent.

« Oh ! je sais que le cancer peut se voir à tout âge, bien que sa plus grande fréquence se rencontre entre 40 et 60 ans. On le décèle maintenant chez l'enfant...

« Je ne me fais plus aucune illusion : je suis inopérable et j'en ai encore tout au plus pour quinze ou dix-huit mois, à moins que ne se produise un miracle ? Mais je n'ai jamais cru au miracle... Le premier accueil de mon ancien patron fut très cordial : — « C'est très gentil à vous, Marcelle, de revenir nous voir... Etes-vous contente de votre nouvelle situation ? » — « Très contente, Monsieur... Le docteur Fortier et moi, nous nous entendons très bien. » — « J'en étais sûr ! Et je suis enchanté que vous soyez revenue après six mois pour m'annoncer cette bonne nouvelle... Mais regardez-moi : savez-vous que vous n'avez pas très bonne mine ? » — « Je le sais, Monsieur. » — « Fortier a dû le remarquer ? » — « Oui. » — « Et que vous a-t-il dit ? » — « Rien de précis. Je ne voulais pas me faire examiner par lui. Je n'ai confiance qu'en vous... » — « Vous avez le plus grand tort ! Enfin ! Chacun est libre de choisir son médecin... Qu'est-ce qui ne va pas ? » Je lui expliquai en détail ce que je ressentais. Après m'avoir écoutée avec attention, il me dit : — « Peut-être avez-vous un point pleurétique ? Nous allons nous en rendre compte tout de suite. Déshabillez-vous. » Il m'ausculta longuement ; ça me fit un curieux effet de passer de l'autre côté de la barricade pour prendre la place du malade. Mais ce ne fut rien à côté de la sensation que j'éprouvais à être derrière la glace-écran dans la chambre de radio.

« Je connaissais le professeur : il ne parlait jamais pendant un examen radioscopique. Quand celui-ci fut terminé, il me dit simplement : — « Je ne vois pas grand-chose : aussi vais-je faire deux ou trois radiographies. J'étudierai les plaques ce soir dès qu'elles seront développées. Et revenez me voir demain matin de bonne heure, vers huit heures, voulez-vous ? Nous serons plus tranquilles avant l'arrivée de mes assistants et surtout des malades. »

« ... En ressortant de l'Institut, j'étais un peu inquiète... Oh ! je ne pensais pas une seconde au mal pour lequel tous venaient à Villejuif... Non ! Mais je n'ignorais pas que l'homme, qui venait de m'examiner avec tant de soins, savait — mieux que n'importe quel radiologue — voir les moindres détails dans une radioscopie. Pour qu'il eût jugé nécessaire de tirer des plaques, c'était donc qu'il avait découvert quelque chose d'assez sérieux. Tuberculose ? Ce n'était pas un mal de ma famille et j'avais toujours vécu dans une hygiène parfaite. A moins que l'un des malades visités ne m'ait communiqué le bacille ? A moins aussi que la fatigue accumulée n'ait préparé un terrain favorable ? Ce serait terrible pour moi s'il me fallait aller pendant un certain temps me reposer dans un sanatorium. Je perdrais tout le bénéfice de la situation que j'étais parvenue à me créer rapidement chez Denys. Christiane en profiterait pour me faire remplacer par une infirmière qui lui serait dévouée à elle ou même pour ne pas me faire remplacer du tout et rester la maîtresse absolue de la maison.

« Le lendemain matin, Berthet me dit, dès mon arrivée : — « J'ai examiné les plaques. Elles sont insuffisantes pour établir un diagnostic valable. Je vais vous faire une tomographie de face et de profil. » En entendant ces mots, je frissonnai : ce fut plus fort que moi. Berthet m'appliquait exactement les méthodes qui permettent de localiser une tumeur. Aurait-il décelé une tumeur à l'un de mes poumons ?

« Ce fut long. Aidé par son premier assistant, Berthet fit huit radios — quatre de face et quatre de profil — qu'il tira à différents plans de profondeur. Jamais je n'oublierai la voix de l'assistant disant, pendant que je me tenais debout, nue jusqu'aux hanches, derrière la glace-écran : — « Voilà celle de 2 centimètres... Celle de 4 centimètres... Celle de 6 centimètres... Celle de 8 centimètres... » — « C'est fini, Marcelle, me dit le professeur. Nous allons les développer tout de suite dans les cuves pour les étudier. Attendez dans mon cabinet. » Une attente interminable pendant laquelle je vécus toutes les affres de ces malades qui avaient subi la même expérience et que j'avais observés pendant des années... C'était moi alors qui avais pour tâche de les rassurer en leur disant : — « Il ne faut surtout pas vous énerver ! Le professeur est très méticuleux : n'est-ce pas préférable pour votre tranquillité future ? Ce ne sera que lorsqu'il verra tout à fait clair dans votre cas qu'il pourra commencer un traitement. » Paroles de consolation banales ne produisant généralement que peu d'effet sur le moral du malade obsédé par la crainte de ce qu'il risque d'apprendre d'un instant à l'autre... Mais paroles quand même réconfortantes. Il n'y eut personne à me les dire... Berthet me savait forte ! S'il avait pu deviner à quel degré je me sentis faible pendant cette attente !

« Il revint enfin : — « Vous allez penser, Marcelle, que je vous ennuie beaucoup ; Les nouveaux clichés sont plus nets. Nous touchons au but, mais il ne sera atteint que si vous acceptez que l'on vous fasse demain une bronchoscopie. » — « Vous tenez absolument à employer cet instrument de torture ? » — « C'est nécessaire, Marcelle... Je vous attendrai demain matin à la même heure. Et n'oubliez pas de rester à jeun ! »

« Je ne me souviens même plus si je remerciai, en partant, ce jour-là, mon ancien Patron pour tout le temps qu'il prenait à m'examiner ? J'étais bouleversée à l'idée de subir l'examen impitoyable du bronchoscope. Ce n'était pas l'appareil en lui-même — ce long tube que l'on introduit dans la bouche pour le descendre au fond de la trachée — qui me faisait peur, mais ce qu'il révélerait ! Je connaissais la méthode de Berthet : quand il utilisait le bronchoscope, c'était uniquement pour voir si, oui ou non, le patient avait un cancer du poumon ? Je n'ignorais pas non plus qu'il ferait glisser, dans le tube une pince articulée lui permettant de prélever un morceau de tissu pulmonaire qu'il croirait atteint par le mal. Il le ferait remonter ensuite au grand jour et examiner au microscope, parcelle par parcelle, pendant huit jours consécutifs... Puis ce serait le diagnostic infaillible se résumant en l'une ou l'autre phrase : « Elle a un cancer », que l'on prendrait bien soin de ne pas prononcer devant moi, ou bien « ce n'est pas cancéreux ! » que l'on s'empresserait de répéter pour me rassurer pleinement.

« Si Berthet me faisait revenir demain pour renouveler sur moi l'odieuse exploration du poumon, à laquelle j'avais tant de fois assisté pour d'autres, c'était parce qu'il avait de fortes présomptions que je sois atteinte... Et un cancer du poumon, c'est pratiquement incurable.

« Berthet ne m'avait pas encore dit — il ne me l'a d'ailleurs jamais dit ! — que j'en avais un, mais les présomptions étaient déjà fortes après ce deuxième examen. Je ne savais comment occuper le reste de ma journée pour essayer d'oublier, ne plus penser à rien... Une force secrète me poussa à me rendre au cimetière du Père-Lachaise sur la tombe de mes parents. Je n'y avais pas été depuis longtemps : j'ai toujours eu horreur des cimetières. Mais ce jour-là j'ai éprouvé le besoin irraisonné de confier mes craintes à quelqu'un. Les seules personnes qui devaient, qui pouvaient les entendre, étaient ceux qui, après m'avoir donné la vie, avaient été emportés par le mal monstrueux. Je sais qu'ils m'ont écoutée quand je leur ai parlé au bord de leurs tombes juxtaposées : — « Ce n'est pas possible, maman ! Ce n'est pas vrai, papa ! Dites-moi que je n'ai pas hérité de votre mal ? que ce n'est pas héréditaire malgré ce que prétendent certains médecins étrangers ? Je n'ai plus aucune envie d'aller vous rejoindre depuis que je suis amoureuse de Denys ! Vous vous êtes tant aimés tous les deux ! Vous devez être si contents que votre unique enfant puisse aimer à son tour ! Mais j'ai besoin de toutes mes forces pour lutter contre une rivale redoutable ! Je ne pourrai l'abattre que si je suis plus forte qu'elle, moralement et physiquement. C'est pour cela qu'il ne faut pas que je sois atteinte par le même mal que vous ! Ce serait trop injuste qu'il y en eût trois dans la même famille. » Pour la première fois, depuis bien longtemps, j'ai pleuré... C'est étrange : je ne me souviens même plus quand j'ai pleuré avant ? Ce jour-là, ce ne fut certainement pas parce que j'étais émue de me trouver devant leurs tombes... Non ! Leurs deux agonies lentes avaient endurci pour toujours ma sensibilité. Et j'ai vu mourir trop de gens ! J'ai pleuré dans ce cimetière parce que je me suis attendrie sur moi-même : ce doit être une forme d'égoïsme ? Mais n'ai-je pas le droit d'être égoïste puisque personne ne pense jamais à moi ?

« Quand je suis ressortie de l'immense nécropole, j'ai erré dans Paris... J'ai même fait une chose insensée : je suis entrée dans une église, moi qui n'ai jamais cru à rien ! Elle était déserte, cette église... J'en ai fait le tour : il y avait des statues et, parmi elles, celle de cette femme voilée que les croyants appellent la « Vierge »... Elle portait son enfant dans les bras... Je n'ai jamais eu l'instinct maternel : les enfants m'agacent... Ils sont bruyants et désordonnés. Pourtant je me suis attardée devant cette statue et je l'ai regardée longuement : la femme avait un voile comme moi.. Au fond elle aurait pu représenter l'une de ces infirmières qui vivent dans les pouponnières... Les yeux étaient bleus et limpides, le regard assez doux bien qu'il ne fût que celui d'une statue coloriée... Elle ne m'a pas été antipathique, cette femme, et, à elle aussi, j'ai parlé :

— « C'est donc toi que des millions de gens appellent la Vierge ! Toi devant qui les hommes se découvrent ! Toi que j'ai vue depuis des années, en image ou sur des médailles, dans des chambres de cliniques et des salles d'hôpitaux... Toi que des mourants implorent en serrant dans leurs mains crispées ce fétiche qu'ils appellent le chapelet... *Je vous salue Marie, pleine de grâce..* Combien de fois n'ai-je pas entendu des lèvres agonisantes faire un dernier effort pour balbutier ces mots qui semblaient leur faire du bien ? Et tu es là, comme tu es dans toutes les églises du monde, me regardant avec calme, presque souriante... Tu es fière de ton enfant ! Ça se sent... Tu le montres à tous les passants avec orgueil ! Mais il n'y a pas que toi qui aies un enfant ! Toutes les femmes ont eu au moins un enfant ! Toutes... sauf moi ! Moi qui n'ai rien que la menace d'une mort hideuse après avoir vécu seule, sans affection... Ton regard sur moi n'est cependant pas un défi : on dirait que tu as pitié ? Serais-tu la première, toi qui n'es pas de chair ? Si c'était vrai, fais quelque chose ! Fais que l'analyse au microscope amène sur les lèvres de Berthet la phrase que j'espère : « Ce n'est pas cancéreux ! »... Alors seulement pourrai-je peut-être commencer à croire en toi, comme les autres ! Pourquoi y a-t-il toujours des cierges allumés devant ta statue ? Ces petites flammes, ça rappelle les enterrements et la mort... Je veux vivre ! »

« ... Et je m'enfuis de l'église en me demandant si je ne venais pas, malgré moi, de faire ce que l'on appelle une prière ? Non ! Je ne pouvais pas avoir prié ! Je n'en ai jamais été capable : c'est humiliant, la prière... C'est une marque d'avilissement chez l'homme qui n'implore que parce qu'il reconnaît son impuissance devant des forces terribles qui le dépassent. Je suis forte !

« ... Le lendemain matin je subis le broncoscope. On me fit une insensibilisation locale du visage et du thorax. J'entends encore la voix calme de Berthet dire, quand ce fut terminé : — « C'est fini. Je ne vous ennuierai plus, Marcelle... Pouvez-vous revenir dans huit jours pour que je vous indique le traitement à suivre ? » Dans huit jours ? Cela voulait dire qu'il avait profité de l'insensibilisation locale pour faire son prélèvement... Je promis de revenir.

« Huit jours qui furent atroces. J'ai lutté désespérément contre la peur qui m'envahissait de plus en plus au fur et à mesure que l'échéance fatidique approchait. Je me répétais cent fois par jour : « Le résultat de l'examen microscropique ne peut pas, ne doit pas être positif ! » J'aurais voulu être dans le laboratoire, que je connaissais par cœur, après y avoir travaillé pendant des années, pour éviter qu'il n'y eût la plus petite erreur à mon détriment. Je savais les moindres phases de l'observation méthodique que l'on était en train de pratiquer sur ma chair... Pendant ces huit jours, j'ai lu et relu tout ce qui avait été publié ou divulgué sur le cancer du poumon. Je me suis renseignée aussi pour avoir l'adresse exacte de ce savant autrichien — était-ce vraiment un savant ? — qui affirmait dans des interviews de presse avoir découvert le sérum du cancer. Après tout, pourquoi mentirait il? Pourquoi ne l'aurait-il pas découvert ? Nous, qui appartenons à la Médecine officielle, reconnue, patentée, nous ne pouvons pas continuer à ignorer délibérément les résultats obtenus par certains guérisseurs... Il y a, surtout dans les campagnes, de ces « rebouteux » qui obtiennent des guérisons là où la médecine s'est montrée impuissante. Pourquoi n'en existerait-il pas un qui aurait trouvé le remède attendu par le monde entier ? Si Berthet et son Institut me font comprendre que je suis perdue, j'irai tout de suite trouver ce Viennois dont on dit merveille. Et lui me guérirait avec son sérum !

« Ce fut dans cet état d'esprit que je franchis, pour la troisième fois, le portail de Villejuif au jour fixé par mon ancien patron. Il m'attendait, très calme. Pas un muscle de son visage ne bougea lorsqu'il me dit, après m'avoir fait asseoir en face de lui : — « Vous êtes restée trop longtemps parmi nous, Marcelle, pour que je puisse vous cacher stupidement une vérité que vous soupçonnez... et je vous sais au courant de mes méthodes... » — « Autrement dit, Monsieur, je suis atteinte ? » — « Ne me faites pas dire un mot que je n'ai pas prononcé et qu'une règle d'humanité nous interdit même de murmurer devant qui que ce soit ! Voilà : à mon avis votre cas est sérieux mais opérable... Il y a deux solutions : ou pratiquer une pneumotechnie, en vous enlevant le poumon gauche... Vous savez comme moi que l'on vit très bien avec un seul poumon... Ou faire une lobectomie en ne vous enlevant que les deux lobes atteints. Ainsi vous conserveriez vos deux poumons, mais le gauche n'aurait qu'un rendement insuffisant. Personnellement, je suis partisan de tenter la première opération. C'est à vous seule de décider. » — « C'est tout décidé, Monsieur. Ni l'une, ni l'autre ! » Je m'étais levée. Berthet me regardait, effaré, cette fois. Et je parlai vite, je lui criai même tout ce qui m'étouffait et qu'il fallait lui dire : — « Tenter la première opération ! Le voilà bien le mot commode derrière lequel vous vous abritez tous : une tentative ! Si elle ne réussit pas, votre conscience sera tranquillisée, parce que vous aurez prévenu le patient ou ses proches que ce n'était qu'une tentative ! Et vous savez mieux que moi, monsieur le professeur, que l'on n'a encore jamais réussi jusqu'à ce jour l'opération que vous préconisez ! Si « elle réussit », comme vous essayez de me le faire croire, elle prolonge le malade pour quelques semaines, mais il est irrémédiablement condamné dans les trois mois suivants. Vous voulez des exemples ? Tous ceux sur qui « la tentative » a été faite ! Le nom d'une victime illustre ? Le roi Georges VI ! Et cependant, vous-même m'avez dit que le professeur anglais qui l'a opéré était une sommité mondiale ! Trois mois après, le malheureux roi était emporté en quelques minutes... Et vous voulez que j'aie confiance ? » — « On ne sait jamais, Marcelle... » — « C'est bien cela : on ne sait jamais ! Je finis par croire qu'on ne saura jamais ! Mais il y en aura d'autres, heureusement, qui sauront avant vous tous ! D'autres qui emploient des méthodes nouvelles, qui ne pensent pas uniquement à l'ablation de la partie malade ! C'est l'un de ceux-là que je vais aller trouver en sortant d'ici ! » — « Je vous en supplie, Marcelle, ne commettez pas une lourde erreur ! Ne vous confiez pas à ces charlatans qui ne recherchent que le gain ou la publicité dans un bluff gigantesque ! Ne croyez surtout pas tout ce que racontent, à tort ou à travers, ou inventent même des journalistes peu scrupuleux en mal de copie à sensation ! Je vous le répète : l'opération peut et doit toujours être tentée actuellement tant que nous, qui nous sommes penchés honnêtement et depuis soixante-quinze ans sur ce problème, n'aurons pas trouvé une autre solution... » Il parlait, parlait... et je ne l'entendais pas. Il essayait de noyer son impuissance et celle de ses confrères, devant un problème qui les dépassait, sous un flot de paroles d'espoir, de paroles inutiles... Je ne l'écouterai plus, ni lui, ni personne. Je me fierai à mon seul instinct et j'irai voir celui qui pouvait peut-être me sauver sans la hideuse intervention chirurgicale qui finit de vous achever... Moi, perdre mon temps à me faire opérer pour rien alors que j'aurais déjà dû être revenue auprès de Denys ? Denys qui ne devait rien savoir de mon état... L'opération lui révélerait tout !

« — Vous ne m'écoutez pas, Marcelle ? » demanda brusquement Berthet. — « Pourquoi vous écouterais-je ? Vingt fois, cinquante fois je vous ai entendu dire ces mêmes mots à d'autres et, lorsqu'ils avaient quitté votre cabinet saoulés par vos paroles, vous vous tourniez invariablement vers moi ou l'un de vos assistants en disant avec lassitude : « C'est affreux, mais il faut tout tenter, n'est-ce pas ? »... Peut-être ne prononcerez-vous pas cette phrase tout à l'heure, quand je serai partie pour ne plus jamais revenir : vous savez déjà que vous ne pouvez pas me convaincre. Adieu, Monsieur. C'est moi, maintenant, qui ne vous ennuierai plus. »

« ... En franchissant pour la dernière fois de ma vie — du moins je le croyais alors — la porte de l'Institut, je songeai que mon ancien patron n'avait pas failli à ce qu'il appelait la règle d'humanité : pas une fois il n'avait prononcé devant moi le mot CANCER. Et je... »

... Elle a écrit le mot en lettres capitales La phrase suivante est inachevée. Une phrase qui ne sera jamais terminée... Il y a un espace blanc, puis l'écriture reprend, trois lignes au-dessous, plus nerveuse... Ce blanc marque l'instant précis où j'ai frappé à la porte. Sa voix a répondu, inquiète : « Qui est là ? » — « Moi, Marcelle. » — « Ah bon ! docteur. Un instant... » Elle dut cacher précipitamment son cahier avant de tourner la clef dans la serrure et elle m'apparut, toujours vêtue de son uniforme. C'était à se demander si elle le quittait pour dormir. Je suis entré dans la chambre, ignorant tout, fou de rage, avec la seule idée de lui faire une scène au sujet de ma maîtresse...

— Qu'est-ce qui vous est arrivé à Paris, Marcelle ? Je finissais par me demander si nous vous reverrions ? Vous aviez oublié que mes malades vous attendaient et que j'étais débordé ?

— J'ai tout liquidé le plus vite possible, docteur. Croyez bien que je suis navrée...

— Enfin, vous êtes là ! Ce n'est pas pour vous faire ce reproche que je suis venu vous voir aussi tard... Je voudrais savoir pourquoi vous avez adopté tout à l'heure une attitude aussi ridicule vis-à-vis de Mme Triel ? Vous n'avez aucune raison d'être à peine polie avec elle et il faudra vous habituer à la voir souvent ici. Vous m'entendez ?

— Oui, docteur.

— Christiane représente tout pour moi. Je lui suis profondément attaché... Et c'est uniquement par respect pour la mémoire de son mari que nous ne nous sommes pas encore mariés. Vous devez donc la considérer dès maintenant comme ma future femme. Je pense que ce ne sera pas la peine que je revienne sur ce sujet ?

— Non, docteur.

— Ce soir Christiane et moi avons eu l'impression très nette que vous lui reprochiez sa présence auprès de moi ?... Sachez donc que ma vie privée ne regarde personne et surtout pas mes subordonnés ! Entre Christiane et vous, je n'hésiterais pas une seconde : vous partiriez ! Et ce serait par votre seule faute... Comprenons-nous : je vous prie simplement à l'avenir de vous montrez plus aimable, sinon la vie ici deviendra intorable ! Vous pouvez être aimable si vous le voulez, Marcelle, j'en suis persuadé. Faites un effort ! Et tout ira bien. Je suis enchanté de vous avoir pour collaboratrice... Tout le monde vous estime en ville : c'est capital ! Ne croyez surtout pas que Mme Triel vous en veuille de ce que vous habitez ici ! Elle a beaucoup d'admiration pour vous. Quand vous la connaîtrez mieux, vous vous apercevrez très vite qu'elle peut être pour vous la plus sûre des amies. Pourquoi n'en serait-il pas de même de votre côté ? Seulement ce ne sera possible que si vous lui faites des excuses, la prochaine fois où vous la rencontrerez, pour votre refus de dîner avec elle ce soir ?

— Je n'ai aucune excuse à faire à cette dame, docteur ! Et je prends bonne note de tout ce que vous venez de me dire.

— Ah ? C'est comme ça ?

Je partis en claquant la porte. Derrière moi, j'entendis le déclic sec de la clef qui tournait dans la serrure. Une fois dans ma chambre, je me sentis partagé entre deux sentiments : celui d'avoir fait acte d'autorité, car elle commençait à m'ennuyer avec ses grands airs protecteurs et cette façon de me répondre... Celui-ci aussi d'avoir peut-être été injuste en me laissant emporter par mon amour pour Christiane ? Et je me demandais avec une certaine anxiété quelle pourrait être la réaction de Marcelle Davois le lendemain matin ? Ferait-elle ses bagages ? Pour moi ce serait une vraie catastrophe... Agacé, je rouvris doucement la porte de ma chambre : la lumière était toujours allumée chez Marcelle. Comment aurais-je pu imaginer qu'elle avait repris tranquillement la rédaction de son cahier après l'interruption laissée en blanc ?

« ... Il vient de venir. C'est la première fois

qu'il a osé pénétrer dans ma chambre depuis que j'habite chez lui. Il était très en colère. Ça ne m'a pas déplu : ça lui va bien de se montrer un homme ou, tout au moins, de se croire tel... Pour moi, il ne sera toujours qu'un gamin adorable ! Et pour qu'il ait éprouvé le besoin de m'affirmer que Christiane serait un jour sa femme, c'est qu'il ne doit pas en être très sûr ? Il a raison d'être un peu inquiet... J'aurais pu lui répondre : « Elle ne sera jamais votre femme, Denys », mais c'était trop tôt. Elle ne le sera jamais parce que je l'ai décidé. J'en arrive même à me demander pourquoi il s'acharne à croire que cette Christiane doit être la femme de sa vie ? Ne serait-ce pas uniquement chez lui la nostalgie de fiançailles manquées et de promesses de jeunesse ? Je ne suis même pas convaincue que cette femme soit capable de le tenir par les sens et de se montrer une maîtresse accomplie ? Tandis que moi je le domine déjà complètement par mon cerveau... Ça se sentait pendant sa crise de rage enfantine. Il n'a qu'une peur : c'est que je m'en aille ! Il ne peut plus se passer de ma collaboration professionnelle. Qu'il se rassure : je resterai !

« Où aller d'ailleurs ? Le seul but de ma vie, ou de ce qu'il me reste à vivre, c'est Lui ! Je ne le quitterai plus à moins que ce ne soit dans la mort ! Combien de temps ai-je encore devant moi pour réussir à me l'attacher ? A peine deux ans : c'est ce que laisse comprendre clairement le fichier qui vient d'être établi sur moi à Villejuif et que j'ai volé... Je l'ai là, enfermé à double tour dans ce tiroir d'où je serai la seule à pouvoir le sortir quand j'aurai besoin d'y annoter les progrès du mal. Moi, qui ne voulais plus mettre les pieds à l'Institut du Cancer quand j'en suis partie après ma troisième séance chez Berthet, j'ai bien été contrainte d'y retourner dimanche matin, à une heure où les bâtiments étaient à peu près déserts. Il n'était pas possible que les preuves écrites, les résultats des différents examens que j'ai subis, les radios enfin restassent aux archives de l'Institut, étiquetés sous un numéro de dossier quelconque et à la disposition de n'importe quel médecin ou membre du personnel !

« Tous ceux, avec qui j'ai travaillé pendant des années et qui me connaissent, n'ont pas besoin de découvrir que sous le fichier 9 827 se trouve le nom de Marcelle Davois, atteinte d'un cancer très avancé au poumon gauche... C'était trop dangereux pour ma tranquillité future ! S'il prenait par hasard à Denys l'envie d'aller rendre une nouvelle visite à son ancien patron, celui-ci — bien que je le croie assez discret — pourrait lui faire prendre connaissance de mon fichier et il saurait tout ! Entre médecins, le secret professionnel ne joue pas... Mais maintenant que mon fichier a disparu des archives, il ne reste plus aucune trace, aucun cliché, aucune preuve matérielle de mon mal... rien que les affirmations d'un professeur qui peut se tromper tout aussi bien qu'un autre !

« Prendre ces documents n'a pas été très difficile : c'est la seule raison qui m'a obligée à retarder mon retour ici. Dès que je les ai eus, je suis revenue. Encore une chose que je ne pouvais pas dire à Denys quand il m'a reproché mon retard imprévu ! J'ai profité de ce dimanche : je savais ne pas courir le risque de rencontrer ce matin l'un ou l'autre de mes anciens collègues. Le concierge de l'Institut, qui me connaît de vue depuis des années, m'a laissée pénétrer sans faire la moindre objection : il ne doit même pas savoir, cet homme, que je ne fais plus partie du personnel de la grande bâtisse ! J'ai été directement à la salle des archives, au sous-sol, sachant depuis longtemps que n'importe quelle infirmière, envoyée par son chef de service, peut y entrer pour prendre le dossier dont il a besoin. Cette facilité m'avait toujours étonnée quand j'étais à l'Institut : elle contraste avec la discrétion voulue dont on entoure la personnalité de chaque malade. Puis je suis repassée devant la loge du concierge le plus naturellement du monde, avec la certitude cette fois que l'on ne me verrait plus jamais dans ces lieux.

« J'ai eu tout le temps cet après-midi, dans le train qui me ramenait ici, de consulter les fiches et d'examiner mes radios successives. Aucun doute n'est plus possible : mon mal se localise entre 2 et 8 centimètres de profondeur avec des ramifications qui s'étendent. Un jour, je le sais, je ne pourrai plus remuer le bras gauche qu'avec difficulté : la paralysie lente commencera et ce sera bientôt la fin à moins que le sérum de l'Autrichien n'amène l'amélioration rapide qu'il m'a promise ?

« ... Malheureusement je n'ai pas grande confiance dans ce docteur Schenck... J'ai été le voir après avoir dit à Berthet tout ce que je pensais de l'inutilité de sa méthode, mais j'ai été déçue dès le vestibule de ce spécialiste privé, presque clandestin : il y avait foule. C'était horrible : tous ces gens, hommes et femmes, étaient venus là animés par le même état d'esprit que moi. Des désespérés qui savaient que la science officielle les considérait comme irrémédiablement condamnés, mais qui voulaient lutter encore... Tant qu'il y a un souffle de vie...

« J'attendis comme les autres. Enfin je vis le fameux docteur dont la presse a beaucoup parlé sans doute parce qu'il travaille en marge de la médecine officielle. Son aspect extérieur est assez séduisant, trop séduisant à mon avis... Il parle notre langue avec douceur et un léger accent d'Europe centrale qui contribue à augmenter son charme naturel. Il possède aussi une force de persuasion peu commune. C'est une sorte de fakir moderne qui vous hypnotise : — « Ma méthode, mademoiselle, est complètement différente de celle des autres... A mon humble avis ils piétinent... Je ne suis pas le seul d'ailleurs à émettre cette opinion... L'un de vos plus illustres savants, Auguste Lumière, ne l'a-t-il pas proclamé récemment à l'Académie de Médecine dans une vigoureuse critique ? » — « Je ne suis pas au courant, docteur ? » — « Lisez cela », me dit-il en me tendant un compte rendu de séance à l'Académie où était reproduite la véhémente critique du savant lyonnais qui, à quatre-vingt-dix ans, poursuit ses travaux sur les grands fléaux dont souffre encore l'humanité.

Et je lus : « *On se demande à quoi a pu servir le labeur énorme des expérimentateurs ? Avouons qu'en définitive il n'a servi à rien. Mais il y a des raisons à ces constants échecs et ces raisons sont graves... Afin de dépister, dans les humeurs des « sujets douteux », les humeurs susceptibles de servir de test en vue de caractériser la maladie, on a soumis le sang, le sérum et les liquides humoraux à toutes les recherches analytiques possibles. A la suite de ces travaux, de multiples expérimentateurs ont cru trouver la solution du problème et chacun d'eux a proposé une réaction particulière à laquelle leur nom a été donné. C'est ainsi que le laboratoire a offert aux cliniciens, successivement, plus de vingt tests différents. La multiplicité de ces tests prouve leur insécurité et la Clinique n'en a pratiquement retenu aucun. Pourquoi ? Parce que trop d'inventeurs ont né-*

gligé les principes capitaux de la méthode expérimentale sous-entendant l'observation rigoureuse des manifestations du mal et le contrôle des résultats acquis par des essais-témoins. Or, que constatons-nous ? Les chercheurs ont décelé des perturbations humorales en les attribuant au cancer lui-même, alors qu'elles ne résultent que des troubles de l'état général dus à une gêne dans les fonctions organiques... Nous avons vu pendant plus de vingt ans, au centre anticancéreux de Lyon, des milliers de malades atteints de cancer dont l'état général et l'état humoral paraissaient tout à fait normaux. Il est fort vraisemblable que les humeurs, par elles-mêmes, n'élaborent aucune substance particulière décelable par nos méthodes analytiques modernes. Cela paraît bien rationnel, car la cellule cancéreuse est une cellule ne différant de toutes les autres que par sa propriété de se diviser indéfiniment... Si tant d'années ont été perdues à la recherche de quelque chose qui ne semble pas exister, si la littérature médicale est encombrée de travaux inutiles, si les efforts imaginatifs de tant de chercheurs ont eu lieu en pure perte, c'est qu'ils ont simplement méconnu ou oublié les principes primordiaux de la recherche expérimentale, base de toute investigation scientifique et médicale correcte. »

« ... Je rendis au docteur Schenck le compte rendu en lui disant : — « J'avoue, docteur, que cette déclaration est assez troublante... Pensez-vous sérieusement pouvoir me guérir ? » — « J'en suis sûr, mademoiselle !... J'ai en traitement de nombreux malades dont l'état s'améliore sensiblement grâce à mon sérum. » — « Est-il indiscret de vous demander, docteur, quelles sont les bases qui vous ont permis de découvrir ce sérum ? » — « En effet... Je suis bien décidé à ne livrer mon secret au monde que lorsque la Médecine soi-disant « officielle » aura reconnu publiquement son efficacité. Mais ma conscience m'interdit de priver l'humanité des bienfaits qu'il apporte. C'est la raison pour laquelle je n'hésite pas à soigner tous ceux qui ont besoin de moi. Il faut avoir confiance, mademoiselle... Je vous sens très sceptique ? » — « C'est vrai, mais je ne le suis pas plus à votre égard, docteur, qu'à celui des médecins de Villejuif ou des savants de l'Institut Pasteur ! Aussi suis-je prête à tenter votre expérience. En quoi consiste-t-elle ? » — « Elle est simple : l'absorption régulière par une piqûre intraveineuse, une fois par semaine, d'une ampoule de sérum. Mais il est indispensable, au préalable, que je vous examine pour savoir quelle dose je vous appliquerai. »

« Je subis un nouvel examen qui ressembla étrangement à une vulgaire auscultation générale. De temps en temps, l'Autrichien prenait des notes. Il s'attarda à palper mon sein et ma hanche gauche... Il sembla que ce qui l'intéressait le plus était le rythme de ma respiration... Il resta un long moment, l'oreille appliquée contre le bas de mon poumon gauche... Finalement, il releva la tête en disant : « Aucun doute possible. Le bas du poumon est atteint... Le mal est même assez avancé... Il n'y a plus un instant à perdre... Je vais vous appliquer, dès le début, la dose 7... Voici une première boîte de douze ampoules... Une piqûre par semaine, n'est-ce pas ? Etes-vous capable de vous les faire vous-même ? » — « Sans aucun doute, docteur. » — « Votre métier d'infirmière va vous êtes précieux. Si je vous demande ça, c'est parce que je trouve inutile de mêler à vos soins une autre infirmière diplômée qui pourrait vous demander des explications parfaitement superflues sur la nature du sérum qu'elle vous injecte ? Une indiscrétion est toujours possible... et le principe même de mes soins est la discrétion absolue. Puis-je vous demander de l'observer également ? » — « C'est promis, docteur. » — « Voulez-vous revenir me voir dans trois mois exactement, quand vous vous serez fait les douze piqûres ? » — « Oui, docteur. » — « Prenez cette boîte, mademoiselle. » — « Combien vous dois-je, docteur ? » — « Je ne fais jamais payer mes consultations, mademoiselle... Je vous demande simplement de me régler le prix du médicament. » Je fus frappée de la modicité de ce prix et je m'en allai avec ma boîte d'ampoules. Elles sont là : demain matin je commencerai la série. Qu'est-ce que je risque au point où j'en suis ? Si ce sérum mystérieux, que j'aimerais quand même pouvoir analyser, peut seulement me prolonger, ce sera déjà très bien...

« En ressortant de chez l'Autrichien, j'étais assez désappointée malgré l'optimisme se dégageant de sa personne et qui me changeait du visage sévère de Berthet. L'idée de suicide me hantait de nouveau. Je me demandais — et je me demande toujours — si mon mal n'est pas héréditaire ? Parmi tous les rapports que j'avais lus pendant les huit jours d'attente, qui avaient précédé le diagnostic final de Berthet, l'un d'eux m'avait vivement frappée. Il émanait d'un autre spécialiste viennois, mais officiel celui-là : le professeur Léopold Schoenbauer, chef de la première clinique chirurgicale de Vienne qui, avec de nombreux médecins autrichiens, a depuis 1919 procédé à une enquête très poussée sur les origines des affections cancéreuses. Dans son rapport, cet éminent praticien révèle que, sur 36 jumeaux du même sexe observés, 5 cas de cancer ont été notés au même âge et au même endroit chez les deux sujets. Dans deux cas, les affections cancéreuses étaient différentes, et, dans trois cas, le même organe était atteint. Enfin une étude portant sur la descendance d'époux, ayant été tous deux atteints du cancer dans leur jeunesse, a décelé des affections cancéreuses chez un tiers de leurs descendants.

« Mes parents, ma mère surtout, ont été tous deux enlevés par le mal relativement jeunes. Ce serait monstrueux qu'ils ne m'aient laissé que ça comme dot...

« Je sais bien qu'il y a aussi le cas de cette doctoresse italienne qui s'est inoculée le cancer sur elle-même, sans parvenir à faire prendre le virus ! Moi, si j'en avais le courage jusqu'au bout, je serais un excellent cobaye. Inutile de m'inoculer le mal : je l'ai.

« Ne seraient-ce pas plutôt tous ces malades, que j'ai côtoyés pendant des années à Villejuif, qui m'auraient transmis leur mal ? Je les hais maintenant ces misérables qui m'ont remerciée ainsi de m'être consacrée à eux ! En vérité, je ne sais plus... Je n'en sais pas plus que les Berthet, les Schenck, les Lumière, les Schoenbauer, que tous... J'ai cherché aussi s'il existait d'autres remèdes que ce sérum apporté ici ?

« ... Il y a bien le H-II... Est-ce plus sérieux que le reste ? Le docteur Gordon Ward le prétend dans le *Medical Word* qui n'est cependant pas le journal officiel des praticiens anglais, le *British Medical Journal*, et c'est ce qui m'inquiète. Le H-II serait un extrait urinaire préparé par un établissement privé — le laboratoire Hosa, de Sanbury on Thames, et dont le directeur est un certain docteur James Henry Thompson. Lorsqu'une personne, explique Gordon Ward, arrive au terme de sa croissance, elle sécrète des substances inhibitrices qui empêchent cette croissance de se poursuivre. On a donc pensé que des substances arrêtant la croissance normale pourraient également entraver la progression de la multiplication cellulaire anarchique qu'est le cancer. Le H-II contient ces substances. Seulement ce H-II n'est pas une nouveauté : il a été essayé à plusieurs reprises en France et les résultats ont été nuls. Cette existence de substances inhibitrices de la croissance fait partie des hypothèses de travail considérées comme séduisantes, mais rien de plus. Leur présence réelle n'a jamais été démontrée. Il n'y a pas un seul traité de physiologie générale ou d'endocrinologie qui les mentionne.

« ...Il y a une autre doctoresse italienne, Clara Jolles-Fonti, qui a convoqué des journalistes dans une conférence de presse à Milan pour leur déclarer qu'elle avait isolé le virus du cancer, qu'elle avait pu reproduire ce virus dans des bouillons de culture, qu'elle l'avait trouvé dans le sang de tous les cancéreux, qu'elle avait traité avec succès de nombreux malades gravement atteints qui ont été guéris en quelques jours et qu'enfin elle mettait son remède à la disposition de ses collègues pour qu'il pût être encore amélioré ! Tout cela paraît merveilleux, trop beau pour être vrai... Mais je m'étonne de ce que cette doctoresse Fonti ait éprouvé le besoin d'annoncer ses découvertes d'abord à la Presse ? Un vrai savant n'agit pas ainsi : avant de publier quoi que ce soit, il s'entoure de mille garanties, de contre-épreuves et de recoupements. Mme Fonti n'a rien fait de tout cela et son comportement ressemble étrangement à celui de ce Viennois qui croit m'avoir convaincue... Tout cela est affreux et ne se solde que par une recrudescence de faux espoir chez les malades : ce qui est pire que tout ! Vraiment quand on est atteint, il y a de quoi se supprimer pour en finir tout de suite. La seule chose qui a été assez forte jusqu'à présent pour m'empêcher de le faire a été la pensée que je disparaîtrais sans avoir été aimée par Denys. Je ne veux pas mourir avant d'avoir connu l'amour... Après je me tuerai. Tout me sera égal.

« Pour atteindre ce dernier, cet unique but de ma vie maintenant, j'avais pensé que je devrais le dégoûter d'elle, mais je n'y parviendrai pas directement ! Il l'aime tellement que je finis par me demander s'il ne lui est pas resté fidèle pendant le temps où ils ne se voyaient plus ? Ça peut sembler à peine croyable chez un garçon aussi bien constitué mais ce doit être vrai... Il faut donc agir à l'inverse : le débarrasser de cette femme. Est-ce qu'elle l'aime réellement ? Non ! Si elle l'avait vraiment aimé, elle ne se serait pas conduite vis-à-vis de lui comme elle l'a fait pendant qu'il était prisonnier. Elle l'aurait attendu désespérément... Elle n'est devenue aujourd'hui sa maîtresse que parce qu'elle le désirait tandis que moi j'aime ! La rupture doit venir d'elle... Quand il se retrouvera seul, plus désemparé que désespéré, le terrain sera propice : il se réfugiera tout naturellement vers moi qui suis la seule personne capable de comprendre son désarroi. Et lorsque je sentirai qu'il ne peut plus se passer de ma présence physique, je lui révélerai enfin mon mal. Ça le bouleversera ! Il mettra tout en œuvre pour essayer de me guérir... Il n'y parviendra pas mieux que les autres, mais il m'aura donné cette dernière preuve d'amour avant que je ne meure dans ses bras ! Lorsqu'il m'aura perdue, il ne sera plus qu'une loque humaine : je veux que ce soit ainsi pour qu'il ne puisse plus jamais être à une autre femme ! Je l'aurai marqué pour toujours...

« Comment éliminer Christiane ? Le poison ? J'en connais un qui est excellent, mais est-ce bien nécessaire d'aller jusque-là ? Ce n'est pas que ça me gênerait de supprimer cette femme, mais ce pourrait être dangereux pour moi... Il y a eu tellement d'empoisonnements, ces derniers temps, que la police est devenue très méfiante... Quel autre moyen alors ? Le chantage... Sur qui ? Sur elle ou sur lui ? Ça ne prendrait pas... Je ne pense pas qu'elle ait actuellement un autre homme dans sa vie et je suis sûre qu'il n'a qu'elle pour maîtresse... Ce qu'il faudrait, ce serait arriver à ce qu'elle partît d'elle-même, à ce qu'elle l'abandonnât... C'est cela !... Et je me demande tout à coup si une femme qui se sent atteinte par un mal incurable n'éprouve pas le besoin de finir à l'écart, pour ne pas révéler sa déchéance physique à celui qu'elle aime ? Il me semble que Christiane s'éloignerait, par orgueil et par amour... Moi-même, qui connais mon mal incurable, j'agirais de la sorte si j'avais déjà eu avec Denys ma part d'amour. Je suis revenue vivre auprès de lui cette lente agonie qui commence — et qu'il doit ignorer ! — uniquement parce que je tiens à le conquérir...

« Le rêve serait donc d'inoculer le cancer à Christiane. Malheureusement, c'est impossible ! A moins de le lui inoculer moralement ? Ce serait habile : pourquoi n'essaierais-je pas de lui mettre dans la tête qu'elle a un cancer alors que, vraisemblablement, elle n'en aura jamais ? Pourquoi ne la persuaderais-je pas, petit à petit, qu'elle est pratiquement incurable et que, de toute façon, ce n'est pas ici qu'on pourra la guérir ? A mon avis, le cancer moral, qui devient une sorte de hantise et d'appréhension perpétuelle chez l'individu, peut apporter dans son comportement des conséquences et des décisions aussi désespérées que le cancer réel... C'est un moyen de se débarrasser de gens gênants qui n'a pas encore été exploité : c'est pour cela qu'il est excellent. A moi de savoir l'inaugurer sur ma rivale !

« Pour y parvenir, il va d'abord falloir que je crée autour d'elle une certaine ambiance psychologique... autrement dit que je répande en ville et dans les environs la psychose du cancer. Ainsi Christiane en entendra parler tout le temps et par tout le monde... Ce travail préliminaire ne doit pas être bien difficile : les gens sont déjà préparés depuis longtemps par ce qu'ils ont lu sur ce mal dans leurs journaux et les absurdités qu'on leur enfonce périodiquement dans le crâne pendant les ridicules « causeries médicales » de la radio. Chacun éprouve le besoin d'exprimer sa petite opinion personnelle sur le cancer, alors qu'il n'y a pas un savant au monde qui en connaisse la nature exacte !

« Dès que la crainte panique se sera emparée de la ville, je me ferai la main, si je puis dire, sur quelques habitants qui me serviront de véritables « cobayes » pour mettre bien au point la méthode que j'emploierai vis-à-vis de Christiane. Il va me falloir d'abord trouver un malade sérieux — j'entends par là quelqu'un qui soit déjà très atteint par un mal quelconque et qui risque de mourir d'un instant à l'autre sans que l'on puisse affirmer avec une certitude absolue la cause véritable de son décès. Mon rôle obscur consistera à faire courir dans le public le bruit que cette mort ne peut être attribuée qu'au cancer généralisé... Ça cheminera vite ! Ça produira un effet certain !

On chuchotera. Le mot CANCER sera sur toutes les lèvres... Pendant les semaines suivantes, je n'aurai plus qu'à faire attribuer toutes les morts un peu étranges de la région au seul cancer. L'atmosphère d'appréhension et de terreur du mal sera créée...

« Ce sera le moment que je choisirai pour utiliser une femme dont la vie se rapprochera de celle de Christiane, c'est-à-dire une femme qui a, comme elle, un amant... En somme je procéderai là à une « répétition générale » en persuadant cette femme qu'elle a un cancer. Je verrai alors quelle sera sa réaction ? Si elle s'enfuit en abandonnant son amant, comme je l'espère, ce sera donc que mon raisonnement était juste. Il y aura quatre-vingt-dix-neuf chances sur cent pour que Christiane fasse comme elle quand je lui appliquerai le même procédé... D'autant plus que cette « répétition générale » m'aura permis de perfectionner et de mettre parfaitement au point ma méthode avant de tenter l'expérience finale sur ma rivale.

« Si, par contre, la femme-cobaye reste auprès de son amant, il faudra bien que j'essaie un autre moyen : vraisemblablement je me rabattrai sur l'empoisonnement. Quelques-uns ont tout de même très bien réussi ces derniers temps et leurs auteurs sont parvenus à se faire acquitter avec les excuses de la Justice... Mais, encore une fois, je ne pense pas en être réduite à cette extrémité. J'ai une très grande confiance dans ma première façon de procéder — le cancer imaginaire et moral — qui est plus fine. Je la trouve presque géniale.

« La seule difficulté pourrait venir de ce que cette Christiane est une femme qui sait ce qu'elle veut : son mariage avec ce riche industriel, qu'elle n'aimait pas, le prouve. On dit dans le pays que ce M. Triel est mort d'un mal qu'il aurait contracté aux colonies ? La belle Christiane n'aurait-elle pas favorisé le développement de cette étrange maladie ? Depuis que je la considère comme ma rivale, je la crois capable de tout... Le plus curieux est qu'elle ignore elle-même être pour moi une rivale ! Comment pourrait-elle soupçonner que j'aime Denys ? Ça ne me déplairait pas qu'elle l'apprît un jour, quand elle ne pourrait plus me nuire ! Ce serait pour moi une bien douce vengeance pour toutes les humiliations que je dois subir en ce moment par sa seule faute ! En tout cas, si j'avais été à sa place, mariée avec ce richissime M. Triel que je n'aimais pas, je n'aurais pas hésité une seconde... Telle que je me suis découverte depuis quelques semaines, je crois qu'une femme, désireuse de retrouver coûte que coûte celui qu'elle veut pour amant, est capable de tout...

« Je surmonterai la difficulté. Je possède déjà un atout inespéré : je sais, depuis le premier jour où je lui ai posé les ventouses, que cette Christiane n'a pas une très bonne santé. Depuis, à chaque fois que je l'ai revue, je l'ai bien observée : ces épaules très frêles, ce dos nonchalant qui semble par moments ne pas avoir la force de se redresser, cette sensibilité aiguë, cette exaltation continuelle sont des signes qui ne nous trompent pas, nous qui sommes habitués à diagnostiquer la prédisposition naturelle du client à tel ou tel mal... Elle me paraît offrir un merveilleux terrain que je saurai exploiter quand le moment décisif sera venu.

« Pour trouver mes cobayes, j'ai à ma disposition un moyen de prospection immédiat : dès demain, je consulterai attentivement les fiches privées que Denys a établies pour chacun de ses malades. Il s'est servi, pour rédiger ces notes confidentielles, d'un code secret qu'il a inventé pour éviter les indiscrétions. Seulement son code est puéril, fait de lettres, de chiffres et de graphiques destinés à lui rappeler le degré et l'évolution de la maladie chez chaque client. Pauvre Denys ! S'il pouvait se douter que j'ai découvert depuis longtemps la clef de son petit code : ça m'a amusée comme un rébus et fait passer une bonne soirée, un jour où il était auprès de sa maîtresse... Vraiment, c'est un très gentil garçon qui manque d'imagination ! Donc, j'examinerai de nouveau son classeur. Mais on ne prend pas les mouches avec du vinaigre : Christiane est fine mouche. Aussi, dès demain, donnerai-je à Denys l'impression que sa ridicule scène de ce soir a porté : je vais me montrer plus aimable... très aimable même ! avec tout le monde ! principalement avec Christiane et sans oublier la farouche Clémentine ! Je sais que ce me sera très pénible et que ça demandera de ma part un contrôle absolu de mes nerfs. Mais qui veut la fin... »

Ma sinistre assistante a suivi son plan à la lettre. Je fus le premier à tomber dans le piège. Ma seule consolation — si ce pouvait en être une ! — de m'être laissé aussi sottement abuser par cette hypocrisie calculée est de penser que Christiane et Clémentine, elles aussi, se sont trompées. Qui n'aurait cru à ce revirement ? Je pensais que mon intrusion dans sa chambre avait porté ses fruits. Je triomphais en me disant que cette vieille fille avait besoin de recevoir, de temps en temps, une volée de bois vert. Au fond, j'étais très fier d'avoir eu le courage de la lui administrer en quelques paroles bien senties.

Je ne me doutais certes pas, quand je revins d'une tournée à midi le lendemain pour le déjeuner, que non seulement elle avait consulté mes fiches confidentielles, mais qu'elle avait fixé son choix sur les malheureux qu'elle considérait déjà comme ses futurs « cobayes » ! Elle fut toute gentillesse pendant le repas. Elle parla même à table d'autre chose que de maladies : Clémentine et moi en étions interloqués. Après le dessert, elle me demanda si je pouvais lui accorder quelques minutes d'entretien dans la bibliothèque ? Une conversation stupéfiante qui me combla d'aise :

— Je suis navrée, docteur, de ce qui s'est passé hier soir... Votre colère était justifiée.

— Non, Marcelle. La colère ne se justifie jamais ! Je reconnais, moi aussi, avoir eu tort de m'emporter...

— Je crois, docteur, que tout cela n'est venu que d'une incompréhension mutuelle entre Mme Triel et moi. Nous nous connaissons à peine toutes les deux et ma timidité naturelle, qui est pour moi un affreux complexe, peut faire croire à certains moments que je suis volontairement désagréable. Je vais faire tous mes efforts pour essayer de la surmonter... Et je ne voudrais surtout pas que Mme Triel ait pu supposer un instant que j'éprouvais pour elle une certaine antipathie... Bien au contraire ! Cette jeune et jolie femme m'a paru charmante... Je suis convaincue qu'elle vous rendra un jour très heureux... Pourquoi lui en voudrais-je de faire le bonheur d'un jeune patron que j'estime ? Je devrais plutôt lui en être reconnaissante... Mme Triel est nécessaire dans votre vie... Si cela pouvait vous être agréable, docteur, je n'hésiterais pas à aller lui rendre visite dès aujourd'hui pour dissiper ce regrettable malentendu ?

le soir même autour de l'un de ces repas dont elle seule possédait le secret, moi de me sentir aimé et admiré, Marcelle enfin... Ah ! Marcelle... Si j'avais pu savoir ce jour-là de quoi était faite sa satisfaction ! Mais comment aurais-je pu soupçonner que la monstrueuse machine de ce cerveau destructeur s'était mise en marche, que tout chez Marcelle Davois — pendant le peu de temps qu'il lui restait à vivre — ne serait axé que sur une idée fixe : faire le mal ? qu'elle ne reculerait plus devant rien parce qu'elle savait que son propre corps était attaqué par le cancer inexorable qui avait déjà commencé à pourrir lentement ses tissus ? qu'elle essaierait de se venger sur les autres en analysant froidement les ravages qui se faisaient en elle pour les retourner contre d'innocentes victimes ? qu'elle ne craignait pas de sourire pour tromper tout le monde, alors qu'elle n'avait envie que d'exhaler la haine ? qu'elle irait loin, très loin, essayant de troubler une âme sensible, après avoir jeté en elle un doute affreux, pour la détacher de ce qui était toute sa raison de vivre ? qu'elle n'accepterait de disparaître enfin, qu'au milieu du charnier qu'elle avait réussi à créer autour d'elle en quelques mois et qu'elle n'aurait pour seule excuse à tout le mal accompli que cette passion tardive qui l'avait empoignée au moment où elle avait déjà un pied dans la tombe ?

... Je n'en puis plus d'écrire. Mes doigts se

refusent à continuer, mon stylo m'échappe, je vais m'arrêter... Christiane vient encore d'avoir une longue quinte de toux dans la pièce voisine... L'aurore commence déjà à rosir la chaîne des montagnes qui barrent mon horizon... J'ai écrit pendant la nuit entière et je n'ai même pas eu le temps de revivre tout comme je l'espérais hier soir !... Il faudra bien que je continue la nuit prochaine, ou une autre, quand j'en aurai le courage... Tout ce que je n'ai pas encore fixé dans mon esprit — et qui ne sera que la suite logique de ces premiers feuillets — est tellement atroce ! J'ai même l'impression de n'avoir revécu, pendant cette première nuit, que le prologue du drame... Aurai-je la force d'aller jusqu'au bout ? Il le faut, sinon le remords de n'avoir pas été totalement franc avec moi-même me poursuivrait éternellement...

Il faut aussi cacher ce manuscrit encore informe ainsi que l'horrible cahier de Marcelle Davois. Christiane ne doit pas en prendre connaissance... ni elle, ni personne d'autre que moi !

Comme elle a passé vite, cette nuit ! On ne peut vraiment écrire et revivre de tels événements que dans le silence et l'ombre. Cela ne se confie pas au grand jour... Le soleil se lève... C'est bon de le retrouver ! Pendant que mon amour dort encore, je vais sortir pour respirer sur la terrasse du chalet. J'ai besoin d'air pur...

LA DEUXIÈME NUIT

logie du long cauchemar que nous avons vécu. Ce sera pour moi le seul moyen d'acquérir la force morale qui me permettra de guérir définitivement mon amour parce que mon cerveau sera enfin libéré. Il sera allégé de tout ce qui l'empêche encore de voir clair...

J'espère aussi que cette deuxième nuit blanche me suffira pour terminer, mais il y a tant à dire ! Pendant la première nuit, je pense avoir posé le problème de la personnalité écrasante de Marcelle Davois. Maintenant je la vois... Je connais aussi son plan monstrueux dont je n'ai plus qu'à revivre le déroulement. Où dois-je reprendre ? Au dîner, sans aucun doute... Ce dîner insensé qui nous réunit pour la première fois — Christiane, Marcelle et moi — dans ce que deux d'entre nous eûmes la folie de croire le commencement d'une paix durable ! En réalité, c'était le début de la plus âpre et de la plus sournoise de toutes les luttes dont nous ne pouvions sortir que brisés.

... Pendant le repas, Christiane et moi nous rendîmes compte que cette Marcelle Davois — que nous n'avions considérée jusqu'alors que comme une passionnée de sa profession — pouvait aussi se révéler une femme capable de sentiments délicats. La conversation, qui roula un peu sur tout, sauf sur la médecine, se prolongea même très tard dans la bibliothèque. Quand je reconduisis Christiane au château, elle me dit dans la voiture : — « Je crois, chéri, que nous nous sommes lourdement trompés, toi et moi, sur le compte de cette femme... Je reconnais avoir été la plus aveugle : tu avais raison lorsque tu me disais que je changerais d'avis quand je la connaîtrais mieux... Qui sait ? Peut-être deviendra-t-elle ma meilleure amie ? Je n'en ai pas tant que cela ! » — « Je le souhaite, Christiane. » — « N'as-tu pas l'impression, pour qu'elle te soit si dévouée, qu'elle est un peu amoureuse de toi ? » — « Marcelle amoureuse ? Tu es folle, chérie ! Elle en est incapable ! C'est un état d'âme qui ne l'a jamais effleurée... Elle ne sait pas ce qu'est l'Amour ! Elle ne cherche même pas à le savoir : ça ne l'intéresse pas ! Le seul sentiment qui est profondément enraciné en elle est celui du Devoir professionnel... C'est son Credo. » — « Peut-être as-tu raison, Denys ? »

Lorsque je fus de retour chez moi, je constatai, en passant devant la chambre de mon assistante, qu'aucune lumière ne filtrait sous sa porte... Ce soir, pour la première fois depuis des mois, elle n'avait pas éprouvé le besoin de se replonger dans l'étude sur le cancer qu'elle m'avait dit préparer. Cela me fit réellement plaisir : la soirée qu'elle venait de passer en notre compagnie avait dû la détendre, lui permettre aussi de s'évader de sujets trop pénibles. Et je l'imaginai endormie, heureuse, souriante... Avant de me coucher moi-même je pensai : « Ce n'est pas une mauvaise fille... Jusqu'à cette soirée, c'était plutôt une malheureuse sans famille, sans foyer, sans amis qui n'attendait qu'un petit geste de notre part pour se rattacher à nous. Désormais, je me le promets, elle fera complètement partie de la maison comme Clémentine. »

Le lendemain matin, je fus appelé d'urgence auprès de mon vieil ami, le père Heurteloup. Son état était grave. Le sachant irrémédiablement perdu, je laissai Marcelle auprès de lui pour lui donner les derniers soins et je téléphonai à un chirurgien du Mans pour le prier de venir d'urgence en consultation. Quand mon confrère arriva, le père Heurteloup était déjà dans le coma et il mourut trois jours plus tard sans qu'aucune intervention chirurgicale ait été possible. Il l'avait bien cherchée, cette fin, le brave père Heurteloup, avec ses innombrables « petits coups de calva » !... Marcelle, qui l'avait veillé jour et nuit avec un réel dévouement, rentra pour le déjeuner. Christiane était là. Je demandai aussitôt à mon assistante :

— Répondez-moi franchement, Marcelle... Vous qui n'avez pas quitté le père Heurteloup pendant son agonie, de quoi croyez-vous qu'il est mort : de sa cirrhose du foie ou de sa tumeur rénale ?

— Le foie n'a pas éclaté, docteur... C'est le cancer du rein qui a eu raison de sa solide constitution.

— Ce serait donc le premier cas officiel que je diagnostique dans ma clientèle ?

— Il y en a eu certainement beaucoup d'autres, docteur, auxquels vous n'avez peut-être pas prêté attention ? Ce sont de ces choses qui arrivent fréquemment en médecine courante : on se laisse hypnotiser, presque malgré soi, par les symptômes d'une affection secondaire alors que l'on néglige complètement le véritable mal... Souvenez-vous, docteur ! Vous-même n'avez eu la révélation de la tumeur rénale de M. Heurteloup que lorsque nous l'avons découverte ensemble sur les radiographies...

Christiane, enfoncée dans un fauteuil, nous écoutait, silencieuse. Elle sortit brusquement de son mutisme pour s'écrier :

— Mais c'est affreux, ce cancer, Denys ! Le voilà qui s'attaque maintenant à nos régions ?

— Il ne s'y attaque pas, Madame, répondit doucement Marcelle. Il y est depuis toujours... comme il est partout !

— Enfin, Marcelle, questionna Christiane, vous n'allez tout de même pas me dire que l'on parlait tant que cela du cancer autrefois ?

— Il fut même une époque, Madame, où l'on n'en parlait pas du tout parce qu'on ignorait son existence... On ne l'avait pas décelé dans l'organisme humain. Souvenez-vous de ces petits enfants qui étaient emportés en bas âge pour des raisons inconnues : on disait alors dans les campagnes que c'était la faute des

« coliques de Miserere » ! Il est à peu près certain aujourd'hui que ces enfants sont morts d'un cancer.

— Je vais sûrement vous paraître stupide à tous les deux, poursuivit Christiane, mais j'ai l'impression que le cancer est devenu contagieux et qu'il étend rapidement ses tentacules un peu partout comme une véritable épidémie...

— Peut-être avez-vous raison, Madame ? Hélas, la réponse à votre raisonnement n'a pas encore été donnée par la Science, répondit simplement mon assistante.

Il y eut un court silence suivi d'un moment de gêne indéfinissable que j'aurais voulu dissiper. L'inquiétude très réelle, manifestée par Christiane, n'allait-elle pas se propager un peu partout ? Et je demandai à Marcelle :

— J'espère, en tout cas, que vous n'avez pas parlé de cancer à la famille du père Heurteloup ?

— Une règle absolue veut, docteur, que l'on ne dise jamais la vérité sur ce mal aux parents proches. Cela ne ferait que les affoler inutilement. Et pourquoi jeter la panique en ville quand le mal a déjà accompli son œuvre irrémédiable ? Je ne vous ai donné ici mon opinion sincère que parce que vous me l'avez demandée et que nous étions entre nous... Je vous prie, Madame, de ne pas en faire état devant d'autres personnes.

— Vous pouvez compter sur mon silence, répondit vivement Christiane qui ajouta : Ça me fait plaisir que vous n'ayez pas hésité à parler avec Denys de ces choses graves devant moi... Croyez bien que tout ce qui touche la profession de Denys m'intéresse... Je suis très heureuse aussi de penser qu'il a auprès de lui une collaboratrice telle que vous.

Il fut décidé, pour éviter d'inquiéter inutilement les gens du pays, que la cause « officielle » de la mort du père Heurteloup serait attribuée à sa cirrhose du foie... Le soir, quand je rejoignis ma chambre, la lumière filtrait sous la porte de Marcelle. Elle avait dû recommencer à écrire. Peut-être même notait-elle les observations qu'elle venait de faire au chevet du fermier agonisant ?

« Ce 25 avril.

« Je ne pouvais rien souhaiter de mieux que cette mort rapide du père Heurteloup. Ce n'est pas que j'en veuille le moins du monde à ce vieil alcoolique, mais Christiane est restée très impressionnée par ce que j'ai pris bien soin de dire devant elle à Denys. Comme lui, elle est persuadée que le bonhomme a été enlevé par un cancer du rein alors que je n'en suis pas sûre du tout : sa cirrhose du foie suffisait largement. Je n'ai plus qu'à faire courir en ville la nouvelle pour que le mot « cancer » commence à tinter aux oreilles de la population. Maintenant que j'ai eu mon mort « sérieux », indiscutable, je vais pouvoir m'attaquer à celle que j'ai choisie pour ma « répétition générale »...

« Son nom m'a sauté aux yeux quand je l'ai

lu dans le fichier de Denys et je me demande comment je n'y avais pas pensé tout de suite ? Elle est belle et a un amant. Tout le monde l'envie : sa santé est florissante... Ce deuxième effet psychologique sur Christiane, qui n'a pas une très bonne santé, n'en sera que plus fort si je réussis et mon mérite n'en deviendra que plus grand. Pour tout le pays, il faut que l'on comprenne que le mal peut s'attaquer à la plus belle, à celle qui semblait le plus à l'abri de la laideur... J'ai vu, sur le livre des rendez-vous, qu'elle venait après-demain pour se faire examiner par Denys. Qu'est-ce qu'elle peut avoir ? Sa fiche confidentielle ne mentionne rien de spécial... Qui sait ? Peut-être y a-t-il du nouveau ? Il faudra que je le sache aussitôt pour agir... Oh ! Il me suffirait d'un rien pour point de départ... Un minuscule grain de beauté par exemple. C'est si facile de laisser entendre qu'il pourrait être d'origine cancéreuse ! Ensuite, l'esprit brode tout seul, travaille... De toute façon je dois agir vite : je crains que mon mal à moi ne progresse rapidement ? Ce matin je me suis fait la première piqûre conseillée par ce Schenck...

« Le plus étrange est qu'à peine l'avais-je faite j'ai reçu une lettre de Berthet ! Une lettre curieuse qui m'a amusée et que je ne résiste pas au plaisir de recopier dans ce cahier : « *Ma chère Marcelle, ce que vous avez fait est très mal. Hier j'ai voulu consulter de nouveau votre dossier et j'ai appris avec stupeur qu'il avait disparu des archives ! Ce ne peut être que vous qui avez été le prendre... Pourquoi ce geste inutile ? Je ne vois qu'une explication : vous avez craint que la nouvelle de votre état ne soit répandue à l'Institut par ceux qui vous y ont connue... Je reconnais que ce serait presque une excuse... Mais si je vous écris en hâte ce mot, c'est surtout pour vous demander, avec toute l'autorité de celui qui fut pendant des années un patron — que vous aimiez, je crois, Marcelle ? — jointe à son amitié, de consentir à la seule opération qui peut amener une amélioration très sensible de votre état. Je sais : c'est un risque à courir... quelle intervention chirurgicale n'en est pas un ? N'est-il pas infiniment moins grand que celui qui consiste à laisser progresser le mal ? Bien entendu, vous pouvez compter sur mon entière discrétion professionnelle. Personne ne connaîtra jamais votre état en dehors de moi et de mon premier assistant qui m'a aidé pour vos examens et a procédé ensuite aux analyses microscopiques. Je réponds de lui comme de moi-même. Je vous conseille, dès que vous aurez lu cette lettre, de la faire disparaître et de prendre le premier train pour revenir me voir. Votre très dévoué, Georges Berthet. »*

« Je viens de déchirer l'original de la lettre à laquelle je ne répondrai pas en prenant le train pour Paris ! Le sérum de Schenck, même s'il ne m'apporte qu'une chance sur dix mille, vaut tout autant qu'une intervention inutile. Je sais que ce brave Berthet, dont la sollicitude à mon égard est plutôt gentille, ne se fait pas plus d'illusions que moi : sa lettre ne lui a été dictée que par sa conscience professionnelle. Il oublie malheureusement qu'il y a des moments où l'homme le plus consciencieux du monde demeure impuissant devant sa propre ignorance ! L'opération, dont le résultat pratique serait nul, me retirerait un nombre de semaines précieuses sur le peu de temps qu'il me reste à vivre en m'obligeant à rester loin de mon petit Denys... Je ne peux plus passer une seule journée sans le voir, ne serait-ce que pendant quelques instants... Je n'ai plus le temps de le quitter avec ce mal qui essaie de me séparer de lui en rongeant chaque jour mon corps davantage ! Je dois mener seule, sans l'aide de personne, une lutte implacable contre deux adversaires : une femme et le cancer. J'ai encore le temps d'abattre la femme mais l'aurai-je pour faire la conquête de mon jeune amant avant que le mal ne m'ait abattue à mon tour ? »

...Elle agit vite comme elle se le promettait. Et j'ai continué à ne me douter de rien ! Pendant les trois mois suivants l'atmosphère fut transformée. Christiane venait à la maison chaque fois qu'elle en avait envie ; souvent même elle y passait la nuit. Marcelle et elle étaient devenues des amies. Il m'arriva de les trouver plusieurs fois en conversation dans la bibliothèque. L'harmonie régnait. Clémentine me répétait dans son langage imagé : — « C'est le miracle de Christiane ! Elle est si douce et si gentille qu'elle a même réussi à amadouer la panthère ! » Et nous commencions, Christiane et moi, à envisager sérieusement notre mariage pour le début de l'automne. Nous n'hésitions pas à en parler devant Marcelle qui paraissait se réjouir sincèrement de tout ce qui nous arriverait d'heureux.

Un soir de juillet, où je rentrais tard d'un accouchement difficile, je surpris Christiane et Marcelle dans la chambre de radio. Mon assistante expliquait à mon amour le fonctionnement des appareils et les différentes manières dont on procédait pour faire radioscopies et radiographies. Quand j'entrai, Christiane me dit : « Chéri, c'est passionnant ! Marcelle vient de m'apprendre des choses étonnantes... merveilleuses ! Elle m'a promis qu'un jour je serai aussi compétente qu'elle sur le cancer, n'est-ce pas, Marcelle ? » — « Je trouve que vous avez de drôles de conversations en mon absence... Vous ne pourriez pas parler de choses plus gaies ? » — « Surtout ne gronde pas Marcelle ! s'écria Christiane. Si elle l'a fait, c'est parce que j'ai insisté... Elle ne voulait pas. »

Quand je me retrouvai seul avec Christiane, j'essayai de lui faire comprendre que sa place n'était pas dans la chambre de radio et qu'elle ne devait pas ennuyer Marcelle avec sa curiosité. Sa réponse fut : — « Je suis sûre de ne pas l'ennuyer... Elle aime parler de son métier : si tu comprenais la flamme qui l'anime ! Plus je la connais, plus je l'admire... Je me demande même par moments si tu te rends bien compte, Denys, de la valeur exacte de ta collaboratrice ? Sur le cancer, elle est imbattable ! Quel malheur pour elle et surtout pour les autres qu'elle n'ait pas pu devenir doctoresse ! » — « Ça aussi, elle te l'a dit ? » — « Oui, elle me confie tout... » — « Et toi ? » — « Moi, mon chéri ? Je ne fais que lui parler de toi ! Si tu savais l'estime qu'elle a pour toi ! Elle m'a même dit hier quelque chose qui m'a fait plaisir : *Le docteur Fortier est l'un des rares médecins de la nouvelle génération sur lesquels on peut fonder les plus sérieux espoirs...* J'ai failli l'embrasser ! » Au fond, j'étais enchanté, moi aussi. Mais le matin du 24 juillet — je n'oublierai jamais la date, car je l'ai regardée instinctivement sur le bloc placé sur mon bureau pendant que j'écoutais avec stupeur mon interlocuteur — je reçus un coup de téléphone... Marcelle était déjà partie à l'orphelinat des sœurs. C'était maître Boitard qui m'appelait. Sa voix angoissée résonne encore dans mon oreille :

— Allô ? Docteur, venez vite ! Ma femme vient de se suicider !

— Votre ?...

J'en eus le souffle coupé.

— Mme Boitard ? Mais.. ce n'est pas possible ? Voyons, maître Boitard ?

— Venez, docteur ! Elle s'est tiré une balle en plein cœur avec mon revolver...

Je partis comme un fou chez le notaire.

Maître Boitard avait dit vrai. Quand j'arrivai, je trouvai sa femme étendue sur son lit. La balle, tirée sans doute à bout portant, avait sectionné l'aorte : une mort instantanée. Debout devant le lit, le notaire était hagard. — « Qu'est-ce qui s'est passé ? » — « Je venais de descendre dans la salle à manger pour commencer mon petit déjeuner. Ma bonne avait été avertir ma femme, qui était encore dans son cabinet de toilette, que le repas était servi... Ma femme lui répondit, à travers la porte, qu'elle me rejoindrait dans un instant... Tout à coup, j'ai entendu un coup de feu à l'étage au-dessus. Je suis monté en courant, suivi de la bonne. La porte de la salle de bains n'était pas fermée à clef. Je l'ai ouverte et j'ai vu... »

— « Où est le revolver ? » — « Il est resté sur le carrelage de la salle de bains, docteur, là où il était quand j'y suis entré. » — « Je crois, mon cher maître, qu'il serait préférable de ne rien toucher avant l'arrivée de la gendarmerie ? » — « Vous voulez que je prévienne les gendarmes ? Mais ce n'est pas possible ! Ça va faire un scandale épouvantable ! » — « Vous ne pouvez et n'avez même pas le droit de faire autrement, maître Boitard... Malheureusement, mon rôle est terminé : je ne puis que constater le décès, mais ses circonstances sont tellement exceptionnelles qu'il m'est impossible d'en établir le certificat avant qu'une enquête ne soit faite. » — « Vous avez raison : je perds la tête ! » — « Je m'excuse de vous le demander en un moment aussi pénible, maître Boitard, mais enfin pourquoi a-t-elle fait ça ? » — « Pourquoi ? » le malheureux homme passa sa main sur son front. Je compris qu'il se posait la même question depuis la première seconde où il avait vu sa femme étendue dans le cabinet de toilette. Ma question était stupide et déplacée. J'essayai de la réparer : — « Voulez-vous que je téléphone tout de suite au brigadier Chevart ? C'est un garçon pondéré et compréhensif. Il ébruitera la nouvelle le moins possible. » — « Je vous remercie, docteur. Faites ce que vous estimez être votre devoir. »

J'appelai le brigadier qui fut là quelques minutes plus tard. Il me posa un certain nombre de questions précises ainsi qu'à maître Boitard et à la bonne avant de conclure : — « Aucun doute possible sur le suicide... Ce revolver était à vous, maître Boitard ? » — « Oui, je n'y ai pas touché depuis des années... Il restait dans l'un des tiroirs de la table de nuit... Ma femme m'avait même souvent dit : *Tu ne devrais pas laisser cette arme ici, mais l'enfermer à clef dans un tiroir de ton bureau.. Un jour il y aura un accident !* » — « Pourquoi n'avez-vous pas suivi ces sages conseils, maître Boitard ? » demanda le brigadier. — « Pour l'unique raison que j'ai toujours donnée à ma femme : si des cambrioleurs essaient de s'introduire dans mon étude, ce sera vraisemblablement la nuit... Je dois donc garder cette arme à portée de ma main. » — « C'est juste, maître Boitard. Une étude de notaire de province peut être tentante pour des voleurs... D'autant plus que vous devez avoir des fonds assez importants dans votre coffre ? » — « Oui... la question que vous venez de me poser au sujet de ce revolver, brigadier, me remet brusquement en mémoire une phrase que ma pauvre femme m'a dite la semaine dernière... » et il ajouta, après une seconde d'hésitation : — « Nous étions déjà couchés, Jeanne et moi, lorsqu'elle ouvrit le tiroir de la table de nuit et me demanda en désignant le revolver : *Es-tu bien sûr qu'il marche encore ?* » Je lui répondis qu'il n'y avait aucune raison pour que l'arme ne fonctionnât pas. Elle me dit alors en refermant le tiroir : *Tu en ferais une drôle de tête s'il ne tirait pas au mo-*

ment où des voleurs seraient devant toi ! C'est tout, brigadier. » — « Vous avez bien fait de me dire ça, maître Boitard. Il est en effet très curieux que Mme Boitard ait eu cette remarque la semaine dernière... Cela laisserait supposer qu'elle avait peut-être déjà à ce moment l'intention d'attenter à ses jours et qu'elle voulait savoir si votre arme était en état de fonctionner ? »

Je n'avais plus rien à faire chez maître Boitard jusqu'au moment où la gendarmerie me donnerait l'autorisation de délivrer le permis d'inhumer. Je m'approchai cependant de la morte pour lui fermer les yeux qui étaient restés grands ouverts, fixes... Avant de me retirer, je contemplai une fois encore ce visage que je n'avais pas revu depuis la dernière visite que m'avait faite la jolie femme trois mois plus tôt... Je me souvenais qu'elle m'avait demandé alors un rendez-vous pour avoir mon avis sur une petite grosseur qui avait poussé sous son sein droit et qui l'inquiétait un peu ?

Ce n'était qu'une simple mammite n'offrant aucun caractère de gravité. Je lui prescrivis un traitement d'hormones mâles, suffisant pour faire se résorber cette tumeur bénigne, tout en lui conseillant de revenir me voir si ça ne disparaissait pas au bout de quelques semaines. Elle n'était pas revenue depuis ; j'en avais conclu que tout était rentré dans l'ordre. Je voulus tout de même, avant de quitter cette chambre où elle reposait déjà de son dernier sommeil, jeter un coup d'œil sur ce sein droit : la protubérance n'avait pas disparu. Je la palpai : elle était dure et bien limitée. Ce qui prouvait que ce n'était que glandulaire. — « Qu'est-ce que vous examinez, docteur ? » me demanda le brigadier Chevart. — « Rien de bien sérieux, brigadier. » — « Mme Boitard faisait naturellement partie de votre clientèle ? » — « Comme toute la ville, brigadier ! » — « Est-elle venue vous voir récemment pour sa santé ? » — « Pas depuis trois mois... Elle n'avait d'ailleurs aucune raison de le faire si ce n'était pour les motifs ordinaires qui obligent toute femme, normalement constituée, à venir à certaines périodes chez son médecin. » - « Pendant ces visites, continua le brigadier, Mme Boitard ne vous a jamais fait l'effet d'être un peu... anormale ? »

— J'ai rarement connu une femme qui fût mieux équilibrée ! Son excellente santé lui permettait d'être toujours de bonne humeur. Il n'y a pas une personne en ville qui ne vous dira que sa gaieté était communicative ! Elle incarnait pour moi la joie de vivre. » — « Donc aucune prédisposition à la neurasthénie ? » — « Pas la moindre, brigadier. » — « Je vous remercie, docteur. Si vous voulez bien me laisser seul avec maître Boitard ? »

En quittant cette demeure où le deuil venait d'entrer d'aussi tragique façon, je ne pouvais détacher mon regard du visage resté admirable dans la mort... de cette bouche sensuelle qui conservait éternellement son secret... Pourquoi avait-elle fait ça ? Je ne voyais aucune raison valable. Son mari la gâtait et celui que l'on disait être son amant ne pouvait que l'adorer... L'amant ? Une idée folle me traversa l'esprit. Ne serait-ce pas auprès de lui qu'il faudrait chercher la cause profonde du geste insensé ? Ne se serait-elle pas tuée parce que l'amant ne l'aimait plus ? Cela paraissait improbable : cette femme n'était pas d'une nature à se laisser aller au désespoir. Elle était plutôt de celles qui remplacent vite un amant par un autre... Enfin quelle preuve certaine avait-on de sa liaison ? Ce n'étaient que des on-dit, des ragots de petite ville... Je voulais pourtant en avoir le cœur net. Je voulais savoir... Je sentais confusément que ce ne serait qu'auprès du jeune lieutenant des Eaux et Forêts que je trouverais la réponse. J'estimais sincèrement avoir droit à cette réponse, au double titre d'ami et de médecin des Boitard... Oh ! si j'apprenais quelque chose de précis, je le conserverais pour moi seul et n'en ferais certainement pas part à la gendarmerie ! Ce n'était pas mon rôle. Le brigadier Chevart était assez intelligent pour se débrouiller tout seul... Mais j'irais quand même trouver le lieutenant Deval ! Pourquoi ne pas y aller tout de suite ? Il ne devait pas, ne pouvait même pas être au courant de ce qui venait de se passer ? Personne en ville, ce matin, ne le savait encore en dehors du mari, de la servante, du brigadier Chevart et de moi. Il n'y avait pas un instant à perdre avant que la nouvelle ne se propageât. Je bénéficierais, auprès du jeune homme, d'un effet de surprise certain.

Mais était-ce bien à moi de lui annoncer l'horrible nouvelle ? Ne valait-il pas mieux attendre qu'il l'apprît par la rumeur publique ? Après tout, je le connaissais à peine, ce garçon ! Je ne l'avais rencontré que deux ou trois fois en ville : nous nous étions salués, rien de plus. Il m'avait toujours fait une excellente impression. Ça valait la peine de voir quelle serait sa réaction quand il apprendrait ? Si ça ne lui produisait aucun effet, ce serait pour moi la preuve qu'il n'était pas l'amant de la belle Mme Boitard comme on le disait, mais tout simplement un ami et qu'il n'était pour rien dans la décision de la jolie femme. Si au contraire il se montrait désespéré, peut-être seraitce parce qu'il ne se sentait pas étranger au drame ?

Je me rendis directement chez lui...

— Vous devez être plutôt surpris, mon lieutenant, de ma visite... surtout à une heure aussi matinale ?

— En effet, docteur. J'allais partir pour ma tournée d'inspection.

— La raison qui m'amène est aussi pénible

que délicate... J'ai pensé qu'il était de mon devoir de vous annoncer une triste nouvelle que vous devez encore ignorer... Mme Boitard vient de se donner la mort en se tirant une balle dans le cœur avec le revolver de son mari... Actuellement ce drame n'est pas connu en ville. J'ai pensé que vous préféreriez l'apprendre par moi, qui fus le médecin de Mme Boitard, plutôt que par d'autres ?

— Et pourquoi avez-vous éprouvé, docteur, le besoin de venir m'annoncer cette nouvelle à moi plutôt qu'à un autre ?

— Mais... Je pensais que tout ce qui concernait Mme Boitard vous intéressait plus particulièrement ?

— Vous pensiez !... Evidemment, comme tout le monde dans cette horrible petite ville ! Seulement vous ne savez rien ! Ni vous, ni personne ! Apprenez donc une fois pour toutes que, même si cette dame et moi étions très liés, la nature exacte de nos relations ne regarde pas les autres... Mme Boitard a un mari. Je pense que votre place est beaucoup plus auprès de lui qu'auprès de moi.

— Ah, bon ! Pardonnez-moi...

Je ressortis, ahuri, interloqué, de chez le lieutenant Deval. Pas un muscle de son visage n'avait bougé quand je lui annonçai la terrible nouvelle. Ou cet homme avait des nerfs d'acier et une force de dissimulation peu commune, ou la mort de la jeune femme lui était totalement indifférente ? Pourtant leur liaison m'avait été plusieurs fois confirmée par des gens dignes de foi qui ne les jugeaient pas avec malveillance ; des gens que ça amusait plutôt et pour lesquels c'était un sujet de conversation comme un autre... Je ne savais plus que penser ? En rentrant chez moi, je rencontrai Marcelle qui revenait de l'orphelinat. Dès que nous fûmes dans mon cabinet, à l'abri de la curiosité toujours en éveil de Clémentine, je la mis au courant de la nouvelle. Autant le jeune lieutenant avait semblé ne guère s'y intéresser, autant mon assistante parut consternée : — « Ce n'est pas possible, docteur ? la belle Mme Boitard ? » — « Oui, la belle Mme Boitard... » — « Mais, enfin, docteur, pourquoi ce geste ? » — « Pourquoi ? C'est bien la question que je me pose depuis ce matin... et je ne suis pas le seul ! Son mari est comme moi... Le brigadier de gendarmerie aussi... » — « La gendarmerie ? Elle s'occupe donc de l'affaire ? » — « Il y a eu mort violente par suicide, Marcelle. » — « C'est vrai ! Quelle histoire ça va faire dans le pays ! » — « Aviez-vous revu Mme Boitard ces derniers temps ? » Tout en posant cette question, j'avais ouvert mon classeur secret pour consulter la fiche personnelle de ma cliente. Je ne m'étais pas trompé tout à l'heure dans sa chambre : sa dernière visite remontait au 27 avril, soit trois mois plus tôt. J'avais bien inscrit sur la fiche le traitement d'hormones que je lui avais ordonné pour faire fondre sa mammite glandulaire. Ce fut à peine si j'entendis la réponse de Marcelle : — « Je l'ai aperçue deux ou trois fois en ville, en faisant ma tournée matinale... Elle m'a toujours paru en très bonne santé. D'ailleurs elle n'était pas venue vous voir depuis un certain temps, docteur. » — « C'est exact. Pourquoi serait-elle revenue si elle allait bien ? » — « Ne croyez-vous pas, docteur, qu'il faut attribuer la cause de sa mort à des raisons d'ordre intime ? Peut-être a-t-elle craint qu'un scandale n'éclatât ? Que son mari ne fût mis au courant ? » — « Au courant de quoi ? » Marcelle me regarda avec stupéfaction : — « Mais de sa liaison avec le lieutenant des Eaux et Forêts, docteur ? » — « Je ne suis pas très sûr, Marcelle, que cette liaison ait vraiment existé. » — « Tout le monde l'affirmait en ville ! » — « Tout le monde ? Ce n'est pas une référence suffisante... Christiane va être bouleversée : Mme Boitard était l'une des rares dames de la ville avec laquelle elle était assez liée... Je vais profiter de la visite que je dois faire aux Gervais pour passer par le château : je la préviendrai avec le plus de ménagements possible. » — « Voulez-vous que je m'en charge, docteur ? » — « Non, Marcelle, je vous remercie. »

Elle remonta dans sa chambre et ne dut même pas attendre le soir, comme elle en avait l'habitude, pour écrire sur son cahier la suite de ses confidences que j'ai sous les yeux, datées du jour où Mme Boitard s'est suicidée...

« Ce 24 juillet.

« Ce que je viens d'apprendre par Denys est inouï ! Je n'avais pas prévu ça... Je savais que ma méthode avait réussi et que celle — qu'ils appelaient tous avec une admiration béate « la belle Mme Boitard » — n'était plus qu'une loque dans mes mains... une pauvre femme prête à faire tout ce que je lui dirais... Hier encore elle m'avait déclaré qu'elle était décidée à partir selon mes conseils et à abandonner son mari et son amant... Elle irait n'importe où, mais loin, très loin pour se faire soigner et opérer s'il le fallait... Je savais aussi qu'elle n'oserait plus revenir, mutilée, dans cette petite ville où on l'avait admirée et où elle avait régné par sa beauté... Mais jamais je n'aurais cru qu'elle agirait ainsi ! qu'elle aurait le courage de se tuer, car, au fond, c'était une femme très lâche... Qu'est-ce qui a bien pu lui passer dans la tête pendant ces dernières heures ? Je ne voulais surtout pas qu'elle se tuât ! Denys me l'a bien dit : les gendarmes se sont déjà emparés de l'affaire... Il y aura enquête... Ça m'ennuie. Il va falloir jouer serré. Je vais surtout être obligée de modifier sensiblement mon plan pour que Christiane ne l'imite pas quand ce sera son tour : un tour qui approche... Et cependant ! Dieu seul sait — en supposant qu'il existe — comme j'avais habilement manœuvré ! Trois mois... pas un de plus ! m'ont été nécessaires pour arriver à ce que je voulais ! Je finis par croire que je suis une excellente psychologue...

« J'avais commencé, il y a trois mois, tout de suite après la visite qu'elle venait de faire à Denys... au moment précis où elle sortait de son cabinet. Je l'attendais dans le vestibule pour la reconduire jusqu'à la porte... Un vestibule, c'est amplement suffisant quand on veut aboutir, pour lancer les quelques mots qui amènent le doute dans l'esprit : — « Alors, chère Madame, cette consultation n'a pas été trop pénible ? » — « En effet, mademoiselle Marcelle. J'ai une grande confiance dans le docteur. » — « Vous le pouvez, Madame... Sans doute est-il encore un peu jeune, mais son diagnostic s'affirme. » — « Que voulez-vous dire ? » — « Oh ! rien, sinon que lorsqu'il aura quelques années de pratique supplémentaires, ce sera le plus remarquable médecin de la région. Il a un immense avenir devant lui. » — « Je le crois comme vous et vous êtes plus compétente que moi sur ce sujet... Mais vous pensez sincèrement qu'il pourrait encore commettre quelque... erreur ? » — « Je ne pense rien, Madame... Je sais seulement que nul n'a la science infuse ! » — « Pour mon cas, je crois qu'il est difficile de se tromper ! Il m'a dit que j'avais une mammite. » Je crus étouffer de joie en entendant ces mots, mais je n'en laissais rien paraître : — « Il a dû vous ordonner un traitement d'hormones ? » — « Oui. » — « C'est excellent ! Vous a-t-il fait passer une radio du sein ? » — « Non. » — « Peut-être aurait-il dû le faire ? C'est plus prudent... Enfin ! Il faut croire qu'il ne l'a pas jugé nécessaire... Au revoir, Madame. »

« En refermant la porte, je savais que j'avais semé. La belle Mme Boitard réfléchirait pendant la nuit. Il serait donc très adroit de ma part que nous nous rencontrions le lendemain par hasard — du moins le penserait-elle ! — ailleurs que chez Denys. Je connaissais la maison du notaire : dès le lendemain matin, sous prétexte de faire ma tournée en ville, je rôderais dans ses parages. Je savais aussi, pour l'avoir croisée plusieurs fois déjà en ville, que ma femme-cobaye sortait faire ses courses vers dix heures.

« Le lendemain, comme je l'avais prévu,

nous nous trouvions face à face dans la rue Gambetta... Ce fut elle qui parla la première :

« — Bonjour, Mademoiselle... Hier, quand je sortais de chez le docteur Fortier, vous m'avez dit une chose qui m'a inquiétée... Connaissant de réputation votre expérience professionnelle, je voudrais vous demander si, oui ou non, vous estimez en conscience que je devrais me faire radiographier ? » — « Il m'est très difficile de vous répondre, chère Madame... J'aurais l'air de mettre en doute la compétence très réelle de mon jeune patron. » — « Mais, je ne veux même pas que vous lui fassiez part de cette conversation ! Je vous promets de mon côté que tout ce que vous me direz restera strictement entre nous. » — « Dans ce cas, Madame, c'est un peu différent... Si je comprends bien, vous voudriez que nous ayons une conversation de femme à femme ? » — « C'est cela. » — « Eh bien, j'estime qu'il est indispensable de faire une radiographie de votre sein et peut-être même une radioscopie... Je ne voudrais pas vous effrayer, mais on a tellement parlé ces derniers temps d'une affection qui, malheureusement, nous guette toutes tant que nous sommes qu'il vaudrait mieux pour vous pour être pleinement rassurée. » — « Vous voulez parler du cancer ?»—« Pourquoi lâchez-vous ce mot terrible et inutile dans votre cas ? » — « Savez-vous, mademoiselle Marcelle, ce qu'on chuchote dans le pays au sujet de la mort du père Heurteloup ? » — « Non ? » — « ... Qu'il aurait été emporté par un cancer ! » — « Décidément les gens sont mieux renseignés que moi qui l'ai cependant assisté jusqu'à la fin ! » — « Enfin, est-ce vrai, oui ou non ? » — « La seule chose que je puisse affirmer est que cet excellent homme n'a pas été emporté par un cancer du sein ! D'ailleurs, on peut le regretter pour lui... » — « Pourquoi cela ? » — « Parce que, chère Madame, le cancer du sein est à peu près le seul que l'on arrive actuellement à guérir par l'ablation totale. » — « Quelle horreur ! Ce doit être affreux de n'avoir plus qu'un sein ? » — « Celles à qui ça arrive s'y habituent et se félicitent même de s'en être tirées à si bon compte ! Mais nous n'en sommes heureusement pas là en ce qui vous concerne ! » — « Le cancer du sein ressemble à une mammite ? » — « Je ne peux pas vous expliquer ça ici, Madame... » — « Où alors ? Voulez-vous venir chez moi ? » — « Il vaut mieux pas : ne pensez-vous pas que maître Boitard pourrait s'inquiéter s'il surprenait notre conversation ? » — « Vous avez raison. Mais où nous retrouver ? Vous ne comprenez pas que je veux, que j'ai le droit de savoir ? » — « Peut-être pourriez-vous venir, sans risquer que ce soit su, cet après-midi chez le docteur ? Je sais qu'il sera absent toute la journée et c'est le jour de sortie de Clémentine... C'est moi qui vous ouvrirai la porte. Nous pourrons parler en toute tranquillité. » La belle Mme Boitard me remercia avec reconnaissance, mais, dans ses yeux pailletés d'or, il y avait déjà des lueurs d'angoisse. Je progressais...

« La séance de l'après-midi se déroula selon le processus que j'avais minutieusement établi à l'avance. Mme Boitard fut là à trois heures. Après l'avoir fait déshabiller dans le cabinet de consultation, je l'examinai. La mammite était très nette et n'offrait pas le moindre caractère cancéreux : elle était limitée et dure, tandis qu'une tumeur cancéreuse est molle, difficile à limiter. — « Est-ce douloureux au moment de vos règles ? » — « Oui ». C'était la preuve la plus nette de la tumeur bénigne ; la tumeur cancéreuse n'est pas douloureuse. Mais comme cette femme ignorait ces différences essentielles, je n'avais qu'à continuer à l'effrayer peu à peu : — « Si vous voulez bien passer dans la chambre-radio ?... Vraiment je suis très étonnée que le docteur n'en ait pas eu l'idée ! Enfin... Je vais essayer de réparer cette petite négligence... »

« Elle était déjà derrière la glace-écran. Sa poitrine m'apparut admirable, bien proportionnée, avec des seins en chair mais fermes, des seins comme j'aurais souhaité en avoir... Je profitai de l'obscurité pour lui dire d'une voix que je m'efforçai de rendre la plus douce possible : — « La masse est arrondie, très mobile, sans adhérence et d'aspect kystique...

Levez le bras lentement... Baissez-le maintenant... pliez-le... parfait. Il y a longtemps que vous avez remarqué cette grosseur sous-mammaire ? » — « Six mois environ... » — « Pourquoi avoir attendu si longtemps avant de venir trouver le docteur Fortier ? » — « Je n'y attachais pas grande importance jusqu'au jour où j'ai senti que ça devenait un peu douloureux. » — « Vous avez eu le plus grand tort. Le mal a gagné en profondeur... Si vous pouviez vous voir à travers cet écran, vous vous en apercevriez aussi bien que moi... » — « C'est donc grave ? » — « Les choses cessent de s'aggraver, chère Madame, si l'on prend des mesures énergiques... Personnellement, je pense que le traitement par hormones sera tout à fait insuffisant ! » — « Que me conseillez-vous ? » — « J'espère que je pourrais vous traiter par l'irradiation, mais ce n'est pas certain... Il faudrait d'abord que je vous fasse une ponction qui seule me permettra de réaliser le diagnostic. J'analyserai le liquide obtenu et alors seulement nous pourrons prendre une décision rationnelle... Mais ça m'ennuie de le faire ainsi en cachette du docteur Fortier. » — « Puisqu'il n'est pas capable de savoir ce que j'ai exactement ? » — « S'il apprenait que vous êtes ici en ce moment, il m'en voudrait beaucoup, madame Boitard ! » — « Ce n'est pas moi qui le lui dirai ! Je vous en prie, mademoiselle Marcelle, faites cette ponction ! » — « Ça risque d'être un peu douloureux ? » — « Tant pis ! Je préfère être fixée une fois pour toutes. » — « Je vous garantis, madame Boitard, que je ne la fais que parce que vous l'exigez ! »

« La ponction fut faite : la belle Mme Boitard poussa un petit cri et s'évanouit au moment où j'introduisis l'aiguille. J'eus beaucoup de mal à la ranimer : — « C'est fini ! Je vous promets de ne plus vous faire souffrir... Je vais analyser ce liquide dès que vous serez partie. Vous pouvez vous rhabiller. » — « Quand aurai-je le résultat ? » — « Il me faut bien une semaine... Je ne peux travailler pour vous que lorsque le docteur s'absente... Dès que je saurai à quoi m'en tenir, je vous en avertirai discrètement et nous aviserons du bon remède. » — « Dois-je quand même suivre le traitement que m'a prescrit le docteur ? » — « Je préférerais que vous attendiez. Les hormones sont excellentes pour les simples hyperphasies tumorales, mais elles ne sont pas indiquées pour les néoplasies malignes... Elles risqueraient de faire disparaître la grosseur apparente en vous incitant à croire que vous êtes guérie, alors qu'en réalité le mal, disparu en surface, se serait développé en profondeur. » — « Je suivrai vos conseils, mademoiselle Marcelle... J'ai une confiance illimitée en vous et je vous remercie de ce que vous faites pour moi. » — « Vous n'avez pas à me remercier, Madame. J'estime ne faire que mon devoir... »

« C'était à son tour de passer huit jours atroces. C'était juste aussi ! Je ne devais pas être la seule à avoir vécu le supplice de l'attente pendant lequel on se désespère et l'on espère tour à tour... La belle Mme Boitard ne dormirait pas pendant ces huit jours et moi je ne toucherais pas au liquide que j'avais extrait de son sein : pourquoi l'analyser ? Je savais d'avance qu'il serait clair alors que le germe du cancer se signalise par un liquide hémorragique et noir à la transillumination. Le cancer de Mme Boitard ne pouvait être que strictement moral, puisque cette femme avait une magnifique santé : quelle victoire ce serait pour moi si elle décidait de s'enfuir, talonnée par la peur !

« La semaine me parut courte et dut être très longue pour Mme Boitard ! Je m'arrangeai pour la rencontrer dans la rue une deuxième fois un matin et lui dis rapidement, comme si je n'y attachais pas autrement d'importance :
— « J'ai le résultat de l'analyse... Venez me voir cet après-midi à deux heures et demie. Nous serons seules. »

« ... Elle fut là un quart d'heure à l'avance tant son anxiété était grande... Je sentis que le terrain psychologique se trouvait parfaitement préparé ce jour-là pour frapper le coup décisif. Pour réussir je n'avais qu'à imiter Berthet en utilisant un langage circonspect qui éviterait soigneusement de prononcer le mot fatidique.

L'effet sur la malade serait beaucoup plus fort : ne l'avais-je pas expérimenté à mes propres dépens ? J'éprouvai une réelle jouissance à jouer ainsi la grande doctoresse dont les paroles mesurées font figure d'oracle. La belle Mme Boitard, assise devant moi, était pitoyable... pour moi c'en était presque risible. — « Voilà, j'ai soigneusement examiné votre sang au microscope, mais, avant de vous dire exactement ce qu'il en est, je veux que vous me promettiez d'être courageuse ? » — « Je vous le promets », balbutia Mme Boitard d'une voix déjà blanche. — « A la bonne heure ! D'autant plus qu'il y a un moyen radical de vous guérir... Je ne vous cacherai pas — comme je le pressentais, hélas ! — que votre cas est assez sérieux... beaucoup plus sérieux que ne l'a pensé le docteur. Mais ça, vous ne pouvez pas lui en vouloir, car il a infiniment moins de pratique que moi dans ce genre d'affection maligne... N'ai-je pas eu le triste privilège de travailler pendant plusieurs années de ma vie à l'Institut de Villejuif ?... Le résultat de l'analyse est formel : Vous êtes atteinte. » — « Ce n'est donc pas une simple mammite ? » — « Je l'avais souhaité comme vous, Madame ! La difficulté de votre cas, qui d'ailleurs est assez fréquent chez les femmes encore jeunes, vient de ce que le mal, après s'être d'abord développé sur un syndrome de sein hyperplastique, se trouve maintenant dans une autre zone que la lésion initiale. Il est donc assez difficile à soigner. Comme vous êtes plutôt forte, il sera malaisé d'atteindre correctement le fond de la pyramide axillaire par irradiation. Un centrage précis en utilisant le localisateur optique ou le localisateur à embase en plexiglass, avec repérage du rayon de sortie, est pratiquement impossible. En conclusion, je vous déconseille formellement les rayons pré-opératoires. Après l'intervention, ils peuvent au contraire activer la guérison complète. Donc la seule tactique à prendre est, lorsque le repérage sera bien fait, de pratiquer une incision hémi-aérolaire, puis l'ablation totale de votre sein droit. Enfin, selon le résultat histologique, il sera bon de procéder à une Roentgenthérapie post-opératoire. » Tout ce que je venais de lui dire était exact si elle avait été réellement atteinte. Je connaissais le pouvoir prodigieux des mots techniques que je venais d'employer. Elle me regardait, affolée, incapable de parler... J'en profitai pour enfoncer encore dans son esprit ce que je voulais y voir ancré pour le restant de sa vie : — « Bien entendu, ce que je vous explique là restera strictement confidentiel. Je ne pense pas que vous teniez à ce que maître Boitard, qui vous aime tant, soit mis au courant ? » — « Oh! surtout pas ! » — « Ni lui... ni personne d'autre ? » ajoutai-je en pensant à son amant. Mais elle ne me répondit pas. Je terminai : — « Maintenant c'est à vous seule de décidez si vous acceptez l'ablation du sein ? Tout autre traitement serait illusoire. »

« ... Je venais de la mettre exactement dans la même situation que celle que j'avais connue dans le cabinet de Berthet. La seule différence venait de ce que mon mal à moi était réel. Elle finit tout de même par demander : — « Ne croyez-vous pas, mademoiselle Marcelle, que je pourrais tenter un autre traitement avant de me laisser opérer ? » — « L'ablation sera pour vous le seul remède radical. » Il se passa alors une chose prodigieuse qui me combla d'aise : la belle Mme Boitard, cette femme fière et orgueilleuse de son académie, cette femme sur le passage de qui tout le monde se retournait dans la rue, cette femme élégante et parfumée, cette femme éclata en sanglots... La crise fut terrible et confina par moments à l'hystérie. Je dus lui appliquer une serviette mouillée sur son visage brûlant, l'obliger à rester dans son fauteuil en employant toute ma force pour éviter qu'elle ne sortît comme une folle dans la rue, m'agenouiller auprès d'elle en faisant semblant de la raisonner avec douceur : — « Voyons, voyons ! Calmez-vous, madame Boitard... Je comprends très bien ce qui se passe en vous... ce qui vous inquiète... mais ce n'est pas terrible ! Vous ne serez pas la première femme à porter un sein artificiel en caoutchouc... On en fabrique d'étonnants à notre époque : il est impossible à une personne qui vous rencontre de se douter de quelque chose ! Evidemment, il vous faudra bien un jour mettre votre mari dans le secret... mais il sera le seul ! Et il vous aime assez pour ne pas changer de sentiments après l'ablation... » La crise aiguë de désespoir était passée : elle ne réagissait plus. De longues larmes silencieuses coulaient sur son visage, ravageant son savant maquillage... Enfin elle se leva en disant : « Je vous remercie de votre franchise, mademoiselle Marcelle... Et si jamais je me décidais pour l'intervention que vous me conseillez, pourrais-je vous demander de continuer à m'aider en m'indiquant où elle pourrait être faite discrètement ? » — « Mais, naturellement, madame Boitard !... Il n'est pas question que je vous abandonne ! Pour le moment, je vous demande d'oublier notre conversation. Ne pensez plus à rien ! Dites-vous simplement que votre cas n'est pas désespéré, puisque vous connaissez déjà un remède infaillible de guérison... Je ne saurais trop vous répéter que l'ablation du sein est l'une des rares opérations qui réussissent pleinement. Je vais me renseigner dans le plus grand secret : comme vous le dites si justement, cette intervention ne peut pas être pratiquée par un chirurgien de la région, au Mans par exemple... Il vaudrait mieux choisir une clinique très éloignée, dans un autre département. Nous avons heureusement en France de remarquables chirurgiens ! Laissez-moi faire : nous reparlerons de ce projet dans quelques jours... Surtout ne dites rien à personne d'ici là ! pas même à maître Boitard ! Il sera toujours temps de le faire, le moment venu. Et méfiez-vous des médecins ! Si vous voulez en consulter, je vous en indiquerai d'excellents et même j'irai avec vous... Oui, le véritable drame de cas comme le vôtre vient de ce que la plupart des médecins courants, tels que mon jeune patron, ne sont asbsolument pas compétents sur la question !... Je ne voudrais pas donner de conseils à une aussi jolie femme que vous, madame, mais, avant de sortir d'ici, vous devriez refaire un peu votre maquillage ? Tenez, voici une glace... Prenez tout votre temps... Voulez-vous que j'allume l'électricité ? » La coquetterie, qui était innée en elle, reprit le dessus. Et je la regardai, pendant cinq bonnes minutes, remettre de l'ordre dans sa coiffure et réparer sur son visage les ravages des larmes... Quand elle me quitta, elle était à nouveau belle, mais elle n'avait pas retrouvé son sourire...

« Je savais cependant que le goût de se pavaner — je dirais presque : le besoin de parade extérieure — était tellement fort chez cette créature frivole qu'elle conserverait jalousement ce qu'elle considérait « notre secret » de femmes... Non seulement elle n'en parlerait pas, mais elle n'accepterait jamais de révéler qu'elle avait subi une ablation anéantissant la beauté sculpturale de ce dont elle pouvait être la plus fière : sa poitrine ! Une poitrine que son amant, sensiblement plus jeune qu'elle, devait adorer avec l'aveuglement que porte un garçon de cet âge aux appas de la femme de trente-cinq ans... Si elle ne m'avait pas dit un mot de cet amant, quand je lui en avais donné l'occasion, c'était uniquement parce que lui seul comptait pour elle. Peu lui importait, après tout, que son mari — ce notaire né pour incarner les maris trompés — la vît avec un sein en moins ! Mais jamais elle ne pourrait se montrer nue, ainsi mutilée, devant son amant ! Ce serait trop dangereux pour elle ! Quand j'étais à Villejuif dans le service de Berthet, principalement spécialisé dans ces tumeurs mammaires, j'avais remarqué la crainte panique des femmes, de toutes sans exception, devant l'idée que leurs maris ou amants les retrouveraient amoindries, la poitrine marquée par une hideuse cicatrice. Combien de fois avais-je entendu prononcer devant moi ces mots : — « C'est affreux, docteur ! « Il » se détache de moi depuis qu'il m'a vue ainsi... » Je tiens à l'écrire de nouveau : l'homme ne peut aimer la femme dont il a pitié. Tôt ou tard, il finit par la prendre en horreur. Mme Boitard préférerait tout plutôt que de subir cette épreuve.

« ... Elle s'enfuierait pour toujours avant de risquer l'opération, abandonnant son jeune amant qui, dans son esprit, ne devait conserver d'elle qu'une vision idéale. L'opération ? Un chirurgien sérieux ne la ferait jamais avant d'être certain que sa cliente avait réellement un cancer. Il demanderait à voir les radios et exigerait certainement plusieurs consultations et rapports de médecins compétents. Il fallait donc que je trouve un « charlatan » attiré par l'appât du gain. Mme Boitard était riche et offrait l'immense avantage de ne pas vouloir ébruiter l'affaire. Les risques pour cet aventurier seraient donc à peu près nuls. L'opération en soi est sérieuse mais connue : il faudrait une malchance insigne pour qu'elle ne réussisse pas. En réalité, cette intervention n'offrait pour moi qu'un intérêt secondaire : ce qui comptait était le travail de sape cérébral accompli dans le cerveau de cette femme-cobaye. J'allais étudier soigneusement, pendant les quelques semaines qui précéderaient la fuite de Mme Boitard, ses différentes réactions psychologiques et j'en ferais mon profit pour appliquer la même méthode à Christiane. Parce qu'enfin cette Mme Boitard m'indifférait tout autant que le bonhomme Heurteloup : elle appartenait à mon champ d'expériences préliminaires, c'était tout...

« Sa fuite ferait sensation en ville. On se poserait les questions les plus saugrenues. On l'attribuerait presque certainement à une fugue sentimentale de cette femme capiteuse. Personne, y compris le mari abandonné et l'amant délaissé, ne se douterait de la véritable raison ? Il ne le fallait pas, sinon je serais perdue... Personne, sauf Christiane à laquelle je laisserais entendre progressivement que je soupçonnais la belle Mme Boitard de s'être enfuie parce qu'elle avait un cancer du sein. Je suis devenue assez amie avec la maîtresse de Denys pour le lui confier. Mon influence sur elle grandit... Elle m'écoute : bientôt elle fera tout ce que je veux sans même se rendre compte que c'est moi qui décide... Peu à peu mon cerveau la vole moralement à Denys pour l'amener à se détacher physiquement de lui... Quand ce sera fait, Denys ne sera plus qu'à moi ! L'idée de cancer commence à hanter sérieusement Christiane qui a été bien préparée par ce que j'ai déjà dit sur la mort du père Heurteloup et par tout ce que je lui raconte depuis trois mois quand Denys n'est pas là. Elle est passionnée !

« Mon plan, après la deuxième visite de Mme Boitard, fut très logique : je l'ai rencontrée quelques jours plus tard et j'ai reparlé de l'opération. Je l'ai sentie encore hésitante : j'ai insisté comme Berthet avait fait avec moi. Finalement, après trois mois de patience de ma part — pendant lesquels il ne se passa pratiquement pas de jours sans que je n'aie réussi à enfoncer encore davantage dans le cerveau de cette femme-cobaye l'idée qu'elle avait réellement un cancer du sein — elle était prête à s'enfuir. J'avais enfin trouvé le chirurgien rêvé pour pratiquer l'ablation inutile dans un département du sud-est. Les choses allaient donc pour le mieux quand j'apprends tout à l'heure par Denys qu'elle vient de se suicider stupidement ! Comme si elle n'avait pas pu se fier à ce que je lui disais !

« J'essaie encore de comprendre ce qui s'est passé brusquement dans son esprit ? Peut-être que l'idée d'être mutilée lui est devenue soudain intolérable ?... Ajoutée à la pensée de se séparer de son amant, ce dut être trop : elle a préféré en finir tout de suite alors qu'elle était encore en pleine beauté et que son corps était resté intact. Pauvre créature ! Je l'avais bien devinée : son suicide n'est pas un acte de courage, mais de faiblesse. Il m'oblige pourtant à adapter tout de suite mon plan aux circonstances...

« Après réflexion, je m'aperçois qu'il n'est pas nécessaire d'en modifier les bases essentielles : personne, en ville et dans la région, en dehors de Christiane, ne doit soupçonner la véritable cause du suicide, pas plus que la raison de la fuite si elle avait eu lieu ! Je n'ai donc qu'à faire répandre le bruit que la belle Mme Boitard ne s'est tuée que par désespoir d'amour parce que son jeune amant commençait à la délaisser ! Ça fera à ce garçon une situation impossible qui l'obligera à quitter le pays : je n'en suis pas fâchée... Il l'a bien mérité ! Je me demande ce qu'il pouvait trouver d'attrayant aux charmes d'une femme aussi insignifiante ? Après cette salutaire leçon, il pensera plutôt à regarder les femmes intelligentes. Denys d'ailleurs se conduit exactement comme lui, mais je me charge de le faire changer d'avis... Les hommes sont aveugles !

« ... Ça changera dès que j'aurai fait comprendre à Christiane pourquoi Mme Boitard s'est tuée ? L'affolement de celle qui me considère maintenant comme sa plus sûre amie grandira... Elle pensera automatiquement à ce qu'elle ferait elle-même si elle était atteinte par le mal ?... Mais il ne faudrait surtout pas que cela la mène, elle aussi, au suicide ! Deux, à quelques mois de distance, ce serait trop ! Il suffirait que Christiane s'en allât comme j'aurais aimé que Mme Boitard le fît, qu'elle abandonnât Denys... La tactique, que je viens d'employer pour atteindre ce point psychologique, s'est tout de même révélée efficace, puisqu'elle a abouti à un résultat que je ne prévoyais pas aussi tragique, mais qui est très net. Je pourrais dire que le résultat final a dépassé mes espérances ! Mais il a été un peu trop brutal. La leçon à tirer de cette expérience est que je dois nuancer mes effets, faire preuve d'un plus grand raffinement dans ma façon d'envelopper Christiane par l'idée morale du cancer, accroître mon influence sur son esprit déjà inquiet par quelques touches habiles, de façon qu'elle raisonne exactement comme je le désire. Mme Boitard a été prise de panique : je lui ai fait tellement peur qu'elle ne m'a pas écoutée jusqu'au bout ! Christiane m'écoutera parce que je ferai preuve à son égard d'une plus grande gentillesse... Au besoin je m'attendrirai avec elle sur son état... Elle aura l'impression que je suis la seule personne au monde capable de la protéger contre le mal qui la menace et que son Denys en est incapable. Elle le délaissera pour moi...

« ... Comme j'ai bien fait de procéder à une répétition générale ! Vingt fois sur le métier... On ne prépare jamais assez de choses quand on veut la grande réussite... J'imagine en frémissant ce qui aurait pu se produire si je m'étais attaquée d'emblée à Christiane ! Elle aurait très bien pu faire comme Mme Boitard ! Ç'aurait été pour moi la faillite totale de mon plan : Denys, trop désespéré, n'aurait sûrement pas eu le courage de se rabattre sur son métier, c'est-à-dire sur moi... Qui sait ? peut-être même aurait-il voulu rejoindre sa maîtresse dans un autre monde ? Tandis que si elle ne fait que l'abandonner, il aura du chagrin certes, mais tempéré. Il sera surtout vexé : état d'esprit excellent qui me permettra de faire rapidement sa conquête. Il sera comme la majorité des hommes qui, en pareil cas, mettent leur point d'honneur à ne pas paraître ridicules. Devenu mon amant, il ne sera plus ridicule puisqu'il se sentira vraiment aimé... »

... Mon assistante, malgré ses raisonnements subtils, n'avait pas tout prévu... De même qu'elle n'avait pas songé une seconde que la pauvre Mme Boitard accomplirait le geste désespéré, de même elle ne pouvait se douter qu'avant de mourir la femme du notaire écrirait deux lettres... Deux lettres qu'elle avait dû poster tard dans la soirée et qui n'étaient parvenues à leurs destinataires que le lendemain par le courrier de cinq heures de l'après-midi, c'est-à-dire une dizaine d'heures après qu'elle eut cessé de vivre ! Je suis certain d'avoir été le seul, en dehors des deux destinataires, à prendre connaissance de ces lettres.

En effet, quand je revins vers six heures du soir de ma tournée chez les Gervais et au château où j'avais annoncé la nouvelle à Christiane, quelqu'un m'attendait dans mon cabinet... Un homme qui n'y avait encore jamais pénétré : le lieutenant Deval. J'étais stupéfait. Il ne me laissa pas d'ailleurs beaucoup de temps pour reprendre mes esprits... Il se tenait droit, sanglé dans son uniforme des Eaux et Forêts, adossé à mon bureau. Il me tendit d'un geste brusque une lettre en disant d'un ton sur lequel il était difficile de se méprendre :

— Lisez ça, docteur !

Je lus et, au fur et à mesure que ma lecture progressait, je crus devenir fou. Je lui rendis enfin la lettre en balbutiant :

— Mais c'est insensé, mon lieutenant !

— N'est-ce pas ? J'attends que vous me donniez une explication, docteur ?

— Quelle explication pourrais-je donner ? Il n'y en a pas !

— Comment ? C'est cependant vous qui lui avez dit qu'elle avait un cancer ?

— Je vous jure que non !

— Je vous prie, docteur, de faire très attention à ce que vous allez répondre ! Il n'y a que vous, qui étiez son médecin et le seul médecin de la ville, qui ayez pu lui mettre cette idée-là en tête ! Je sais que Jeanne est venue vous voir, il y a environ trois mois, pour vous demander d'examiner une petite grosseur qui s'était révélée depuis quelque temps sous son sein droit ?

— Vous me paraissez parfaitement renseigné sur les moindres gestes de Mme Boitard... N'est-ce pas assez surprenant de la part de quelqu'un qui, pas plus tard que ce matin, semblait ne pas attacher la moindre importance à ce qui avait pu lui arriver de fâcheux ?

— Ce matin, je n'avais aucune raison, docteur, de reconnaître devant vous que Jeanne était ma maîtresse depuis deux années... Une maîtresse admirable que j'adorais ! Ça ne regardait ni vous ni personne ! Quand vous m'avez annoncé l'horrible nouvelle, j'ai dû faire un effort surhumain pour sauver la face. Il était inutile de faire un aveu qui ne changerait plus rien. En un éclair de pensée, j'ai pu mesurer tout ce qui serait dit d'inique et de faux à la suite de ce suicide. Je compris que l'on m'en rendrait aussitôt responsable alors que je n'y étais pour rien... bien au contraire ! Croyez, docteur, que j'ai tout mis en œuvre pour essayer de deviner ce qui tourmentait Jeanne depuis des semaines... depuis le jour où elle avait été vous trouver ! Mais je n'ai rien pu lui arracher ! J'ai bien senti, pendant ces tout derniers mois, qu'elle était obsédée, torturée par un secret abominable... Elle n'était plus la même... Elle n'était plus cette femme heureuse et souriante à son bonheur... J'ai même eu l'impression, pendant les derniers jours, qu'elle faisait tout pour me détacher d'elle... J'étais désespéré ! Après votre départ, ce matin, docteur, j'étais effondré. Elle s'était tuée ! Pourquoi ? Parce qu'elle ne voulait plus me voir et que sa double vie lui faisait horreur ? Parce qu'elle avait des remords ? Toute la journée je me suis posé l'angoissante question sans trouver la réponse... Celle-ci m'est arrivée tout à l'heure avec cette lettre : Jeanne s'était tuée parce qu'elle savait qu'elle avait un cancer du sein ! Elle se sentait perdue... Maintenant c'est à vous seul de me répondre, d'homme à homme. Oui ou non, ce qu'elle m'a écrit est-il vrai ?

— C'est faux ! archifaux ! J'ai examiné en effet Mme Boitard il y a trois mois... Elle n'avait qu'une simple mammite pour laquelle je lui ai prescrit un traitement rationnel. Et comme elle n'est pas revenue me voir depuis, j'ai cru que le remède avait été suffisant. J'ai ici la preuve formelle de ce que je vous dis : la voici... sa dernière fiche de consultation où j'ai tout noté, avec la date... Regardez-là ! J'estime de mon devoir de vous la communiquer.

— Comment alors cette idée monstrueuse a-t-elle pu germer dans son cerveau ?

— J'en suis aussi atterré que vous, mon lieutenant. Et j'en arrive à me demander si Mme Boitard n'est pas venue me trouver, il y a trois mois, avec une arrière-pensée... la pensée hideuse du cancer ? Il serait arrivé ce qui se produit souvent quand le malade est inquiet : il ne croit plus à personne et il se méfie du médecin qui lui annonce que l'affection est bénigne. Il est persuadé que le médecin, qui dans mon cas était aussi un ami de longue date, veut le rassurer à tout prix. Ajoutez à cela les bruits ridicules que l'on a fait courir sur la mort du père Heurteloup, la « Semaine du Cancer » qui a eu lieu le mois dernier, les affiches que le ministère de la Santé publique fait placarder sur tous les murs, le timbre anticancéreux que l'on trouve sur chaque lettre... Tout cela a peut-être gravement ébranlé les pensées de Mme Boitard ? Je pense que c'est là qu'il faut chercher la véritable raison de son attitude à votre égard ces derniers temps et aussi de son geste insensé...

— Vous êtes habile, docteur ! Vous vous défendez ! Mais j'irai jusqu'au bout ! Je vais porter cette lettre à la police... Vous serez convoqué par le Conseil des Médecins devant lequel vous pourrez ressortir tous vos beaux arguments ! J'exigerai que l'enquête soit menée jusqu'à ce que vous soyez rayé de votre profession et incarcéré comme criminel. Pour moi vous êtes un assassin !

— Vous ferez ce que vous voudrez, lieutenant. Mais ne craignez-vous pas le scandale qui rejaillira sur vous ? Tenez-vous vraiment à ce que votre liaison, dont personne ici n'a eu la preuve, soit étalée au grand jour ?

— Qu'est-ce que vous voulez que ça me fasse maintenant que j'ai perdu Jeanne ?

— Vous ne respectez même pas la mémoire d'une morte ?

— Des grands mots !

— Vous ne pensez pas non plus à son mari ? Maître Boitard qui est l'un de vos amis, je crois ? qui vous recevait chez lui sans se douter du rôle que vous jouiez dans la vie de sa femme ? en somme un homme qui vous a toujours fait confiance et que vous avez trompé ? un homme que j'ai vu ce matin et dont la douleur est certainement plus profonde que la vôtre ? un honnête homme aussi, respectueux de la loi et du bien d'autrui, qui va avoir à supporter seul tout le poids de la honte répandue dans sa vie par un suicide ? un homme dont la situation va être ruinée ? qui sera sans doute obligé de quitter la ville quand la clientèle se détachera de son étude ? Vous n'avez pas pensé à tout cela, jeune homme, parce qu'au fond vous n'êtes qu'un égoïste qui accuse injustement pour pouvoir tirer plus aisément son épingle du jeu !

— Nous n'avons plus rien à nous dire, docteur.

— C'est également mon avis... sauf une chose ! Cette grosseur sous-mammaire, vous ne pouviez pas ne pas l'avoir remarquée, vous aussi ?

— En effet... Quand je pense que c'est même moi qui ai conseillé à Jeanne d'aller vous voir lorsque j'ai vu que ça ne s'améliorait pas !

— Et quand elle est revenue de sa consultation chez moi, que vous a-t-elle dit ?

— Rien... Elle a éludé mes questions. Par votre faute elle devait croire à la gravité de son état et sans doute n'a-t-elle pas voulu m'affoler ?

— Mais je vous répète lui avoir dit qu'elle n'avait aucune crainte à avoir !

— Je ne vous crois pas.

— Votre chagrin très réel, auquel je compatis sincèrement, vous empêche de voir clair... C'est très compréhensible et je ne vous en veux nullement de mettre ainsi en doute ma conscience professionnelle. Avant que vous ne partiez, je tiens à vous dire que mon plus grand regret est que vous ne soyez pas venu me trouvez plus tôt pour me confier que vous sentiez Mme Boitard inquiète depuis la visite qu'elle m'avait faite.

— Comment aurais-je pu savoir que c'était sa santé seule qui la tourmentait ? Je ne l'ai compris qu'après avoir lu sa lettre... J'ai l'impression très nette, docteur, que la prochaine fois où nous nous verrons, ce ne sera pas dans votre cabinet, mais dans celui d'un juge d'instruction !

— C'est possible... Réfléchissez quand même, avant d'agir, aux conséquences qui peuvent être incalculables pour beaucoup de gens dans cette ville.

Il n'avait pas pris la peine de me tendre la main au début de notre entretien. Pourquoi l'aurait-il fait en sortant ? Je restai abasourdi. La seule chose nette dans mon esprit était que, par le fait d'une fatalité incroyable, cet homme était devenu mon pire ennemi : il me haïssait ! Je l'avais lu dans son regard. N'étais-je pas pour lui le seul responsable possible du suicide de sa maîtresse ? Ne le serais-je pas aussi pour toute la ville, s'il mettait son projet à exécution ? Cela devenait inquiétant, angoissant même pour moi... Demain vraisemblablement, le brigadier Chevart aurait terminé son enquête concluant au suicide et me donnerait l'autorisation de délivrer le permis d'inhumer. Devais-je le donner ce permis ou exiger au contraire qu'il fût procédé à une autopsie qui me laverait définitivement des soupçons que cet homme allait faire peser sur moi ? Et j'étais pris d'un doute affreux : l'autopsie ne révèlerait-elle pas que la morte n'avait pas une simple mammite mais effectivement un cancer ? Pourtant j'étais sûr de l'avoir examinée soigneusement... La grosseur présentait toutes les caractéristiques de la mammite : elle était dure, localisée et douloureuse aux époques de règles alors que la tumeur cancéreuse est informe, molle, insensible... En réalité, je ne savais plus ! Si cette femme, amoureuse de la vie et de tout ce qu'elle lui apportait de bon, n'avait pas hésité à se tuer en pleine jeunesse et en plein épanouissement de sa beauté, n'était-ce pas parce qu'elle savait ? parce qu'elle n'avait plus aucun doute sur son état ? Mais qui aurait pu lui dire l'horrible vérité en admettant qu'elle existât ? A moins qu'elle n'ait été consulter d'autres médecins plus spécialisés que moi dans ce domaine ?

Un problème de conscience effroyable se posait pour moi : ou je délivrais le permis d'inhumer ou je demanderais l'autopsie... Dans le premier cas, cela voudrait dire que je courrais le risque de l'accusation grave du lieutenant Deval ; dans le second, ça signifiait que je n'étais pas sûr de mon diagnostic et, si, par impossible, l'autopsie révélait que Mme Boitard avait réellement un cancer du sein, je n'aurais plus qu'à quitter le pays... Je me voyais pris dans un étau qui se resserrait sur moi sans que je pus même me défendre. Je sentais confusément aussi que cet étau était actionné par un ennemi invisible, un ennemi dont la force inhumaine cherchait à m'abattre ou tout au moins à me mettre à sa merci. Ce ne pouvait pas être un confrère briguant ma place, ou ma clientèle : j'étais seul dans le pays ! A moins que ce ne fût un médecin de l'extérieur rêvant de venir s'installer ici ? Et tout à coup, un doute fantastique effleura mon esprit enfiévré : la véritable responsable ne serait-elle pas ma propre assistante, cette Marcelle Davois qui avait travaillé pendant des années à l'Institut de Villejuif ? qui connaissait beaucoup mieux que moi les symptômes exacts du mal ? qui ne manquait pas une occasion d'en parler pour étaler son érudition ? qui se vautrait avec complaisance dans le cancer ? Cette doctoresse ratée qui piétinait de rage de n'avoir pu obtenir ses diplômes, qui adorait me donner des leçons pour me montrer mon ignorance ? N'était-ce pas elle qui aurait décelé, avec sa lucidité terrible et son calme exaspérant, le mal chez Mme Boitard ?

Au moment même où je me posais ces questions, elle frappa à la porte de mon cabinet pour m'annoncer que Clémentine allait servir le dîner. Je passai immédiatement à l'attaque :

— Mme Boitard vous avait-elle parlé de sa mammite ?

— Jamais, docteur ! J'ignorais même qu'elle en eût une...

— Savez-vous la raison véritable pour laquelle elle s'est tuée ?

— Je n'en ai pas la moindre idée... Je ne vois, comme je vous l'ai déjà dit, que la peur d'un scandale éventuel.

— Vous êtes trop fine, Marcelle, pour penser ça... Vous savez très bien qu'une femme pareille, à laquelle l'existence avait tout donné et qui aimait la vie, ne se serait pas supprimée pour un tel motif... Non ! Mme Boitard s'est tuée parce qu'elle était convaincue d'avoir un cancer du sein.

— C'est fou, docteur ! C'est stupide aussi... Qui a bien pu lui mettre cette idée folle en tête ?

— Je me le suis demandé comme vous depuis ce matin et je n'ai trouvé qu'une personne qui en fût capable : Vous !

— Moi ? Ce que vous dites là, docteur, est abominable ! Si vous aviez réfléchi une seconde avant de porter contre moi une accusation aussi grave — que vous regretterez, j'en suis persuadée — vous vous seriez d'abord demandé quel intérêt j'aurais eu à tromper odieusement cette femme que je connaissais à peine... Enfin êtes-vous bien sûr qu'elle se soit tuée pour cette raison ?

— Oui.

— Puis-je vous demander comment vous l'avez découvert ?

— Avant de mourir, Mme Boitard a écrit une lettre...

— Une lettre ?

— Une lettre que je viens de lire et dans laquelle elle avoue, en termes déchirants, la raison de son geste.

— Ah ? Une lettre qu'elle vous a adressée ?

— Non. Ce serait moins grave si cette lettre m'avait été destinée. C'est le lieutenant Deval qui l'a reçue : depuis il m'accuse d'avoir mis cette idée de cancer dans l'esprit de Mme Boitard.

— Elle vous a donc nommé ?

— La malheureuse n'a nommé personne : elle dit simplement qu'elle n'a plus aucun doute sur son état.

— Voilà la preuve, docteur !... La preuve certaine qu'elle s'est mise elle-même cette idée en tête, sinon elle aurait dit qui lui avait fait croire que son mal était sérieux ! Ce qui est terrible en ce moment, et néfaste, ce sont tous ces articles que l'on publie dans les journaux et les moindres revues sur un sujet qui hante les gens. Et ces collectes que l'on fait un peu partout ! Quel est celui ou celle qui n'a pas versé son obole dans l'espoir que les fonds recueillis permettront enfin de découvrir le remède sauveur et que si jamais « il » ou « elle » est atteinte à son tour, le traitement pourra lui être appliqué ? Mme Boitard est une nouvelle victime de cette phobie générale : c'est là seulement qu'il faut rechercher le mobile de son acte. Comment aurais-je même osé prononcer devant elle, si j'en avais eu l'occasion, le mot que nous nous refusons à dire — nous qui avons travaillé pendant des années à Villejuif — devant d'authentiques malades ? Ma conscience et le secret professionnel me l'interdisent.

— Pourtant vous n'hésitez pas à parler souvent de ce sujet avec Christiane ?

— C'est différent, docteur ! Mme Triel est déjà pour moi la future Mme Fortier, l'épouse de mon patron doublée d'une compagne dévouée qui s'intéresse passionnément à tout ce qui touche à notre profession. Vous-même ne m'avez-vous pas incitée à dire devant elle des choses qui auraient pu et même dû rester strictement confidentielles entre vous et moi, le soir où vous m'avez demandé mon avis sur la cause réelle de la mort du père Heurteloup ?

— J'ai eu tort. Je le regrette...

— Souvenez-vous que j'hésitais à vous répondre. Je crois même vous avoir dit que je ne vous donnais mon opinion sincère que parce que nous étions entre nous. J'ai également insisté auprès de Mme Triel pour qu'elle ne fît pas état de mes propos devant des personnes étrangères qui risqueraient de les déformer. Elle m'a répondu que je pouvais compter sur son silence absolu. Je sais qu'elle a tenu parole : c'est pour cela que je n'ai pas craint lorsqu'elle m'a posé ensuite de nouvelles questions sur le cancer, pendant les différentes conversations très amicales que nous avons eues depuis, à lui révéler d'autres aspects du problème. Ai-je eu tort comme vous semblez le croire ? Je ne le pense pas... et, de toute façon, les torts sont partagés entre vous et moi, docteur.

— Nous pouvons avoir confiance en Christiane.

— C'est aussi mon avis... à moins qu'elle n'ait parlé incidemment, et sans la moindre mauvaise intention, de ces... choses avec Mme Boitard ? Ne m'avez-vous pas dit ce matin qu'elles étaient assez liées toutes les deux ?

— Pas au point d'en arriver à une telle conversation ! Leurs relations étaient purement mondaines... D'ailleurs, quand j'ai été annoncer tout à l'heure la nouvelle à Christiane, sa première question a été : « Pourquoi a-t-elle fait ça ? »

— La question que nous nous posons tous, docteur ! Ce qui me semble le plus fantastique, dans toute cette lamentable histoire, est que Mme Boitard, qui paraissait être une femme de bon sens, ait pu croire qu'elle aussi avait un cancer parce qu'elle en avait entendu parler autour d'elle ! J'ai été mieux placé que quiconque, quand je travaillais avec le professeur Berthet, pour savoir que les véritables cas cancéreux sont infiniment plus rares qu'on ne se l'imagine dans le grand public ! Un cancer ne s'attrape pas comme une vulgaire maladie ni même comme la tuberculose ! Il n'y a pas d'exemple actuellement à Villejuif que tous ceux, médecins ou infirmières, qui sont en contact permanent depuis des années avec les malades aient contracté leur mal ! On n'a jamais pu prouver que le cancer était contagieux... Vous ignorez probablement, docteur, que sur cent personnes envoyées par de grands médecins, convaincus qu'elles sont atteintes, à Villejuif ou à Pasteur, pour y subir un examen probant, il n'y en a pas trois qui l'ont ?

— J'avoue que je l'ignorais... Ça confirme ce que je vous disais le jour de votre arrivée.

— Vous m'avez dit beaucoup de choses, ce jour-là, docteur...

— ... Rappelez-vous : que je n'avais pas encore décelé, depuis six mois que j'exerçais, un seul cas de cancer véritable dans ma clientèle !

— En effet. Depuis, il y a eu M. Heurteloup... mais à part lui ! Tant mieux d'ailleurs ! Je souhaite de tout mon cœur que nous n'en rencontrions jamais d'autres ! Maintenant, docteur, pensez-vous que le lieutenant Deval fera usage de cette lettre pour essayer de vous nuire ?

— Je n'en sais rien ! Il m'a paru tellement décidé que je le crains un peu...

— Si cela était, docteur, je ne voudrais pas vous donner le moindre conseil, mais faire une simple suggestion : vous avez un moyen infaillible de prouver à la face de toute la ville que seul un accès de dérangement mental a poussé Mme Boitard à se suicider.

— Lequel ?

— L'autopsie ! Exigez qu'un médecin légiste la fasse ! On s'apercevra bien que cette malheureuse n'avait qu'une mammite comme vous le lui avez dit.

— J'y ai déjà songé, mais ça offre pour moi de graves dangers.

— Lesquels ?

— Si vraiment on découvrait qu'elle avait un cancer, que penseraient les gens de mon diagnostic ?

— Evidemment ! Ce pourrait être très ennuyeux... Mais je suis persuadée que vous n'avez pas commis d'erreur, docteur.

— Merci de cette confiance, Marcelle.

— Alors le mieux serait de convaincre le lieutenant Deval qu'il doit supprimer cette lettre écrite dans un moment d'exaltation fébrile par une femme qui n'était plus dans son état normal... Lui faire comprendre aussi que la publication de... disons ce document... ne serait d'aucune utilité puisqu'elle ne rendrait pas la vie à une défunte ! Je me mets à votre place :

le plus sûr ne serait-il pas de récupérer vous-même la lettre quand il en est peut-être encore temps ?

— Ce serait m'accuser moi-même directement dans l'esprit du lieutenant.

— Vous savez, docteur, à quel point je vous suis dévouée et combien je vous admire ! Vous avez, comme le professeur Berthet, la passion de votre beau métier. Il faut que vous puissiez continuer à le pratiquer en toute sérénité, en toute tranquillité sans être inquiété par une menace de chantage odieuse et ridicule... Je suis prête à vous aider complètement, de tous mes pauvres moyens... Voulez-vous que j'essaie de reprendre cette lettre ?

— Non, Marcelle ! Ce serait indigne de vous et de moi. J'ai confiance, malgré tout, dans mon bon droit... Je vous remercie de ce que vous venez de me dire. Ça me touche infiniment. Et je voudrais que vous me pardonniez les mots malheureux que j'ai eus au début de cet entretien ?

— Je n'y pense déjà plus ! Je n'y ai attaché aucune importance ! J'ai trop appris à vous connaître et à vous apprécier pour ne pas savoir que si vos paroles ont dépassé vos pensées, c'était uniquement parce que vous étiez encore sous le coup d'une émotion bien compréhensible. N'importe qui à votre place, et moi la première, en aurait fait autant ! Je crois, docteur, que Clémentine va s'impatien-

sépulture religieuse à quelqu'un qui a attenté volontairement à ses jours. Dieu donne la vie et lui seul a le droit de la reprendre... L'enterrement devra donc être strictement civil. » — « Mais c'est épouvantable, monsieur l'archiprêtre ! Vous ne vous rendez pas compte de la honte publique qui va être infligée à ce pauvre Boitard, notre ami commun, qui n'est en rien responsable de tout ça ! Cet enterrement civil va faire scandale ! » — « Le scandale sera moins grand que si je faisais une exception à une règle absolue, pour l'unique raison que la défunte était l'épouse d'un personnage influent de la ville ! La seule chose que j'ai le droit de faire est de dire une messe pour demander au bon Dieu d'avoir pitié de cette malheureuse... Je crois même que plusieurs messes ne seront pas de trop ! » — « Et si moi, le médecin de la défunte, je vous certifiais, monsieur le chanoine, estimer en mon âme et conscience que Mme Boitard ne s'est tuée que dans un véritable accès de folie, donc qu'elle est irresponsable de son acte ? » — « Si vous me disiez ça, docteur, je crois que je vous embrasserais ! La responsabilité de la défunte n'étant pas engagée, elle pourrait être enterrée religieusement. Mais avez-vous la preuve de ce que vous m'affirmez là ? » — « Je l'ai. Malheureusement je ne peux pas vous la montrer. » Je pensais à la lettre dont je ne pouvais pas parler, mais qui était, à mon avis, imprégnée de folie. Après m'avoir observé pendant quelques instants, le chanoine Lefèvre dit doucement : — « Je vous crois, docteur. Elle aura les honneurs religieux... » Je respirai : de ce côté au moins, le scandale ne s'étendrait pas...

Quand je revins dans le salon où se trouvaient réunis les intimes venus assister à la mise en bière, on chuchotait à voix basse... mais j'eus la désagréable impression que l'on se taisait à mon arrivée. Savaient-ils déjà ? L'amant aurait-il mis son projet à exécution ? Dans ce cas, aux regards de tous ces gens, je devais fais figure de monstre ? Aussi fus-je très inquiet lorsque le mari, maître Boitard, me pria de vouloir bien l'accompagner dans le bureau de son étude. Il avait, disait-il, une communication importante à me faire... Je pâlis certainement quand je pris connaissance de la communication : c'était une lettre qu'il avait reçue, lui aussi, la veille au soir, et dans laquelle sa femme lui expliquait pourquoi elle s'était tuée. La raison invoquée était la même que dans la lettre envoyée au jeune lieutenant : le cancer du sein ! Dans cette lettre, comme dans l'autre, personne n'était nommé. Maître Boitard ignorait certainement l'existence de « l'autre » lettre, car il me dit avec une grande tristesse : — « Personne ne connaît cette lettre, docteur, en dehors de nous deux... Je n'ai pas voulu en parler au brigadier Chevart ayant d'avoir eu votre avis. Il faut me le donner en toute franchise. Ce que m'a écrit ma pauvre Jeanne est-il vrai ? »

Je fus long avant de répondre... De ma réponse dépendrait toute la suite. Une lutte sourde se livrait en moi : cette fois, j'en étais certain, je jouais toute ma carrière en présence d'un homme dont le calme effrayant m'impressionnait beaucoup plus que l'exaspération de l'amant. Finalement je décidai d'accepter tous les risques : — « Votre femme vous avait-elle mis au courant de sa mammite ? » — « Jamais, docteur. » — « C'est étrange : vous-même n'aviez pas remarqué cette petite grosseur qu'elle avait sous le sein droit ? » — « J'avoue que non. » Je pensai aussitôt : les voilà bien, les maris ! Après quelques années de vie commune, ils ne prennent même pas le temps d'examiner l'anatomie de leurs épouses ! Ce sont eux les seuls coupables s'ils sont trompés. Cet excellent homme, plongé dans sa paperasserie, méritait un peu l'infortune conjugale que toute la ville connaissait, sauf lui. Il ajouta cependant : — « Hier soir, après avoir lu cette lettre, je suis remonté dans la chambre pour examiner la poitrine de ma pauvre Jeanne... et j'ai vu la grosseur. Ce qu'elle m'avait écrit était donc vrai ! Jamais je ne me pardonnerai ma négligence, docteur ! Si je m'étais occupé davantage de ma femme, j'aurais certainement découvert son mal quand il en était encore temps et je l'aurais obligée à se faire soigner tout de suite. Je vous l'aurais amenée... Mais puisque vous semblez savoir qu'elle avait une mammite, c'est donc qu'elle était venue vous voir ? » — « En effet... et je lui ai donné le remède. Son cas n'offrait pas le moindre caractère de gravité. » — « Ce n'était donc pas cancéreux ? » — « Nullement ! C'est elle seule qui s'est mis cette idée en tête, je ne sais trop pourquoi ? » — « Vous êtes sûr de ce que vous me dites, docteur. » — « Oui, mon cher maître... et pour vous tranquilliser complètement, je vous propose que l'on pratique une autopsie avant que je ne délivre le permis d'inhumer ? » Il réfléchit avant de répondre : — « A quoi cela servirait-il maintenant ? Cette lettre me prouve que ma femme m'aimait toujours et que, si elle a fait ça, ce fut sans doute par peur de se sentir diminuée physiquement à mon égard... Si elle ne m'a pas parlé de ce qu'elle pensait sincèrement être un mal inguérissable, ce fut uniquement pour ne pas m'affoler. Elle m'a donné là la plus belle preuve d'amour que puisse apporter une femme à son mari : un amour qui va jusqu'au sacrifice total et qui clôt définitivement toutes les rumeurs injustes que de mauvaises langues faisaient courir sur son compte parce qu'on ne lui pardonnait pas d'être belle et charmante... Je savais que j'avais une épouse merveilleuse, docteur, mais ce n'est que maintenant que je me rends compte à quel point elle fut admirable jusqu'au bout ! »

Que pouvais-je répondre ? Ce mari effondré cherchait à se réfugier dans l'idée que sa femme lui était restée fidèle. La lettre même était pour lui une sorte de preuve qu'il conserverait toujours soigneusement cachée, et qu'il relirait peut-être de temps en temps quand le doute, semé par d'autres dans son esprit, le reprendrait ? Il n'essayait pas, ne pouvait même pas envisager qu'elle ne s'était pas tuée uniquement pour lui éviter le spectacle hideux d'une longue agonie ajoutée à la déchéance visible de sa beauté !... Et j'étais le seul en ville à savoir qu'il n'y avait pas qu'une lettre, mais deux ! J'insistai encore pour l'autopsie : le refus, cette fois, fut catégorique. Je compris aussi que cet homme avait peur que le scandale, déjà suffisant comme ça avec le suicide, n'augmentât : la femme du notaire disséquée par un médecin légiste parce qu'on n'était pas sûr des causes véritables de sa mort ! Les gens auraient vite fait de parler d'empoisonnement, de vengeance même d'un mari trompé... Non. Il n'était pas possible d'autoriser l'autopsie : sa situation de personnage en vue et de notaire bien considéré serait irrémédiablement compromise. Voilà ce qui l'a surtout retenu : la crainte du scandale ! Moi aussi... Je n'avais insisté la seconde fois que pour la forme, mais, au fond, j'éprouvais une impression de soulagement. J'ai commis à cette minute une faute professionnelle, que personne ne connaîtra jamais, mais que j'avais besoin de confier à ces feuillets pour soulager ma conscience. Maintenant c'est fait : la preuve manuscrite de ma faute est là, noir sur blanc, sous mes yeux... Je puis la relire et j'ai au moins l'impression d'avoir été franc avec moi si je n'ai pas eu le courage de l'être devant les autres... Je continuerai à la regretter quand même pendant le restant de mes jours, cette faute, car je sais, depuis le soir où j'ai pris connaissance du journal de Marcelle Davois, que la belle Mme Boitard n'avait pas le moindre cancer et que mon diagnostic avait été sûr !

... Je délivrai le permis d'inhumer.

En quittant, cette fois, la maison du notaire, je pensais aux deux lettres... Je les relisais en mémoire... Comme elles étaient différentes de ton, ces lettres ! Celle, destinée à l'amant, était un adieu déchirant. Elle se terminait, je m'en souviens, par ces mots qui étaient plus qu'une promesse, qui étaient un désir inassouvi : « Nous nous retrouverons dans l'autre monde, et rien, ni loi, ni mort, ne pourra plus nous séparer... » Celle qu'avait reçue le notaire exprimait la tendresse reconnaissante pour un homme ayant su se montrer bon et indulgent, pour un mari à l'égard duquel la femme nourrissait peut-être aussi dans son cœur un vague sentiment de mépris parce qu'il s'était montré

« Ce 29 juillet.

« Je reviens de l'enterrement. Quel bel enterrement ! Toute la ville y était... Vraiment, dans le genre, on ne peut pas demander mieux ! Le temps était radieux : la nature s'était faite splendide pour dire adieu à « la belle Mme Boitard » qui ne sera bientôt plus qu'un squelette aussi hideux que les autres. « Souviens-toi que tu n'es que poussière... » dit la religion catholique : l'une des rares choses vraies qu'elle ait dites !

« Donc, ils étaient tous là : le chanoine Lefèvre qui n'a pu résister au plaisir de faire sa petite oraison funèbre dans laquelle il a vanté les mérites de la défunte. Des mérites ? Plutôt des appas qu'elle a eu peur de perdre : la véritable raison du suicide !... Dans l'église, j'ai aperçu une statue de la Vierge ressemblant à celle que j'avais vue à Paris : la femme voilée de bleu tenait son enfant dans ses bras. Partout elle veut le montrer à la foule !

« Après l'église, nous avons suivi le corbillard jusqu'au cimetière. Je me demande s'il y aura autant de monde à mon enterrement dans un an au plus ? Je ne le pense pas... Qui accompagnera mon cercueil jusqu'au Père-Lachaise ? Denys... Qui d'autre ? Le professeur Berthet... Il m'appréciait beaucoup. Les camarades de Villejuif ? Ils n'ont pas de temps à perdre.. Des habitants d'ici qui auront été satisfaits de mes soins à domicile ? Il n'y en aura pas un... Ils ont besoin de moi, mais ils me détestent ! Ah ! j'y suis... Il y aura peut-être une personne qui fera exprès le voyage à Paris pour me conduire jusqu'à ma dernière demeure : Clémentine, par plaisir. Pour elle ce sera une véritable jouissance comme l'enterrement de Mme Boitard en fut une pour moi, surtout au cimetière où nous avons tous, à tour de rôle, aspergé son cercueil d'eau bénite avant de défiler devant les gens de sa famille et de faire des condoléances au notaire. L'eau bénite ne pourra pas la ressusciter et la poignée de main au mari trompé me sembla parfaitement bouffonne !

« Christiane passa devant maître Boitard juste avant moi. Denys aussi était là, plus inquiet qu'il ne voulait le laisser paraître. Il a eu tort : je savais, moi, que le lieutenant Deval ne viendrait pas à la cérémonie ! Sa situation d'amant le lui interdisait. Il a dû se terrer quelque part pendant toute la journée, n'osant même pas se montrer en ville ? Je ne pense pas non plus qu'il utilisera la lettre : du moment qu'il n'a pas fait acte de présence tout à l'heure à la cérémonie, c'est qu'il n'a pas le courage de ses opinions. Ça l'accuse aussi indirectement dans les esprits bornés des gens de ce pays : comme je l'avais prévu, on chuchotait déjà autour de moi, à l'église et au cimetière, que la belle dame s'était tuée par désespoir d'amour et qu'après tout elle ne s'était pas trompée en se croyant délaissée. La preuve éclatante de son abandon par l'amant était là dans cette absence inadmissible.

« C'est égal ! J'aurais bien voulu lire les deux lettres, surtout celle qu'a reçue l'amant ! Denys n'a pas voulu me dire ce qu'il y avait dans chacune d'elles à part la raison du suicide. Au fond cette femme s'est crue une grande héroïne de répertoire, une sorte de nouvelle Marguerite Gauthier qui se sait condamnée par un mal irrémédiable et veut disparaître en beauté après avoir laissé tomber quelques larmes sur une feuille de papier. En écrivant à l'amant, elle s'est attendrie sur elle-même ; en s'adressant au mari, elle s'est libérée... C'est toute la différence entre les deux lettres. Eternelle comédie humaine !

« Je le reconnais : l'annonce par Denys de

l'existence de ces lettres m'avait ennuyée mais je fus vite rassurée quand je sus que personne n'y était nommé. Maintenant que la terre du cimetière s'est refermée pour toujours sur le véritable secret de la mort de Mme Boitard, je peux envisager la suite des événements avec sérénité : finalement les deux lettres, au lieu de me nuire, vont me servir... N'ont-elles pas semé dans l'esprit de deux hommes très différents, le notaire et le lieutenant des Eaux et Forêts, la psychose du cancer ? C'est excellent, ça ! Qu'ils le veuillent ou non, ces deux hommes ne pourront plus jamais de leur vie entendre prononcer le seul nom du mal sans frémir. Et ils peuvent devenir rapidement mes meilleurs alliés dans la campagne anticancéreuse monstre que je ne vais pas tarder à déclencher dans le pays.

« La seule chose qui m'aurait chagrinée eût été que mon pauvre Denys fût soupçonné : il est incapable de se défendre ! Je sais bien que j'aurais été près de lui mais il est si enfant par moments ! Et dire qu'il se croit un homme ! Je suis très satisfaite de voir comment je fais maintenant de lui tout ce que je veux : qui d'autre que moi aurait pu l'amener en quelques minutes, le jour où nous avons eu cette conversation sur la véritable raison du suicide, à me remercier avec une humilité touchante de mes bons offices alors qu'il était prêt à m'accuser au début de notre entretien ? Si je lui ai conseillé l'autopsie, c'est parce que je me doutais d'avance que le mari s'y opposerait ! J'ai trop appris à connaître la mentalité des habitants de cette ville pour savoir que la crainte salutaire du qu'en dira-t-on peut faire de l'homme le plus droit le pire des hypocrites... Ceci n'empêche pas que Denys a commis une faute professionnelle grave en n'exigeant pas l'autopsie qui lui aurait tout révélé. Eventuellement cette faute pourrait me servir d'arme pour faire pression sur lui s'il avait quelque velléité de résistance à ma volonté. Mais je ne le crois plus capable de me résister en quoi que ce soit, ni lui ni personne...

« ...Je viens de voir passer sous ma fenêtre le corbillard qui revient vide du cimetière... Il s'est débarrassé de toutes les couronnes exprimant d'éternels regrets. Qui pourrait regretter éternellement une femme pareille ? Le mari ? Il pleurerait davantage la perte de son étude... L'amant ? Il trouvera vite la remplaçante... Elle n'avait pas d'enfant... Donc personne ne la regrettera. En sera-il de même pour moi ?

« Je la plains après tout, la belle Mme Boitard dans cette solitude de l'oubli qui commence pour elle... Je devrais même lui être reconnaissante : son geste va m'aider pour atteindre Christiane... Si j'étais juste, je devrais aller déposer quelques fleurs sur sa tombe. Des violettes... J'irai demain. »

Le travail de sape de mon assistante ne tarda pas à porter ses fruits. Il y avait eu le père Heurteloup, il y avait eu Mme Boitard... bientôt toute la ville murmura le mot CANCER. Cela commença presque à voix basse puis s'amplifia peu à peu.

L'un des principaux responsables involontaires de la panique grandissante fut le notaire qui, voulant défendre à tout prix la mémoire de « sa Jeanne adorée », répétait à qui voulait l'entendre qu'elle ne s'était suicidée que parce qu'elle se savait atteinte par le mal ? Et il ne fut plus question, en ville, de la belle Mme Boitard se tuant par désespoir d'amour ! Très rapidement, dans l'esprit de tous, le Cancer devint la seule raison de son geste désespéré.

Je m'en aperçus quelques semaines plus tard pendant mes consultations. Il n'y avait pas un client, pas un malade aussi bénin fût-il, qui n'eût le mot sur les lèvres et ne me posât des questions. L'un de ceux qui m'étonnèrent le plus fut le chanoine Lefèvre. Je connaissais de longue date et j'avais toujours sincèrement admiré le calme et la pondération de ce prêtre vénérable. Aussi fus-je très surpris de l'entendre me dire, à la fin d'une consultation que je lui avais donnée pour ses sempiternels rhumatismes : — « Ne pensez-vous pas, cher docteur et ami, que ces rhumatismes articulaires qui ne se guérissent jamais, pourraient avoir, eux aussi, une origine cancéreuse ? » Je crus bondir, en entendant un homme aussi intelligent dire de pareilles énormités : — « Voyons, monsieur l'archiprêtre ! Vous ne parlez pas sérieusement ? » — « Je ne plaisante pas ! » — « Enfin réfléchissez une seconde ! Le cancer n'a aucun rapport avec les rhumatismes ! » — « Je n'en suis pas aussi sûr que vous, docteur ! » — « Savez-vous seulement ce qu'est le cancer ? » — « Pas plus que vous, mais je voudrais bien le savoir... Et je ne suis pas le seul en ville ! Vous n'ignorez probablement pas ce qu'on dit au sujet de certaines morts de ces derniers temps ? » — « Je sais... je sais ! Je vous en supplie, monsieur l'archiprêtre, ne vous laissez pas emporter par cette vague de panique qui ne repose sur rien de sérieux ! Que des gens incultes me parlent ainsi, mais un homme comme vous ! » — « Vous êtes bien nerveux, mon jeune ami, quand on aborde ce sujet ? » — « Je ne suis pas nerveux, mais mettez-vous à ma place : ça finit par être agaçant d'entendre n'importe qui vous aborder n'importe quand avec ce seul mot à la bouche : le Cancer ! Ça devient une véritable folie ! » — « Bon. N'en parlons plus. Et gardons nos illusions de rhumatismes articulaires... » Quand il ressortit de chez moi, j'eus nettement l'impression qu'il était convaincu d'avoir été soigné depuis des années pour un mal qu'il n'avait pas.

Pour tous ce fut la même chose ! Je reçus même un jour la visite de maître Boitard qui

me demanda avec inquiétude si je ne pensais pas que le cancer fût contagieux et si on risquait de se le communiquer entre époux ? Je répondis que je ne le savais pas plus que les autres médecins, mais qu'en ce qui le concernait, cette question n'offrait pas le moindre intérêt, puisque je lui certifiais que sa femme n'en avait jamais eu un ! Il repartit, persuadé lui aussi que je mentais, après m'avoir dit :
— « Je commence à me demander si je n'ai pas eu tort de ne pas laisser pratiquer l'autopsie ? »

Mais où je crus vraiment perdre la tête ce fut quand Clémentine m'annonça celui que j'appréhendais le plus de rencontrer : l'amant ! Comme Marcelle Davois l'avait déjà écrit à cette époque dans son journal le lieutenant Deval s'était terré : on ne l'avait pratiquement pas rencontré en ville depuis quelques semaines. On m'avait bien dit qu'il passait le plus clair de son temps sur les chantiers d'exploitations forestières des environs, mais je n'en étais pas très certain. Et ce silence, après la menace qui m'avait été faite m'inquiétait... Finalement, l'optimisme, qui est le fond de ma nature, avait repris chez moi le dessus : je commençais à croire sérieusement que ce bouillant jeune homme s'était rangé aux sages conseils que je lui avais donnés et qu'il avait fait disparaître la lettre quand, brusquement, il fut introduit dans mon cabinet...

— Vous vous demandez avec inquiétude pourquoi je reviens vous voir, docteur ?

— Pourquoi serais-je inquiet ? Je n'ai rien à me reprocher.

— C'est exact, docteur... C'est la même raison qui m'a conduit de nouveau ici.

Je ne comprenais plus.

— Depuis notre dernier entretien, poursuivit mon visiteur, je me suis renseigné et j'ai appris qu'une règle d'humanité absolue interdisait à un médecin de dire à un malade ou à ses proches qu'il avait un cancer. C'est bien vrai, n'est-ce pas ?

— En effet...

— Aussi ai-je compris que vous n'aviez fait qu'obéir à cette règle en ne révélant pas plus à Mme Boitard qu'à moi les gravités de son état... Je dois d'abord vous remercier, docteur, de m'avoir considéré comme un parent proche : je suis très sensible à cette preuve de délicatesse... Je viens aussi m'excuser de vous avoir soupçonné — et même accusé ! — d'être le responsable de la mort de Jeanne. Vous n'y êtes pour rien : justement parce que vous la saviez définitivement condamnée, vous lui avez fait croire qu'elle n'avait qu'une mammite...

— J'accepte vos excuses, mon lieutenant, mais je tiens à vous préciser, pour qu'il ne reste pas l'ombre d'un doute dans votre esprit, que Mme Boitard avait réellement une mammite et rien d'autre ! Elle n'avait pas de cancer !

— Vous êtes un type épatant, docteur Fortier ! Je sens que vous ne direz jamais la vérité devant moi au sujet de Jeanne parce que vous avez compris que je l'adorais... C'est très chic de votre part ! Je m'en vais, mais ne croyez pas que vous m'ayez convaincu ! Je sais qu'elle avait réellement un cancer du sein... Au revoir, docteur... Telle que je la connaissais, il vaut mieux qu'elle ait agi ainsi... Ah ! j'oubliais ! Voici sa lettre... si nous la brûlions ?

Et avant que je n'aie même eu le temps d'intervenir, il avait mis le feu, avec son briquet, à la mince feuille de papier qui acheva de se consumer dans le cendrier posé sur ma table.

Après son départ, je comprenais qu'il n'y aurait plus jamais d'enquête sur la mort de la belle Mme Boitard... Je compris aussi qu'une folie collective s'était emparée de la ville sur sur laquelle le cancer invisible étendait ses tentacules, multipliait ses cellules destructrices comme il le fait dans l'organisme humain... J'étais désespéré ! Je me sentais seul, absolument seul, pour lutter contre cette psychose monstrueuse et sans visage qui se nommait la peur... Etais-je tout à fait seul ? N'avais-je pas à mes côtés quelqu'un de fort, quelqu'un qui était armé pour m'aider dans la lutte ? Ce n'était pas ma Christiane qui croyait au pouvoir grandissant du cancer comme tous les autres... Non ! C'était Marcelle... Cette admirable infirmière diplômée... Cette assistante qui m'était dévouée jusqu'à l'abnégation d'elle-même... Cette collaboratrice rare, que m'avait cédée mon ancien maître, et qui était la seule à vraiment connaître le mal que tous redoutaient... Ce n'était qu'elle qui pouvait m'aider à endiguer le flot d'horreur qui commençait à m'encercler. Et ce jour-là, oui, je l'ai appelée. J'ai crié de toutes mes forces comme un homme qui se noie : « Marcelle ! »

La porte s'est ouverte : elle est entrée comme si elle attendait cet appel et je lui ai dit : — « Marcelle ! J'ai besoin de vous ! » Au moment où j'ai prononcé ces paroles désespérées, j'ai vu son regard — ce regard que j'avais toujours trouvé jusqu'à ce jour dur et inexpressif — qui brillait, qui devenait si humain que l'on pouvait croire que des larmes l'embuaient pendant que sa voix répondait avec une douceur inconnue : — « Je suis là, tout près de vous, docteur... Je vais vous aider... Vous devriez fumer une cigarette pour vous calmer... Et maintenant, écoutez-moi... »

Je l'ai écoutée !

— Ils vous harcèlent tous avec ce cancer, docteur ?

— Oui...

— Vous n'en pouvez plus ? Je vous comprends : j'ai connu ça, moi aussi, à Villejuif... C'est pour cela que je me suis enfuie et que j'ai préféré venir travailler auprès de vous : je voulais réagir. Il faut toujours réagir, docteur ! Voilà la réaction immédiate que je vous propose : créez en ville un Comité de Recherche du Cancer sur le modèle de ceux qui commencent à naître un peu partout en Europe et aux Etats-Unis. Ça tranquillisera les esprits inquiets qui auront l'impression que l'on fait enfin quelque chose pour lutter contre le fléau plus imaginaire ici que réel.

— Votre idée est ingénieuse, mais qui mettre à la tête de ce comité ?

— Toutes les notabilités de la ville : l'archiprêtre, le notaire, le lieutenant des Eaux et Forêts et vous-même, bien entendu.

— Rien que des hommes ?

— Il y faudra aussi la présence de quelques femmes telles que cette Mme Fayet qui ne pense qu'aux maladies éventuelles de ses enfants : elle sera enchantée de siéger au comité. Si Mme Triel voulait en faire partie, je pense que son avis sur certaines questions pourrait être intéressant...

— Je ne trouve pas que ce soit la place de Christiane... C'est vous, Marcelle, qui devez en être !

— Vous y tenez absolument, docteur ? Enfin !... Peut-être pourrais-je remplir les fonctions de secrétaire générale chargée de rédiger les rapports et comptes rendus de séances ?

— Vous vous en acquitterez à merveille... Il

n'y a qu'une chose qui m'ennuie si l'on se décide à constituer ce Comité : le fait même de sa création prouve que nous admettons maintenant que le père Heurteloup et Mme Boitard avaient réellement le mal !

— Les gens n'iront pas chercher si loin, docteur ! Ils seront tellement contents de pouvoir parler des travaux de recherche de « leur » Comité ! Ils auront l'impression de lutter contre le mal et ça les occupera...

Resté seul, je ne savais plus que penser : la création de ce Comité anticancéreux était-elle réellement le meilleur remède pour lutter contre la psychose insensée ? Je savais aussi que des comités de ce genre naissaient et se développaient dans tous les pays. C'était presque devenu une mode. Cela faisait même bien pour une ville d'avoir « son Comité de Recherche du Cancer ». Cela valorisait la ville dans l'esprit de ses habitants... Mais la nôtre avait-elle l'envergure suffisante ? Enfin l'organisation d'un pareil Comité demandait une sérieuse mise au point, toute une documentation que je n'avais pas, des séries régulières de conférences faites par des spécialistes... Et je pensai tout à coup qu'un seul homme pourrait nous aider dans cette tâche, nous dire surtout si nous ne faisions pas fausse route, si l'idée de mon assistante ne frisait pas l'utopie ? Cet homme, c'était mon bon et vieux maître : le Professeur

Berthet. J'irais le voir sans tarder et sans même le dire à Marcelle : ça pourrait la vexer inutilement de savoir que si je trouvais son idée excellente, j'estimais que son avis n'avait tout de même pas assez de poids pour influencer ma décision finale. Si Berthet abondait dans le même sens qu'elle, ce serait parfait et il n'y aurait plus qu'à passer à la réalisation. Si, au contraire, mon ancien patron me conseillait de ne rien faire pour le moment, j'attendrais. Pour que Marcelle ne se doutât pas de la visite que j'allais faire, je proposerais à Christiane de m'accompagner à Paris. Je savais qu'il y avait longtemps qu'elle mourait d'envie de faire avec moi une petite fugue dans la capitale : ça nous changerait les idées à tous deux après les heures pénibles que nous venions de vivre. Christiane voulait voir les collections et moi les nouvelles pièces de théâtre.

Christiane fut ravie quand je la mis au courant de mon projet. Je dus lui faire promettre de ne pas révéler à Marcelle la véritable raison de notre voyage : — « Tu as raison, chéri, me dit Christiane. Marcelle est si dévouée que ce n'est pas nécessaire de lui faire inutilement de la peine. » Quant à Marcelle, elle eut ces mots charmants lorsque je lui annonçai que j'allais passer quelques jours de détente à Paris avec Christiane : — « Vous ne pouviez pas avoir de meilleure idée, docteur... Je suis enchantée pour vous deux : la mort de Mme Boitard, son amie, avait vivement frappé Mme Triel... Et vous-même avez le plus grand besoin de vous changer un peu les idées ! Vous pouvez vous reposer entièrement sur moi pendant votre absence. J'en profiterai pour élaborer dans le calme un premier projet de constitution de « notre » Comité que je vous soumettrai à votre retour pour que nous puissions en discuter. » — « Excellente Marcelle ! pensai-je. Si toutes les femmes étaient aussi dévouées qu'elle à la cause de l'humanité, les gens finiraient par oublier toutes leurs petites querelles ! »

Trois jours plus tard, j'étais reçu un après-midi à Villejuif par le professeur Berthet. Ce fut pour moi, dans mon profond désarroi, un réel apaisement de me retrouver en présence de mon ancien maître. Il est à peu près le seul homme que je connaisse à posséder une force morale si grande qu'il peut l'insuffler aux autres. Comment pourrais-je oublier cette émouvante conversation amicale dans laquelle il sut se montrer tellement convainquant que je ressortis de son cabinet, une heure plus tard, complètement revigoré ? Mais, quand j'y réfléchis aujourd'hui, avec le recul de plusieurs mois, je comprends que jamais je n'aurais dû faire cette visite ! Je la regretterai toute ma vie : n'a-t-elle pas été, sans que ce savant probe et sincère l'ait voulu le moins du monde, le déclic final qui a engendré la crise la plus affreuse de mon existence ? J'ai suivi à la lettre les conseils de mon ancien patron comme j'avais écouté avec complaisance la nouvelle suggestion de mon assistante damnée. Si j'avais été un homme, au sens fort du mot, je n'aurais dû écouter personne et surtout ne pas bouger ! Je serais resté sagement chez moi, poursuivant ma mission de simple médecin de province, et peut-être rien d'autre ne se serait-il passé ?

— Qu'y a-t-il, mon petit ? Vous paraissez soucieux ?

— Il y a de quoi, patron !

Je lui racontai le plus brièvement possible les récents événements qui venaient de bouleverser la paisible tranquillité de ma ville. Je lui dis les circonstances dans lesquelles était mort le père Heurteloup, le suicide de Mme Boitard, la crainte panique qui s'était emparée de chaque habitant... Après m'avoir écouté avec son attention habituelle, il me répondit calmement :

— Mon Dieu ! Tout ce que vous me dites n'est pas terrible... J'ai connu pire pendant ma longue existence. La seule chose qui importe est que vous ayez conservé le contrôle absolu de vous-même : c'est la première qualité du bon médecin. Et vous l'avez ! La meilleure preuve en est que vous n'avez pas pratiqué cette autopsie, comme vous en aviez envie. A mon avis elle était inutile puisqu'elle arrivait trop tard et elle aurait été néfaste pour votre autorité future sur vos malades... Avez-vous parlé de tout ça avec votre assistante, Marcelle Davois ?

— Oui.. C'est elle qui m'a donné l'idée, pour calmer les esprits surexcités, de créer ce Comité.

— Vraiment c'est une femme extraordinaire, cette Marcelle !

— Vous aviez raison : une collaboratrice de valeur.

— Je vous avais dit, mon petit Fortier, que vous vous habitueriez très vite à elle et qu'un jour vous pourriez la regretter si elle vous quittait.

— Je ne crois pas qu'elle en ait l'intention.

— On est parfois obligé de partir un peu plus tôt qu'on ne l'avait prévu... au moment où on le souhaiterait le moins ! Les hommes proposent et Dieu dispose... Sincèrement, j'ai une certaine admiration pour cette femme... Et vous ne pourrez vous apercevoir que plus tard à quel point elle avait du cran !

— Que voulez-vous dire ?

— Rien... sinon que sa santé est assez ébranlée... Quand vous la reverrez, dites-lui simplement de ma part qu'elle doit se ménager, que vous avez encore besoin d'elle pendant longtemps... Vous me comprenez ?

— Oui. J'ai bien remarqué qu'elle a très mauvaise mine depuis quelques mois.

— C'est toujours comme ça : quand on consacre son existence à soigner les autres, on ne prend pas le temps de s'occuper de soi-même... et un jour, inéluctablement, ça vous joue un mauvais tour !... Plus j'y réfléchis et plus je pense que cette idée de Marcelle Davois est excellente : la création de ce Comité dans votre ville serait un heureux précédent dans cette partie de l'ouest de la France où il y a encore beaucoup à faire. On vous imitera sûrement ! D'autres villes suivront et la lutte anticancéreuse ne pourra qu'en bénéficier.

— Ne pensez-vous pas, patron, que la création de ce comité risque de faire croire aux gens une chose complètement fausse : que notre petite ville est l'une de celles où il y a le plus de cancéreux en France alors que je n'en ai pas décelé un seul, exception faite pour le vieux fermier dont je vous ai parlé et qui avait également une cirrhose du foie ? Sommes-nous vraiment bien désignés pour lancer dans notre région cette idée de comité et servir d'exemple ?

— Vous êtes tout indiqués. Contrairement à ce que vous pensez, il vaut mieux que la campagne anticancéreuse commence dans une ville saine où le mal n'a pas encore fait « officiellement » trop de ravages... Et j'aime assez qu'un jeune médecin se mette à la tête du mouvement... A votre âge, mon petit, on doit aller de l'avant ! chercher ! créer ! même savoir fon-

Et... que vous a-t-il dit ? » — « Que votre idée était excellente et qu'il l'approuvait entièrement. » — « Ah ! vous a-t-il dit... autre chose ? » — « Si je vous répétais son appréciation sur votre compte, vous rougiriez au lieu de pâlir ! Je ne le devrais pas, mais je pense que cela vous fera plaisir d'apprendre qu'il a pour vous une estime encore plus profonde que je ne le pensais... *Vraiment, c'est une femme extraordinaire,* sont ses propres paroles. » — « Ah !... C'est tout ce qu'il a dit ? » — « Ça ne vous suffit pas ? Eh bien, vous devenez exigeante ! » — « Oh, non docteur ! Justement parce que je sais à quel point le professeur Berthet veut bien m'honorer de son estime, j'ai toujours peur qu'il n'en dise trop... » — « Ah si ! Il m'a chargé aussi de vous faire une commission : vous devez vous ménager parce que j'ai encore besoin de vous pendant longtemps. » — « C'est très gentil au professeur Berthet de penser tout cela... Mais, rassurez-vous, docteur ! j'ai une santé solide ! » — « Faites tout de même attention, Marcelle... Je n'ai pas été sans remarquer, Mme Triel aussi, que vous n'aviez toujours pas bonne mine ? Vous ne souffrez d'aucune affection spéciale ? » — « Moi ? J'ai toujours ignoré la souffrance, docteur... » — « Tant mieux ! Peut-être devriez-vous prendre des fortifiants ? Du calcium, par exemple ? Votre travail ici est absorbant, épuisant même certains jours... » — « Je l'aime tant, docteur ! » — « Je sais... c'est pour cela que, moi aussi, je vous admire comme mon ancien patron... Avez-vous pu travailler au plan d'organisation du Comité ? » — « Oui, docteur. J'espère qu'il vous donnera satisfaction... Il n'y a qu'un point sur lequel je suis restée assez hésitante : le choix définitif des personnalités de la ville qui composeront le Comité... Je ne les connais pas encore assez et je pense que Mme Triel et vous pourriez très utilement me conseiller pour cette discrimination qui est assez délicate... On ne peut tout de même pas mettre n'importe qui ! Il faut des personnes pondérées, réfléchies, sérieuses surtout ! » — « Christiane vient dîner ce soir. Voulez-vous que nous en parlions après le repas et lorsque vous nous aurez exposé le plan d'ensemble ? » — « Très bien, docteur. »

Son plan était lumineux de clarté et de précision : nous l'écoutâmes, Christiane et moi, pendant deux heures. Rien n'avait été laissé au hasard : la cadence des réunions qui seraient hebdomadaires au début, l'ordre des questions à traiter en étudiant successivement les symptômes des différents cas possibles, les mesures à prendre immédiatement si un doute sérieux se présentait, les spécialistes à inviter pour avoir des conférences de premier ordre, l'établissement d'un budget préliminaire qui permettrait de régler les premiers frais, le choix du local où se tiendraient les réunions, le fonctionnement même du Comité avec le rôle dévolu à chacun... Il fut décidé ce soir-là que seul le maire pouvait être président effectif du Comité, mais qu'il serait bon de réserver la présidence d'honneur à une personnalité capable de donner la réception indispensable lorsqu'un professeur éminent, tel Berthet, ou un savant de l'Institut Pasteur viendrait nous rendre visite... La personne la plus indiquée nous parut être Christiane : n'incarnait-elle pas dans tout le pays « la Châtelaine » ? Sa demeure n'était-elle pas le cadre idéal pour se prêter à ce genre de réception ? Après avoir hésité à accepter ce titre de présidente d'honneur, Christiane finit par y consentir sur les instances pressantes de Marcelle. Personnellement j'avais préféré ne pas trop me mêler à la discussion, voulant laisser à mon amour son libre arbitre complet. Ma position était assez délicate... Les arguments très habiles de mon assistante eurent une influence prédominante sur le consentement final de Christiane qui inviterait, dès le lendemain, le maire à déjeuner avec Marcelle et moi au château pour lui faire part de notre projet. Du moment que le château nous soutenait, la mairie suivrait automatiquement.

Le Comité proprement dit serait composé de six membres : le chanoine Lefèvre ; maître Boitard le notaire ; Mme Fayet, épouse du directeur de l'Enregistrement, qui ne nous aurait pas pardonné de ne pas l'avoir sollicitée — elle qui aimait tant les maladies et les médicaments ! — et dont nous nous serions fait une ennemie irréductible si nous l'avions laissée au dehors... c'est qu'elle avait une langue de vipère, la brave Mme Fayet ! Pour le quatrième membre, nous hésitâmes. Christiane avait lancé le nom du lieutenant Deval, mais il nous sembla, à Marcelle et à moi, qu'il était difficile de demander au représentant des Eaux et Forêts de siéger dans le même comité que maître Boitard ! Finalement, notre choix se fixa sur M. Marchand, le directeur de l'école communale : décision adroite contrebalançant l'influence de l'archiprêtre, qui était son ennemi irréductible. Il ne fallait pas que ce Comité prît une allure confessionnelle : ses membres devaient venir de tous les horizons sociaux et politiques dans le seul but de lutter contre un fléau commun. La même raison nous mit tous trois d'accord pour que le cinquième membre fût un modeste artisan de la ville et de préférence un simple ouvrier. Le sixième enfin devait être un paysan évolué désireux de s'intéresser à un problème aussi angoissant. Plusieurs noms furent jetés... Perrin, le charpentier ? Un peu trop bavard... Bernier, l'électricien ? Ce ne serait pas mal : un garçon intelligent... Jacquard, le secrétaire de la coopérative agricole ? Trop paniquard.. Servais, l'horticulteur ? Excellente idée... Finalement, il fut décidé que Bernier représenterait l'élément ouvrier et Servais la paysannerie. Le Comité était déjà constitué sur le papier.

Il était préférable que je n'en fisse pas partie pour conserver, en toute indépendance, ma position de médecin qui doit orienter les débats, et servir de lien indispensable avec les organismes officiels, spécialisés depuis longtemps dans la lutte, tels que l'Institut Pasteur ou celui de Villejuif. Marcelle remplirait à la perfection les fonctions modestes, mais indispensables, de secrétaire générale.

Il était très tard quand je reconduisis Christiane au château. Elle me dit en me quittant :

— « Chéri, je suis très heureuse que ce comité prenne corps, mais je me demande honnêtement si je suis bien digne de le présider ? » — « Il n'y a que toi, Christiane, à pouvoir occuper ce poste... Toi, ma future femme !... et je sais que ce problème du cancer te passionne. Avoue-le ? »

Elle ne répondit pas.

Ça la passionnait, en effet... Ça la torturait même depuis que Marcelle l'avait « initiée » à mon insu... Depuis surtout — ce que j'ignorais ! — qu'elle lisait avidement toutes les brochures et revues médicales dans lesquelles le problème était, sinon traité, du moins exposé... brochures que mon assistante lui passait régulièrement en cachette. Le poison mortal était déjà en Christiane. Marcelle Davois le savait...

nant : Denys ! Mais comment trouverai-je la force et le courage de le quitter lorsqu'il sera devenu mon amant ? Il le faudra bien pourtant : le mal sera là, qui l'exigera... Elle sera affreuse, notre séparation ! Si seulement je pouvais entraîner mon jeune amant avec moi dans la mort ! Il n'y consentira que s'il m'adore. Je vais tout faire pour qu'il m'adore...

« J'ai terminé la série des douze piqûres de l'Autrichien. Comme je le prévoyais un peu, j'ai l'impression très nette que ça ne m'a rien fait ; il n'y a aucune amélioration sensible. Aussi ne suis-je pas retournée voir ce Schenck comme il me le demandait. C'est un charlatan de plus qui ne réclame pas d'honoraires officiels pour éviter toute histoire avec l'Ordre des Médecins mais qui vit de la vente de ses ampoules insignifiantes. Je ne suis pas encore retournée chez lui aussi parce qu'il peut m'être très utile pour me débarrasser de Christiane... Une idée qui m'est venue après le suicide de Mme Boitard quand j'ai compris qu'il fallait éviter à tout prix que Christiane n'imitât sa belle amie... Mais je ne peux pas encore exposer mon idée dans ce cahier : elle n'est pas tout à fait au point. Comme toutes les idées simples, qui sont les meilleures, puisque personne n'y a songé, elle demande une mûre réflexion...

« Je n'ai pourtant pas perdu mon temps ! J'ai même été très vite dans l'exécution pratique de mon plan si l'on pense que je ne suis ici que depuis dix mois ! Le 2 novembre prochain sera la date anniversaire de ma venue ici... Comment pourrais-je d'ailleurs perdre une seconde ? Je n'en ai plus la possibilité : mes jours sont comptés... Je ne passerai certainement pas un deuxième anniversaire de mon arrivée ! Mes moindres pensées, chacun de mes gestes, mes efforts surhumains pour avoir enfin Denys à moi ne sont plus qu'une lutte farouche contre la montre : les heures doublent de valeur quand on n'en a plus beaucoup à sa disposition...

« Si je fais la récapitulation rapide du travail accompli pendant ces quelques mois, je puis être fière : l'installation radio, qui m'a été si utile et va l'être encore bien davantage pour Christiane, a été faite... Personne ne doute plus dans la région que le père Heurteloup n'ait été emporté par un cancer du rein et que la belle Mme Boitard ne se soit suicidée que parce qu'elle en avait un au sein... Son amant lui-même le croit ! Ce qui est un comble ! Je me sens déjà vengée du chanoine Lefèvre qui me déteste : il est convaincu, ce gros archiprêtre, que ses rhumatismes articulaires sont d'origine cancéreuse ! Ça, c'est franchement risible... Le Comité de recherche du Cancer va fonctionner dès la semaine prochaine, présidé par Christiane... Séances hebdomadaires qui achèveront de la rendre à demi-folle : le cancer moral est bien ancré dans son esprit. Nos longues conversations secrètes et toutes ces brochures déprimantes que je lui ai fait lire ont produit leur effet. Si elle pouvait se douter — cette pauvre créature qui est beaucoup moins fine mouche que je ne le pensais au début ! — de la nature exacte de l'amitié que je lui porte ! Vraiment je me sens une amie d'une espèce rare... Méfie-toi de tes amis... Comme c'est vrai !

« Dès la première réunion du Comité, je vais commencer à faire accroître la terreur du mal chez chaque membre qui répétera, en rentrant chez lui, ce que j'aurai dit avec le plus grand calme : ça fera boule de neige dans chaque famille, dans chaque rue... Bientôt Christiane, « la Présidente », se sentira complètement enveloppée par le mal : je choisirai ce moment pour abattre ma dernière carte... mais quelle carte ! un atout maître ! Balayée la rivale ! et sans le moindre risque pour moi cette fois ! Ah ! Denys... Tu ne peux pas savoir à quel point je t'aime pour avoir des idées aussi merveilleuses ! Te ne peux pas te douter non plus qu'à l'instant même où les forces physiques commencent à m'abandonner, ma force morale ne fait qu'augmenter ! Je la sens décuplée par la fièvre amoureuse, par ma passion... Pourquoi n'as-tu pas encore compris, Denys ? Tu m'admires, je le sais, mais ça ne me suffit pas : je veux que tu m'aimes... Il y a longtemps que ce serait une réalité si cette Christiane n'était pas revenue se mettre entre toi et moi ! Maintenant l'heure de son châtiment a sonné : il est temps qu'elle expie enfin cet appel téléphonique qu'elle a eu l'affront de m'adresser un jour sous prétexte qu'elle avait besoin de ventouses alors qu'en réalité ce n'était qu'un moyen détourné de reprendre contact avec toi, Denys ! Un appel qui a failli bouleverser tous mes plans... »

Quand je revois en mémoire aujourd'hui la première séance du Comité, je me rends compte à quel point nous dûmes tous être ridicules aux yeux de Marcelle Davois ! Nous étions réunis pour discuter et donner nos avis respectifs sur des choses que nous ignorions complètement ! L'ignorance est presque toujours l'apanage des Comités... La seule personne compétente était Marcelle. Elle le prouva très vite.

Après le discours inaugural du maire, qui fleurait bon la vulgaire réunion de conseil municipal, ce fut à mon tour de parler. Je me contentai, après avoir donné quelques statistiques d'ordre général sur le développement du cancer en France, de passer la parole à la secrétaire générale... Elle fut prodigieuse. Après avoir exposé les raisons qui nous avaient tous amenés à constituer ce comité — lutter contre la psychose grandissante et éclairer la population sur la nature exacte du mal, de façon à la rassurer — mon assistante développa les grandes lignes des différentes études qui seraient faites pendant la première année. Elle nous annonça aussi que les plus illustres spécialistes viendraient nous rendre visite : le professeur Berthet, par exemple, nous parlerait des différentes techniques d'irradiation du sein... Un autre nous donnerait des détails pratiques sur l'alimentation des cancéreux que nous risquions de découvrir dans nos propres familles... Un troisième nous raconterait les progrès considérables de la chimiothérapie aux Etats-Unis, etc.

Tous les membres du Comité écoutaient avidement : que ce soit le chanoine Lefèvre ou Christiane, l'horticulteur Servais ou l'électricien Bernier, il n'y avait qu'à observer leurs regards et leurs visages tendus vers Marcelle Davois pour comprendre qu'ils étaient littéralement subjugués par son calme méthodique, fascinés par sa voix monocorde, envoûtés par sa présence diabolique. Ils subissaient comme moi ce rayonnement magnétique qui se dégageait d'elle quand elle parlait métier. J'entends encore résonner en moi l'étrange péroraison par laquelle Marcelle termina la lecture de son compte rendu de séance qui mettait le point final à notre première réunion. C'est un peu comme si je l'avais apprise par cœur, cette péroraison, sans le vouloir... et je pense qu'il a dû en être de même de toutes les autres personnes présentes. La voix sèche disait, sans la moindre emphase :

« En conclusion de cette séance inaugurale, nous devons affirmer que l'augmentation assez sensible du nombre absolu des cancers s'explique par le vieillissement actuel de la population française et que le taux de fréquence ne s'est pas modifié si l'on prend soin d'effectuer la correction en tenant compte de l'âge moyen de la population étudiée. Notre devoir, à nous, membres du Comité, est donc d'attirer l'attention de tous ceux que nous rencontrerons sur ce point assez consolant.

« Les statistiques, uniquement basées sur les déclarations de décès, ne mesurent qu'un facteur de la fréquence réelle du cancer dont on guérit chaque jour un plus grand nombre de cas. Tous les décès qui lui sont dus ne sont pas toujours déclarés sous cette étiquette et inversement... Il est trop facile à un médecin, qui ne trouve pas la nature exacte d'un mal, de lâcher la phrase commode : « C'est d'origine cancéreuse ! », alors qu'en réalité le mal peut avoir une toute autre cause facilement guérissable. C'est l'une des raisons essentielles pour laquelle ce Comité vient d'être créé : la lutte contre l'ignorance et la trop grande facilité de diagnostic.

« Il est bon de préciser enfin que nous ne possédons pas, en France, une documentation exacte sur la morbidité due au cancer. En attendant les résultats d'enquête en cours, sous les auspices de la Section du Cancer de l'Insti-

tut National d'Hygiène, on ne peut que procéder à une estimation approximative par comparaison avec les données recueillies aux Etats-Unis. Estimation nous permettant de supposer provisoirement qu'il apparaît, chaque année dans notre pays 120 *à* 130 000 *nouveaux cancers et, que si l'on tient compte des cancers décelés antérieurement, c'est un total de près de* 200 000 *cas qui doivent requérir chaque année les soins du Corps médical.* »

Ce fut sur ces dernières paroles que le maire leva la séance. Au moment où les membres du Comité se séparèrent pour rentrer respectivement chez eux, ils étaient soucieux... Les conséquences ne seraient peut-être pas graves pour une Mme Fayet habituée à tout dramatiser, mais pour les autres ? pour Christiane principalement, dont je redoutais l'excessive sensibilité et qui avait un pauvre visage en sortant ?

Aussi je décidai de la raccompagner jusqu'au château pour qu'elle ne s'y retrouvât pas seule avec ses idées noires. Je fis l'impossible, pendant le trajet, puis pendant le dîner, pour la rassurer, pour lui mettre bien en tête que nous venions de faire du bon travail, que pour lutter efficacement contre un mal il faut d'abord en connaître tous les aspects, que si des précautions analogues avaient été prises un peu partout, un grand nombre de cas — pris au début — auraient pu être guéris... mais Christiane ne m'écoutait pas ! Elle semblait entendre une autre voix, plus puissante et surtout plus persuasive que la mienne, qui lui faisait comprendre qu'il n'y avait aucun espoir...

Et le soir, quand je voulus prendre mon amour, il se passa une chose insensée : pour la première fois, depuis qu'elle était ma maîtresse, elle s'y refusait. Elle qui n'était qu'une amoureuse ! Elle sanglotait... Jamais je ne l'avais vue dans un état pareil !

— Voyons, Christiane ! Sois raisonnable ! C'est ce qui a été dit au Comité qui t'a bouleversée ? N'y pense donc plus ! Tu as pourtant bien écouté l'excellent rapport qu'a fait Marcelle en fin de séance : tout ce que l'on croit être un cancer n'en est pas obligatoirement un !

— Elle a dit cela devant tout le monde par souci d'humanité, Denys ! Mais je sais, moi, que c'est horrible ; que ça s'étend partout ; qu'il n'y a pas une famille qui ne soit atteinte dans l'un de ses membres ! que c'est presque sûrement contagieux et héréditaire !

— Tais-toi, chérie ! Tu es fatiguée ce soir... Tu ferais beaucoup mieux de te reposer !

— Me reposer quand je ne sais pas si je ne mourrai pas bientôt, moi aussi, d'un cancer, comme le père Heurteloup ou Jeanne Boitard ?

— Je t'en supplie, ma petite Christiane !

— ... et je ne serai pas la seule à disparaître ainsi dans le Comité ! Tu sais : le chanoine

Lefèvre, qui est cependant un homme calme, ne se fait plus la moindre illusion sur ses soi-disant rhumatismes qui lui paralysent peu à peu les jambes !

— Tu es complètement folle ! Jamais je n'aurais dû accepter que tu fasses partie de ce Comité ! Je m'en veux ! Je suis furieux après moi et après Marcelle qui est la grande responsable de ta nomination à ce siège de présidente ! C'est stupide ! Je suis furieux aussi après Berthet que je n'aurais pas dû écouter ! J'ai bien compris, tout à l'heure, en observant les réactions des différents membres, que j'ai fait une erreur monumentale en laissant entrer dans ce Comité des gens qui ignorent tout de la médecine la plus courante et, à plus forte raison, du cancer ! La seule qui ait une compétence certaine, c'est Marcelle... Mais comment réparer cette erreur ? Si j'annulais la prochaine réunion ?

— Tu n'y songes pas, Denys ? Maintenant que leur Comité est créé, les gens du pays ne te le pardonneraient pas ! Ils en ont déjà trop appris aujourd'hui pour ne pas continuer à s'intéresser à ce grave problème. Ils voudront tout savoir ! Et c'est leur droit le plus absolu ! le droit de n'importe quel être humain !

— Peut-être ! mais en ce qui te concerne, Christiane, tu vas me faire le plaisir de donner immédiatement ta démission de présidente et ne plus jamais remettre les pieds au Comité : c'est pour toi le seul remède !

— Non, Denys ; Je n'en ai pas le droit : ce serait une lâcheté au moment où nous commençons une lutte inégale contre un fléau gigantesque.

— On croirait vraiment, chérie, que toute ta vie désormais devra être axée sur cette lutte comme si tu appartenais au personnel de Villejuif ou de l'Institut Pasteur ? Mais, ma parole ! Tu te prends pour une nouvelle Marcelle Davois ?

— Certainement pas ! Je l'admire trop... Non ! Je ne demande qu'à être l'une de ses plus modestes collaboratrices pour l'aider un peu dans le combat qu'elle livre depuis des années contre ce mal...

— Aurais-tu par hasard la conviction qu'elle est la seule à le mener sur terre ? Mais, Christiane ! Marcelle n'était qu'une employée tout à fait subalterne à Villejuif ! Une infirmière comme tant d'autres !... C'est d'ailleurs heureux pour les progrès de la lutte anticancéreuse qu'il n'y ait pas eu qu'elle ! Où en serions-nous ?

— Tu trouves qu'on est très avancé, dans le monde, sur ce point ?

— On piétine un peu... mais de grands savants tels que Berthet, qui fut mon patron et celui de Marcelle, ont déjà accompli des pas de géant ! D'ailleurs, Marcelle elle-même en avait par-dessus le dos du cancer puisqu'elle a quitté Villejuif pour venir poser des ventouses ici !

— Elle a quitté Villejuif parce qu'on ne lui a pas donné la place qu'elle aurait dû y occuper...

— La doctoresse ? Nous y revenons ! C'est une folie douce qui la reprend périodiquement : ses regrets de n'avoir pas exercé en nom ! Moi, ça ne me gêne pas du moment qu'elle accomplit consciencieusement son métier d'infirmière... Quant à toi, si ça peut te faire plaisir de te l'imaginer en « Mme la doctoresse Marcelle Davois », je n'y vois pas le moindre inconvénient !

— Ça ne te va pas de faire de l'ironie sur le dos de cette femme qui t'est dévouée corps et âme !

— Tu as raison, chérie... Mais avoue que c'est un peu de ta faute si je dis des bêtises ? Tu ne veux pas que nous parlions d'autre chose ? De notre mariage, par exemple ? Tu n'oublies pas que nous avons choisi le prochain automne ? Si nous l'annoncions à nos amis de la ville et des environs ? Ce serait une excellente occasion de donner une petite réception qui nous changerait à tous les idées ! Qu'en penses-tu ?

— Est-il vraiment nécessaire de nous marier,

Denys, quand nous savons qu'un jour ou l'autre le mal hideux nous séparera ?

— Ça te reprend ? C'est une idée fixe ? Sais-tu que ça se soigne ?

— Je ne sais pas, mais laisse-moi ce soir, veux-tu ? J'ai besoin d'être seule...

— Tu as besoin de repos, en effet... de beaucoup de repos, mon amour ! Mais avant de te quitter comme je ne l'ai encore jamais fait depuis que nous sommes amants, je voudrais te dire une seule chose : il y a déjà eu dans le pays une femme, l'une de tes amies, qui avait les mêmes idées que toi en tête... Tu sais où ça l'a menée ?

— Tais-toi ! Si elle s'est tuée, c'était parce qu'elle avait réellement un cancer...

— Puisque tu le crois toi aussi, je préfère m'en aller ! Bonsoir, ma chérie. Je reviendrai demain quand tu seras calmée.

Et, pour la première fois depuis qu'elle était devenue ma femme de chair, je suis reparti sans qu'elle ait été ma maîtresse. Etais-je encore le docteur Fortier, apprécié de sa clientèle, et dont le nom avait grandi d'un seul coup parce qu'il avait eu le courage de créer l'un des premiers Comités anticancéreux de l'Ouest ? Ou n'étais-je, au contraire, qu'une sorte de pantin se laissant manœuvrer par le premier venu ? Tantôt c'était ma maîtresse... tantôt l'archiprêtre... une autre fois, Berthet... ou bien mon assistante ? J'étais perdu !

Ce n'était pas ce soir-là, quand Christiane venait de se refuser à moi, que je pouvais avoir les idées nettes pour comprendre qu'en réalité je n'étais plus moi-même qu'un simple rouage de l'engrenage mortel construit par une femme démoniaque. J'étais comme tous ces braves gens qui faisaient partie du Comité : j'appartenais au troupeau de Panurge qu'une fée malfaisante allait précipiter dans l'abîme et qui ne s'en apercevrait que lorsqu'il serait trop tard... Par exemple, quand Marcelle Davois avait déclaré pendant la réunion du Comité : « Le cancer se développe un peu partout ? C'est surtout sa crainte qui augmente... Nous sommes là pour lutter contre elle ! » j'avais trouvé qu'elle était à peu près la seule, parmi nous, à avoir du courage... Mon ancien patron, Berthet lui-même, ne m'avait-il pas dit : « Vous ne pourrez vous apercevoir que plus tard à quel point elle avait du cran » ? Plus tard ? mais je commençais déjà à m'en apercevoir ! Une femme extraordinaire, cette Marcelle Davois !

Ah ! Ce n'était pas elle qui se laissait impressionner par des statistiques comme ma pauvre Christiane ! Elle parlait du mal avec une telle sérénité qu'elle en devenait rassurante. Je ne me rendais pas compte qu'elle ne faisait qu'enfoncer le clou davantage et qu'à force de parler d'une chose sous prétexte de la détruire, on finit par lui donner une réalité effrayante dans l'esprit de ceux qui écoutent. On la rend plausible, vraisemblable, vivante... Après s'être attaqué à ma ville par la volonté implacable de Marcelle Davois, le cancer moral s'y développait en s'y multipliant à l'infini...

... L'aube libératrice dore de nouveau les glaciers. Une aube apaisante après cette deuxième nuit blanche. Si j'avais su — quand j'ai commencé ce travail le premier soir — qu'il prendrait un tour aussi pénible, je crois bien que je ne l'aurais pas entrepris ? Mais, à présent, je me sens entraîné par ce fil de récit qui se déroule régulièrement, par cet assemblage de souvenirs qui se mêlent aux tronçons du journal de mon assistante... J'ai presque l'impression de me trouver en présence d'un mécanisme d'horlogerie de précision, dans lequel toutes les pièces viennent d'être assemblées en deux nuits, et qui ne s'arrêtera plus de tourner jusqu'à la destruction finale... Je suis poussé aussi par le besoin impérieux de tout dire, de revivre l'horreur jusqu'au bout... Aurai-je quand même le courage de rester assis devant cette table pendant une troisième nuit qui, je le sais, sera la plus dure ? de faire l'aveu de ce qui m'a touché directement dans ma personne et dans mon cœur ? de raconter enfin ce que fut pendant les derniers mois de sa vie, le comportement hallucinant d'une morte-vivante, rongée par le mal inexorable, minée par une passion frisant la folie, épique — malgré tout — dans sa monstruosité grandissante ?

Aurais-je ce courage ? Il le faudrait pourtant...

LA TROISIÈME NUIT

Christiane vient de s'endormir. Je frémis à la pensée qu'un mois entier s'est déjà écoulé depuis la seconde nuit alors qu'il n'y avait eu qu'une semaine d'intervalle entre la première et la deuxième ! Pendant ce mois, vingt fois je me suis rassis devant la table, vingt fois j'ai voulu reprendre le fil du récit, mais le courage me manquait toujours... Une sorte de terreur panique me paralysait, empêchant ma main d'écrire, annihilant ma volonté d'évoquer des souvenirs hideux... Ce serait à croire que les nuits se sont de plus en plus espacées au fur et à mesure que leur horreur augmentait ?

Si Christiane s'est endormie tout à l'heure comme une enfant, c'est parce qu'elle me sent, depuis quelques jours, moins nerveux, moins tourmenté, plus maître de moi et de mes pensées. Cette maîtrise, je ne l'ai acquise que grâce au travail cérébral des deux nuits précédentes. Christiane ne saura jamais que j'ai vécu ces nuits comme elle ignorera celle qui commence ce soir. C'était moi seul qui devais la revivre... pas elle ! Quand elle m'a posé avant-hier quelques questions précises sur notre passé réciproque de ces derniers mois détestés, j'ai pu enfin lui répondre avec calme : je suis donc près d'atteindre le but que je me suis fixé. Je viens de relire posément tout ce que j'ai écrit pendant la deuxième nuit ainsi que les extraits du journal de Marcelle Davois. Je suis arrivé maintenant aux effets dévastateurs du ridicule Comité ! Je n'ai même pas besoin de les raconter : mon assistante s'en est chargée ! Voici ce qu'elle a écrit après la quatrième réunion...

« Ce 15 octobre.

« Je reviens de la séance hebdomadaire du Comité. Il fonctionne admirablement, ce Comité ! Les résultats dépassent mes prévisions les plus optimistes : toute la ville a déjà défilé dans le cabinet de consultation de Denys pour se faire examiner. Qui n'a pas son cancer ? Pour peu que la psychose continue à grandir, nous accueillerons bientôt les gens des environs et des villes voisines ! Denys et moi ne pourrons plus suffire à la tâche... un triomphe ! C'est insensé aussi quand je pense à la seule véritable malade : moi ! Ma crise d'hier a été affreuse : c'est la première fois où j'ai commencé à sentir un commencement de paralysie de mon bras gauche. Je ne souffrais pas vraiment, mais je ne pouvais plus le remuer : c'était angoissant. Heureusement j'ai eu l'idée de me faire une piqûre de morphine : ça m'a insensibilisée. Je crois que la morphine sera mon dernier moyen de lutte physique. Son seul inconvénient sera de me faire passer brusquement d'un état de prostration complet, après chaque piqûre, à des moments d'exaltation intense pendant lesquels j'aurai du mal à me contrôler. Plus les piqûres seront fréquentes — et il ne pourra pas en être autrement puisque le mal ne fait qu'empirer — plus je risque de divaguer ! Mais il n'y a pas d'autre solution : je dois courir ce risque... Il ne faut pas qu'une défaite physique prématurée puisse ruiner mon éclatante victoire morale ! Je veux être à Denys ! Tout est en marche maintenant pour que je devienne sa femme... Je dois tenir ! Je crois même que j'accepterais maintenant de n'être à lui qu'une seule fois avant de mourir. Dans l'état physique où je suis, ai-je le droit d'être plus exigeante ? Mais notre unique nuit d'amour sera sublime ! Quels autres êtres au monde pourront se vanter d'en avoir connu une semblable ? Après ces heures brûlantes, Denys ne pourra plus jamais aimer une autre femme ! Elles le dégoûteront toutes et lui paraîtront mièvres, banales, quelconques... Seul le souvenir de sa Marcelle comptera ! Peut-être mourrai-je même d'épuisement dans ses bras, pendant la nuit ? Comme ce serait beau ! Peut-être aussi me tuerai-je si j'ai la certitude qu'il n'y aura pas d'autre nuit et qu'aucune ne pourra la surpasser ? Je me connais : j'ai assez de courage pour me supprimer quand il le faudra. Mon geste réfléchi ne sera pas dicté par le même sentiment de lâcheté que celui de Mme Boitard. Je ne crains pas la mort. J'ai seulement peur de disparaître avant d'avoir été aimée.

« Mais ce suicide apparaîtrait-il vraiment comme un acte de courage ? Ne serait-il pas plus grandiose d'essayer d'analyser jusqu'au dernier instant ce que je ressens et de décrire les différents états d'esprit par lesquels je passe ? Cette terrible expérience personnelle ne rendrait-elle pas d'inappréciables services à d'autres ? Ainsi ce journal servirait : ce serait une sorte de testament que je laisserais à Denys pour le récompenser d'être devenu mon amant. Il aurait sous la main un document unique pour l'avenir : le récit vécu de tout ce que ressent, physiquement et moralement, quelqu'un qui est condamné à mort par le cancer... Il puiserait, dans cette lecture exaltante, le courage dont il aura grand besoin après ma mort ! Mais je dois revenir à la réalité : le temps qu'il me reste à vivre diminue avec une rapidité effrayante...

« Le point le plus important jusqu'à ce jour est que Christiane soit devenue mon amie. Je puis même affirmer que je suis sa seule confidente féminine ! Je peux maintenant lui mettre en tête ce que je veux : elle m'admire et a en moi une confiance aveugle. Elle commence aussi à ne plus croire du tout aux capacités médicales de Denys : c'est très important ! Il ne faut pas que mon adorable gamin puisse contrecarrer mon influence sur elle. Sa santé paraît déjà plus chancelante depuis que je lui ai inculqué l'idée morale du cancer. Ça la travaille, ça la poursuit nuit et jour... Denys aussi est nerveux : il sent un ralentissement très net dans les élans de sa maîtrese qui semble beaucoup moins pressée que lui de se marier ! L'idée de devenir la femme d'un homme, qui approchera l'horreur du mal pendant toute sa vie, commence à ne plus sourire du tout à Christiane ! N'importe quelle femme sensible penserait comme elle...

« Je ne crois pas qu'il me soit très difficile, maintenant que le terrain psychologique est bien préparé, de persuader Christiane qu'elle a le mal comme Mme Boitard ? Il faut simplement que je découvre son corps comme j'ai sondé son cerveau. Ce ne sera que lorsque je connaîtrai à fond sa constitution physique que je trouverai peut-être la faille, le point faible me permettant de lui dire : « Vous êtes atteinte à tel endroit. » La force du cancer est qu'il peut s'attaquer à n'importe quelle partie du corps humain... La cirrhose du père Heurteloup m'a servi pour affirmer que le bonhomme avait aussi un cancer du rein caché par le gonflement démesuré du foie... La mammite de

Mme Boitard fut l'admirable mal bénin et visible qui m'a permis de lui faire croire au cancer du sein... La faible constitution thoracique de Christiane devrait me permettre d'aboutir au cancer du poumon, c'est-à-dire à mon propre mal... Ce qui serait prodigieux ! Evidemment, personne, mieux que moi, ne pourrait lui décrire les symptômes moraux qu'elle doit ressentir !... Et n'ai-je pas là, enfermée dans le tiroir de la commode, l'arme massue que j'ai cachée soigneusement et que je réserve pour porter le coup de grâce ?... Le cancer du poumon offre le double avantage d'être invisible à l'œil nu — donc discutable — et inguérissable. Ce serait admirable d'arriver à insuffler moralement mes souffrances à ma rivale ! Quelle éclatante victoire !

« C'est décidé : je vais lui découvrir un cancer du poumon... Par quels moyens ? Ça, c'est un autre problème ! Mais je suis persuadée que j'aurai le dieu de la chance pour moi. Ma passion pour Denys m'inspirera comme elle m'a soutenue jusqu'à ce jour. »

L'amitié de plus en plus solide qui unissait Christiane à Marcelle me paraissait un gage de paix durable pour l'avenir. Je m'enfonçais de plus en plus dans l'engrenage infernal. Mon assistante jouait au chat et à la souris avec nous : pour elle les pantins se désarticulaient d'heure en heure davantage... Et quelques

« Ce 28 octobre.

« Ça y est ! Le ciel, ou peut-être l'enfer, est avec moi pour la première fois depuis des années ! Christiane s'est alitée. Elle a contracté un nouveau refroidissement très sérieux à la suite d'une promenade romantique, dans les bois de son parc et sous la pluie, avec son amant... C'est beaucoup plus grave que la première fois. Denys est revenu, très ennuyé et inquiet, mardi dernier du château : il craignait la pneumonie. De toute façon, Christiane a une double pleurésie : résistera-t-elle ? Dès son retour, Denys, après m'avoir mis au courant de ce qui s'était passé, a ajouté : — « Le chauffeur de Christiane vous attend devant la porte... Prenez vite un nécessaire de nuit et partez au château... Vous veillerez et soignerez Christiane qui vous réclame. Je continuerai seul à assurer les visites des autres malades. Je serai au château demain matin à la première heure, pour voir comment se sera passée la nuit. S'il y avait une urgence quelconque, n'hésitez pas à me téléphoner... Je mets toute ma confiance dans vos soins et je sais que votre seule présence sera déjà un très grand réconfort moral pour Christiane. »

« ... Je viens seulement de revenir du château après sept jours et sept nuits passés pratiquement dans la chambre de Christiane... Elle est tirée d'affaire maintenant, mais il lui faudra des mois pour se rétablir tout à fait. Elle a eu et elle aura encore pendant longtemps deux points pleurétiques sérieux : Denys l'avait très bien diagnostiqué. Il ne s'est pas plus trompé dans ce cas que pour la mammite de Mme Boitard ou la cirrhose du père Heurteloup... Au fond je dois reconnaître que mon petit Denys a un excellent diagnostic ! Ça ne me déplaît pas... et ça simplifie mon rôle qui a consisté jusqu'ici à faire dévier habilement ce diagnostic pour les seuls besoins de ma cause. Je vais appliquer encore une fois cette méthode au cas de Christiane : ces points pleurétiques vont m'être très utiles pour mettre peu à peu dans l'esprit de la malade qu'elle n'est pas seulement victime d'un refroidissement... qu'il y a autre chose... que si elle a cette prédisposition très nette aux complications graves et rapides, c'est uniquement parce que ses poumons sont atteints depuis longtemps, rongés secrètement par le mal qu'elle redoute le plus au monde... J'ai trouvé enfin l'admirable transition qui va me permettre de passer en quelques semaines du domaine du rêve à celui de la réalité qui achèvera moralement cette femme encombrante.

« En la soignant, j'ai eu tout le loisir d'examiner de près son corps : il est harmonieux, racé, mais tout de même moins attrayant, à mon avis, que celui de Mme Boitard ! Dès mon retour, tout à l'heure, je me suis mise nue, une fois de plus, devant la glace de cette armoire et j'ai pu constater avec plaisir que mon corps, tout décharné et amaigri qu'il soit par le mal qui le mine, n'est pas très éloigné, comme constitution générale, de celui de Christiane... Si son corps a plu à Denys, il n'y a aucune raison pour qu'il n'en soit pas de même du mien !

« Pendant cette semaine où j'étais à peu près seule avec elle, j'aurais pu l'achever d'une manière très simple : en lui faisant des enveloppements froids. A l'heure actuelle elle serait probablement morte. Mais c'était risqué : Denys passait la voir matin et soir, parfois même trois fois par jour... Il n'aurait tout de même pas été assez enfant pour ne pas se douter de quelque chose et puis Christiane, qui a toujours conservé sa connaissance, aurait pu lui dire les soins bizarres que je lui prodiguais ? Il m'a paru plus subtil de passer, aux yeux de Christiane et de Denys, pour celle qui se dévoue nuit et jour et arrache la malade au mal. Ainsi mon autorité sur elle et surtout sa confiance ont pris des proportions illimitées... Aujourd'hui elle n'est plus en danger immédiat, mais elle est loin d'être guérie ! Ce n'est que maintenant que je vais pouvoir faire de l'excellente besogne... Si elle avait été emportée en quelques jours par sa double pleurésie, elle n'aurait pas eu le temps de souffrir moralement. Je veux qu'elle souffre autant que moi, plus que moi si c'était possible ! Enfin — et c'est la raison la plus forte pour laquelle je n'ai pas voulu l'achever aussi vite — Denys aurait toujours conservé dans son cœur le deuil d'une maîtresse enlevée à son affection par une maladie foudroyante, tandis que si c'est elle qui l'abandonne sans raison apparente, son chagrin d'amant se transformera en rancune... De la rancune au désir de se venger, il n'y a qu'un pas : la meilleure vengeance pour Denys sera de remplacer l'infidèle. Je serai là...

« Ce soir, j'ai besoin de repos. Je suis très fatiguée. Mon bras gauche s'ankylose de plus en plus : je vais me faire une nouvelle piqûre de morphine. J'espère être mieux demain pour retourner auprès de Christiane qui est veillée cette nuit par sa femme de chambre. Elle aussi sera détendue, plus apte à m'écouter. Et je lui parlerai avec gentillesse, avec une extrême douceur, comme deux femmes seules peuvent converser entre elles... Je lui livrerai, en dosant habilement mes effets, le secret qui sera censé m'étouffer et que j'aurai l'air de ne pas pouvoir garder pour moi seule... Secret de la nature profonde du mal véritable qui la ronge : le cancer du poumon... Secret aussi que je paraîtrai avoir beaucoup hésité à lui confier et qu'elle doit être seule à connaître avec moi...

« Naturellement, tout cela ne pourra pas être dit en une fois : je procéderai par paliers successifs. J'ai acquis une certaine pratique dans cet étrange domaine... Je jetterai d'abord le doute, puis j'en viendrai aux précisions après avoir eu bien soin de lui faire passer une ou plusieurs radios clandestines à l'insu de Denys. Quand elle sera intimement persuadée d'être atteinte, je commencerai par parler du seul remède possible... et quel remède ! Prodigieux ! Elle croira suivre un traitement rationnel du cancer — qui ne lui fera aucun effet puisqu'elle n'est pas atteinte — et négligera de se faire soigner pour éviter une rechute pleurétique. L'idée fixe de se débarrasser du cancer l'absorbera complètement et, pendant ce temps, l'état de ses poumons ne s'améliorera pas. Ce sera chez elle une sorte d'asphyxie lente et méthodique...

« J'ai souvent pensé que, si l'on voulait se débarrasser de quelqu'un sans gros risques, il n'y avait qu'à imiter certains médecins incapables qui soignent aveuglément une fausse maladie parce qu'ils n'ont pas découvert la vraie. Le plus étonnant est que ces médecins agissent consciencieusement sans même se rendre compte qu'ils ne sont que de véritables assassins ! Et s'il leur arrive de s'en apercevoir à la suite d'une consultation avec un confrère plus clairvoyant, il est généralement trop tard pour faire machine arrière : le mal irrémédiable est fait, le malade est perdu. Le confrère, qui a diagnostiqué juste, se tait : il préfère se retrancher derrière l'admirable invention du secret professionnel plutôt que de révéler au grand jour la faute impardonnable d'un collègue. Pourquoi se faire un ennemi dans la profession ? Les loups ne se sont jamais mangés entre eux... et certaines révélations de dernière heure ne risqueraient-elles pas d'amener un discrédit regrettable sur toute la corporation ? Il vaut mieux faire le silence qui fait oublier... Quelquefois, cependant, surtout dans les hôpitaux, on procède à l'autopsie quand tout est fini. Alors la vérité brutale éclate, monstrueuse. Seulement les autopsies se font entre médecins ou gens soi-disant qualifiés. C'est fou ce qu'ont révélé ces autopsies ! Mais le premier intéressé, le défunt n'est plus là pour se défendre. Ses parents ou ses proches se disputent déjà l'héritage : il faut bien vivre ! Que de secrets mortels sont restés enfouis ainsi...

« ... Si j'ai laissé cet espace blanc, c'est simplement parce que j'ai dû m'arrêter d'écrire brusquement hier soir. Je n'en pouvais plus ! Je me suis fait la piqûre : ensuite j'ai dû sombrer dans une véritable torpeur ? J'ai eu vaguement conscience que non seulement j'étais incapable de faire le moindre mouvement, mais que je ne pouvais même plus fixer mes idées ! Abrutie par la dose de morphine, je me suis enfin endormie mais je me suis réveillée en plein milieu de la nuit sous l'effet d'un horrible cauchemar : je voyais la main de Christiane qui essayait sans cesse de s'approcher de ma poitrine nue pour me planter un couteau dans le cœur ! Elle voulait m'assassiner ! Et, à chacune de ses tentatives criminelles, je parvenais, au prix d'un effort surhumain de mon bras gauche, à faire dévier la lame...

« Je sais que la morphine donne des cauchemars... Quant à l'impression d'effort fait par mon bras gauche elle doit venir du mal qui s'étend de plus en plus ? Enfin, ce matin, je n'étais pas très vaillante pour me rendre au château. Il le fallait bien pourtant ! Ce ne fut que lorsque je revis devant moi, bien réel, le visage de celle qui voulait m'assassiner dans mon cauchemar, que j'ai retrouvé toute ma lucidité. Je me suis assise tranquillement auprès de son lit, et, tout en lui prenant le pouls, j'ai commencé à parler...

« — Ma petite Christiane... me permettez-vous de vous appeler ainsi ? » Non seulement elle me le permettait, mais cette marque de tendresse semblait lui faire plaisir. — « Ma petite Christiane, vous allez beaucoup mieux... Savez-vous que vous nous avez fait très peur, au docteur et à moi ? En voilà des façons d'amoureux qui vont se promener sous la pluie ! Si vous me le permettez également, je gronderai votre fiancé ! Quelle imprudence ! Enfin, vous êtes sur la voie du rétablissement... ce qui ne veut pas dire que vous soyez complètement guérie ! Ça peut être long... » — « Denys m'a dit hier soir que dans deux ou trois mois, si je ne faisais pas de folie, il n'y paraîtrait plus. » — « Ta-ta-ta ! Le docteur Fortier est toujours un peu trop optimiste... Il va vous falloir prendre beaucoup de précautions... Et moi-même je ne serais pleinement rassurée sur votre état que si vous consentiez à passer une petite radio dès que vous pourrez supporter un court trajet en voiture ? » — « Vous croyez réellement que c'est indispensable ? Denys ne m'en a pas parlé ? » — « Au fond je finis par croire qu'il est un peu comme les gens de ce pays : qu'il n'aime pas les examens radioscopiques ! Il a tort : eux seuls apportent la véritable tranquillité. Ils sont le complément indispensable de tout diagnostic... Vous-même avez passé assez d'heures avec moi dans la chambre-radio pour vous en rendre compte ? » — « Vous avez raison, Marcelle. » — « Voulez-vous que ce soit moi seule qui vous fasse passer cette radio sans que le docteur Fortier le sache ? Il pourrait s'inquiéter inutilement alors que pour vous et moi ce n'est qu'une mesure de prudence supplémentaire. » — « C'est une bonne idée. Pauvre Denys ! Il a dû être déjà tellement inquiet ! » — « Comme tous ceux qui vous aiment, ma petite Christiane ! Voici comment nous procéderons : dès que vous serez capable de vous lever, nous profiterons d'un après-midi où il sera parti pour une longue tournée, pour que vous veniez chez lui en voiture. Je vous attendrai : ce sera vite fait. Comme je suis à peu près certaine que le résultat sera négatif, nous n'aurons pas besoin de lui dire quoi que ce soit ! Et si, par hasard, il y avait quelques traces, nous le saurions et prendrions d'un commun accord, vous et moi, les mesures énergiques qui s'imposeraient. » — « Plus je vous connais, Marcelle, et plus je vous admire... J'aime surtout cet esprit de décision dont vous savez faire preuve quand c'est nécessaire... Parfois même j'en veux à Denys de ce qu'il ne vous écoute pas davantage ! » — « Il m'écoute, seulement c'est un homme ! Son orgueil masculin lui interdit d'admettre la supériorité de la femme... C'est humain ! Et puis il est jeune, très jeune ! Trop peut-être pour une femme telle que vous qui a déjà été mariée avec un homme sensiblement plus âgé qu'elle. » — « Oui, par moments, je me demande si ce ne serait pas une véritable folie pour moi d'épouser Denys ? » — « Ne dites pas cela ! Vous l'aimez et il vous adore ! » — « Je crois que nous nous accordons surtout physiquement... » — « Ah !... Evidemment, ce n'est pas tout dans la vie d'un couple ! Il y a les mille petites exigences et concessions quotidiennes... Serait-ce indiscret de vous demander de quoi est mort M. Triel ? » — « Au contraire, Marcelle ! Ça me soulage que vous me posiez cette question : vous êtes la seule personne au monde avec laquelle j'avais envie d'en parler depuis longtemps... Au retour d'un voyage de quelques jours à Paris, Pierre — c'était le prénom de mon mari — a été pris d'un étrange malaise qui l'a obligé à s'aliter. Pour me tranquilliser, il me dit que ce n'était qu'un accès de paludisme et qu'il en avait l'habitude depuis son séjour prolongé en Afrique-Equatoriale. Mais je n'étais qu'à moitié rassurée ! Comme le père de Denys était déjà mort à cette époque et qu'il n'y avait aucun médecin proche, j'ai fait venir en toute hâte du Mans un docteur qui, après l'avoir examiné, me conseilla de faire venir de Paris un grand spécialiste des maladies exotiques, le professeur Bonneau. Vous le connaissez ? » — « Seulement de réputation. » — « Le professeur parut très étonné, car huit jours à peine après qu'il se fût alité, mon pauvre Pierre était pratiquement paralysé... Ça commença par les jambes et monta progressivement jusqu'à la tête... Au dixième jour, il ne pouvait plus faire le moindre mouvement, ni parler, bien que je me rendisse compte qu'il avait toute sa connaissance : c'était affreux ! On le soutint avec de la morphine, mais il s'éteignit dans la nuit du dix-septième jour sans que le professeur Bonneau et d'autres spécialistes mandés d'urgence aient pu se prononcer sur la nature exacte du mal ! C'est cela que je trouve terrible, Marcelle : voir disparaître en trois semaines un homme de cinquante-deux ans que j'avais connu en pleine activité ! » — « N'aurait-ce pas été de l'anémie pernicieuse ? » — « Tous les médecins réunis ont affirmé que non ! » — « Dans ce cas, je ne vois plus guère qu'une cause : un empoisonnement ? » — « C'est impossible, Marcelle ! Il n'y a pas un repas que nous n'ayons pris, lui et moi, ensemble pendant le mois qui a précédé sa maladie ! J'aurais dû être empoisonnée comme lui et je n'ai rien ressenti ! » — « C'est étrange en effet... Le professeur Bonneau n'a-t-il pas prescrit une analyse des viscères après le décès ? » — « Il m'en a parlé, mais je m'y suis opposée : vous savez aussi bien que moi comment sont les gens de ce pays ! Ils auraient tout supposé en me rendant presque sûrement responsable alors que j'avais pour Pierre, sinon de l'amour, du moins une profonde affection... Jamais je n'aurais été capable d'une chose pareille ! » — « Mais ce n'est même pas la peine de me le dire, ma petite Christiane ! Je vous connais : vous êtes foncièrement bonne et juste...

Seulement vous avez eu tort de refuser l'analyse ! Maintenant, c'est trop tard : après deux années une exhumation n'apporterait pas d'éléments bien nouveaux et serait pire que tout pour vous !... Il nous reste bien, sur la cause probable de cette mort, une hypothèse... mais elle va sans doute vous paraître abominable, puisqu'elle touche au mal contre lequel nous sommes tous décidés à lutter ici. » — « Le cancer ? J'en avais peur depuis que vous m'avez appris pas mal de choses. C'est pour cela que je voulais vous parler de la mort de Pierre ! » — « Oui, M. Triel peut très bien avoir été emporté en quelques semaines par un cancer généralisé qu'il ignorait ! C'est d'ailleurs l'un des aspects les plus pénibles du mal : on l'a et l'on ne s'en doute pas ! Et s'il arrive qu'on s'en aperçoive, il est trop tard... » — « Répondez-moi avec cette franchise que vous avez toujours eue à mon égard, Marcelle... Oui ou non le cancer peut-il être contagieux ?» — « Nul ne le sait, ma petite Christiane ! Tout ce que je puis vous dire est qu'il y a de fortes présomptions, à la suite de recherches effectuées en Autriche et aux Etats-Unis, ces derniers temps, pour qu'il soit héréditaire... Quant à la contagion entre époux, on dit qu'elle est possible, mais, personnellement, je ne le crois pas !... Je vous demande pardon d'avoir ravivé chez vous ces souvenirs douloureux... C'est d'autant plus maladroit de ma part que vous avez besoin du plus grand repos. Si le docteur Fortier savait notre conversation, il ne me la pardonnerait pas et il aurait mille fois raison ! » — « Denys n'a pas été mis au courant : j'ai toujours évité de lui parler de mon mari dont le seul nom lui est désagréable. » — « Les hommes sont parfois injustes dans leur égoïsme inconscient. On ne se comprend vraiment qu'entre femmes, presque à demi-mots... Le secret de cette conversation restera entre nous deux comme celui de la radio que je vais vous faire passer dès que vous serez debout. Croyez bien que je n'agirai que dans votre intérêt, ma petite Christiane... Pour moi, qui ne suis qu'une vieille fille, vous êtes mon rayon de soleil ! »

« ... Elle s'est complue dans cette idée de secret parce que rien ne l'ennuyait plus que d'être soignée par son amant. Je la comprends : je suis comme elle ! J'aurais préféré disparaître à jamais de la vie de Denys plutôt que le consulter ! Même si j'avais eu confiance en lui je ne l'aurais pas fait ! Une vraie femme n'aime pas se montrer malade devant son amant... C'est humain. L'amant ne doit connaître que le beau côté, il ne faut pas le décevoir et surtout pas l'apitoyer ! Christiane réserve à Denys son corps pour le plaisir et sa gaieté pour les autres heures... Tandis que moi je suis toute désignée pour être la confidente des ennuis. Une infirmière, c'est commode : les douleurs, les misères physiques sont pour elle. Aussi je sais qu'elle viendra se faire radiographier dès qu'elle le pourra. Je n'ai plus qu'à l'attendre, cette petite que j'aime d'aussi étrange façon ! »

Une fois encore la psychologie implacable de Marcelle avait vu juste. Cinq jours plus tard, profitant d'un après-midi où j'avais dû me rendre au Mans, Christiane vint se faire radiographier : je sus plus tard qu'elle avait conduit elle-même sa voiture, suivant en cela les conseils de Marcelle, pour qu'aucune indiscrétion ne pût être commise ensuite par le chauffeur. Marcelle Davois prévoyait tout dans les moindres détails. Comment je sais que l'abominable séance de radio eut lieu ? Par ces quelques mots écrits par mon assistante, sur son journal, à la date du 2 novembre : « Elle est venue... Sans même s'en douter, elle a choisi le jour anniversaire de mon arrivée un an plus tôt... Quand elle est repartie pour le château une heure plus tard, elle n'était plus la même... Elle m'a rappelé Mme Boitard après son examen radioscopique... C'est fou comme la peur du mal inguérissable transforme les individus en véritables loques ! Charmante Christiane ! Il a fallu que je l'aide à remonter dans sa voiture et que je promette d'aller lui rendre visite dès le lendemain. J'ai promis d'autant plus facilement que je lui réservais une sérieuse surprise... »

Marcelle n'a pas éprouvé le besoin d'en écrire plus sous cette date du 2 novembre. Pourquoi aurait-elle perdu son temps à raconter une deuxième fois le mécanisme mortel de la séance radioscopique qu'elle avait si bien mise au point avec Mme Boitard ? Ces simples mots écrits pour Christiane : « Elle est venue... » résument tout ! Je m'imagine mon assistante prenant un air entendu pour dire d'une voix doucereuse et docte à ma pauvre Christiane, déjà tremblante derrière la glace-écran : — « C'est très curieux... Le voile clair n'est visible sur aucun poumon alors qu'il y a une tache noire très nette à gauche... » Contrairement à ce qu'elle disait, elle voyait très bien, la misérable, le voile qui faisait apparaître, derrière la glace-écran, le poumon gauche plus gris que le poumon droit : c'était la preuve certaine de l'affection tuberculeuse, mais elle se garda bien d'en souffler mot. Elle appliquait la redoutable méthode qui consiste à orienter toute l'attention et les soins sur une fausse maladie pour permettre au vrai mal de se développer à son aise. La tache noire, dont elle parlait avec complaisance, était purement imaginaire, car elle n'existait pas et n'existera, j'espère, jamais chez Christiane : c'est la marque caractéristique du cancer du poumon... un bloc noir et arrondi. Mais comment mon pauvre amour, ou n'importe qui à sa place, aurait-il pu se douter de l'odieuse supercherie ? Tout cela fut d'une habileté diabolique.

derniers mois, d'initier peu à peu Christiane aux différents symptômes cancéreux que l'on peut trouver sur une radio, il ne m'a pas été très difficile de lui dire : — « C'est déjà plus net, développé, qu'hier pendant la simple radioscopie directe... Regardez ces taches au bas du poumon gauche... » — « En effet, constata Christiane. Qu'est-ce que vous en pensez ? » Je pris un air de plus en plus soucieux, dans lequel une retenue voulue semblait vouloir cacher quelque chose : — « Je ne puis pas encore vous dire, ma petite Christiane, le fond de ma pensée, mais je vous promets de vous révéler prochainement la vérité... Je vous la dois pour deux raisons : d'abord parce que j'ai pour vous une sincère affection et que j'estime que l'on n'a pas le droit de mentir à de véritables amis... Ensuite, parce qu'il existe, en médecine, des cas sérieux où l'on doit avoir le courage de regarder la réalité en face si l'on veut guérir... Et il faut que vous guérissiez ! Je m'en charge... » — « C'est donc plus grave que vous ne le pensiez au début ? » — « Je le crains... mais ne nous affolons pas ! La première chose à faire est que vous reveniez demain après-midi, quand le docteur ne sera pas là, pour que je vous fasse une tomographie de face et de profil... Vous savez bien : je vous ai déjà expliqué ce que c'était qu'une tomographie... des radios successives que l'on prend à différents plans de profondeur pour pouvoir localiser exactement l'emplacement du mal. » — « Mais vous m'avez dit plusieurs fois, Marcelle, que si l'on pratiquait une tomographie, c'était généralement pour savoir si... » elle s'arrêta net de parler. En une seconde son visage se décomposa. Je répondis vivement : — « Taisez-vous ! Ne prononcez pas ce mot hideux que vous avez sur les lèvres ! Attendez le résultat comme moi... Ce ne sera qu'ensuite que nous agirons... Ne dites surtout rien à Denys : essayez de rester souriante... c'est absolument indispensable ! Je vous attends demain après-midi comme convenu... Je remporte ces premières radios qu'il ne faut pas laisser traîner : elles font partie de notre secret, à vous et à moi. »

« Elle viendra demain, je le sais. Je ferai la tomographie... Elle m'entendra murmurer lentement : « 2 *centimètres...* 4 *centimètres...* 6 *centimètres...* 8 *centimètres* », puis elle rentrera, encore un peu plus affolée, chez elle... Et vingt-quatre heures plus tard, je retournerai au château, munie cette fois des épreuves de la tomographie — ma propre tomographie pratiquée à Villejuif — qui me serviront pour la scène grandiose que je prépare minutieusement dans ma tête depuis des mois. Quand je repartirai du château, ce jour-là, il y aura dans le pays un cancer moral de plus... Sincèrement, c'est du beau travail... »

Les choses continuèrent à se passer exactement comme Marcelle Davois les avait voulues... Pendant que j'étais en train d'accoucher le deuxième fils de l'horticulteur Servais, Christiane subit la redoutable épreuve de la tomographie sous mon propre toit. Mystification tellement sinistre que je préfère ne pas l'imaginer. Pour en connaître les détails, je n'aurais qu'à relire ce que mon assistance a déjà écrit dans son journal sur la séance qu'elle dut endurer elle-même à Villejuif en présence du professeur Berthet et de son premier assistant. Quand Christiane repartit chez elle, en fin d'après-midi, elle ne devait plus être qu'une malheureuse aussi désespérée qu'une Mme Boitard ou qu'une Marcelle Davois elle-même allant errer dans un cimetière devant la tombe de ses propres parents pour essayer de trouver quand même la force de vivre !

Chose étrange, Marcelle n'a pas raconté dans son journal le dialogue qui s'est échangé entre elle et Christiane le lendemain au château lorsqu'elle y arriva avec les prétendues radios de la veille. Sans doute a-t-elle préféré conserver pour elle seule, et pour toujours, ce souvenir qui a dû la combler de joie ? Mais moi, ce soir, je n'hésite pas : je sens, je devine, je sais ce qui s'est dit pendant cette conversation. Je n'ai pas besoin de l'écrire, mais je dois la vivre dans mon esprit si je ne veux rien oublier dans ce pénible examen de conscience...

— Ces clichés que je viens de vous montrer,

ma petite Christiane, ne laissent plus aucun doute. Uniquement parce que je veux votre guérison rapide, je vais vous avouer ce qu'en principe on ne doit jamais dire aux malades... Et vous avez appris trop de choses avec moi dans la chambre-radio ces derniers temps pour que je puisse continuer à vous cacher ce que vous avez déjà pressenti hier... Comme tant d'autres, hélas, vous êtes atteinte par le mal contre lequel nous luttons tous dans cette ville, le mal qui nous a obligés à créer presque malgré nous ce Comité dont vous avez accepté la présidence avec tant d'abnégation ! Vous m'avez demandé l'autre jour si je pensais que ce mal pouvait être contagieux ? Je vous ai répondu alors que nul ne le savait, mais je commence sincèrement à croire, après avoir étudié vos radios, qu'il peut l'être ! Votre mari vous l'aurait-il transmis pendant ces semaines où vous avez dû le soigner avec un dévouement admirable ? Je ne sais plus...

... Ma propre existence aussi a toujours été consacrée à soulager, dans la mesure de mes modestes possibilités, les misères physiques de mes semblables : c'est vous dire que cette mission, que je me suis assignée volontairement depuis des années, n'a pas toujours été très gaie, mais jamais, croyez-moi, je n'ai éprouvé une plus grande souffrance morale qu'en ce moment ! Depuis le jour où je vous ai connue, je savais bien que nous deviendrions, vous et moi, de grandes, de véritables amies... Votre gentillesse a fait fondre dans un sourire ma réserve naturelle dictée par une stupide timidité. Je puis reconnaître que vous êtes devenue la première, la seule amie que j'aie jamais rencontrée...

...Et voilà que je suis contrainte de dire à cette amie, qui est là devant moi toute tremblante et qui me regarde avec ses beaux yeux embués de larmes, une vérité effroyable ! Ne m'interrompez pas surtout, Christiane ! J'ai besoin de toutes mes forces et de toute ma volonté pour vous arracher au mal ! Si j'ai préféré ne pas perdre un instant, c'est que je sais que vous êtes encore guérissable... Vous avez pu vous rendre compte d'après ces clichés que le bloc noir n'est pas énorme. On peut, on doit stopper l'évolution maligne en commençant un traitement dès cette semaine !

— Vous m'avez laissé entendre vous-même plusieurs fois, Marcelle, que, dans son état actuel la médecine était totalement impuissante à guérir un cancer du poumon ?

— La science officielle, c'est exact ! Personne n'a pu mieux s'en convaincre que moi à Villejuif !... Un jour, certainement, « ils » trouveront, mais quand ?... Pour vous le temps presse... Aussi vais-je vous confier un secret qui, sans doute, va vous paraître incroyable et que je n'ai encore jamais révélé à qui que ce fût... Quelque chose que je me serais bien gardée de dire, par exemple au cours de l'une de nos réunions du Comité ! Les auditeurs auraient été assez surpris et le docteur Fortier tout le premier ! Oh ! Il ne faut pas lui en vouloir : il n'a pas eu encore le loisir de se pencher autant que moi sur ce grave problème... Le cancer du poumon, pris au début comme ça va être le cas pour le vôtre grâce à cette miraculeuse radio qui nous a tout révélé alors que je pensais trouver simplement un voile, peut être guéri par un homme extraordinaire que je connais personnellement : c'est un savant autrichien qui s'est installé depuis quelques mois à Paris où il accomplit de véritables miracles.

— Je crois en effet avoir lu un article sur lui dans un journal ?

— En effet... Mais il y a toujours un peu de scepticisme dans ce genre d'articles ! Sachez que le docteur Schenck a inventé un sérum qu'il vous injectera par une série de piqûres... Dans trois mois, six au plus, le mal se sera résorbé dans votre organisme.

— Pourquoi n'emploie-t-on pas déjà son sérum partout ?

— Parce que la Médecine officielle, ma petite Christiane, à laquelle j'appartiens depuis des années est une vieille dame retardataire qui a peur de paraître brusquement ridicule aux yeux du monde entier ! Ce que je vous dis, à vous ma seule amie, aucun médecin patenté n'aura le courage même de le balbutier par crainte de se faire honnir de tous ses confrères ou rayer de son Ordre pour charlatanisme ! Le docteur Schenck travaille seul, en apôtre... Il n'appartient pas au corps constitué des médecins parce qu'il est trop grand ! Il le dépasse de mille coudées... Il œuvre dans le silence, ne recherchant aucune publicité personnelle, ne voulant pas que l'on utilise son nom pour l'appliquer à ce que je considère déjà comme l'une des plus éclatantes découvertes scientifiques du siècle... Un jour viendra pourtant où son nom sera sur toutes les lèvres, où on le prononcera avec respect comme celui de Pasteur ! Mais je ne suis pas là pour vous faire son apologie : mon rôle est de vous conduire sans tarder chez lui. Si vous le voulez, je demanderai tout à l'heure au docteur Fortier un congé de vingt-quatre heures sous un prétexte quelconque. J'ai un train de nuit et, dès demain matin, je verrai le docteur Schenck auquel j'expliquerai votre cas et à qui je montrerai vos radios. Je reviendrai dans la soirée et je serai après-demain matin ici après avoir tout organisé. A mon avis il faudra que vous partiez aussitôt pour que le traitement puisse commencer avant la fin de la semaine.

— Que dira Denys ?

— C'est à vous seule de savoir si vous devez lui avouer la vérité ou pas ? Jusqu'à présent nous avions décidé de conserver jalousement notre secret... Je crains simplement que le docteur Fortier ne m'en veuille terriblement de m'être substituée à lui pour vous sauver... Et vous-même tenez-vous tant que cela à ce qu'il connaisse la nature exacte de votre mal ? Ne préférez-vous pas disparaître pendant quelque temps et lui revenir radieuse, complètement guérie ? Ce sera alors que vous pourrez lui dire ce que vous avez eu ! Je sais que vous l'aimez, je sens surtout qu'il vous adore, que vous serez bientôt sa compagne... Ne craignez-vous pas que la vision hideuse du cancer ne se dresse un jour dans son esprit, entre vous et lui ? Voilà tout le problème, ma petite Christiane ! Vous seule pouvez le résoudre. Ou vous avez confiance en moi, ou vous ne l'avez pas : ce que j'excuserai très bien et, dans ce cas, adressez-vous à la Médecine officielle ! Mais sachez — et je terminerai par là — que je n'ai agi vis-à-vis de vous que comme une grande sœur aînée qui veut sauver à tout prix sa cadette. Je vous jure, sur la tête de mon admirable père qui fut lui aussi un grand savant, que si je pouvais me substituer à vous pour prendre votre mal, je le ferais ! Je n'ai plus rien à attendre de la vie, moi ! Je suis seule au monde, j'ai joué comme j'ai pu mon rôle social et je n'ai pas comme vous l'amour qui est la plus belle raison de vivre... »

... Voilà ce que son hypocrisie a dû dire ce matin-là. Et ma pauvre Christiane a tout cru ! Elle lui a renouvelé une fois de plus sa confiance. Ensuite ce ne fut plus qu'un jeu puéril pour Marcelle Davois de mettre debout en quelques heures ce qu'elle faisait apparaître comme un sauvetage *in extremis !*

Quand je la retrouvai à une heure pour le déjeuner, elle eu l'aplomb de me dire : « — Docteur, maintenant que je suis certaine qu'il n'y a plus la moindre inquiétude à avoir au sujet de Mme Triel, je vais vous demander une faveur... M'autorisez-vous à prendre ce soir le train pour Paris ! Je reviendrai demain soir. Vous savez, docteur, à quel point j'ai le culte de mes chers parents. Tous les ans j'allais fleurir leur tombe le 2 novembre au Père-Lachaise. Je n'ai pas pu le faire cette année, étant retenue par les soins à donner à Mme Triel. Je voudrais tant accomplir ce pèlerinage filial demain si vous n'y voyez pas d'inconvénient ? »

Comment aurais-je pu ou même eu le droit de faire une objection ? Je trouvais au contraire que ce sentiment était une excellente note en faveur de mon assistante dont la personnalité de plus en plus attachante, assez lente à se dévoiler au début, n'avait fait que grandir dans mon esprit. Je lui répondis qu'elle pouvait prendre tout le temps qu'elle voulait et la remerciai sincèrement pour les soins très dévoués qu'elle avait prodigués à Christiane pendant sa maladie. Elle a dû vraiment, en entendant mes paroles de gratitude, se dire que ma naïveté ou ma candeur dépassaient toutes les limites permises !

Elle prit le train du soir et je crus même que mon devoir était de l'accompagner en voiture jusqu'à la gare ! Je me rendis ensuite au château où j'eus nettement l'impression que Christiane n'était pas enchantée de me voir, ce qui renforça la pénible impression éprouvée depuis quelque temps. On aurait dit que mon amour cherchait à se détacher de moi ? J'étais très malheureux. Je ne pouvais croire un instant que Christiane eût cessé de m'aimer. Que se passait-il ? Elle répondit évasivement à certaines questions que j'essayai de lui poser. Elle prit même une attitude distante, presque lointaine... Je ne le compris que plus tard : si ce soir-là Christiane adopta cette étrange ligne de conduite à mon égard, ce ne fut que pour commencer à me préparer indirectement à l'inévitable séparation qui, dans son esprit, devait se produire entre nous ! Elle avait déjà, sous l'inspiration démoniaque de Marcelle, mûri tout un plan : elle préférait me faire croire qu'elle me quittait parce qu'elle ne pouvait plus supporter ma présence plutôt que m'avouer le mal dont elle était sûre maintenant d'être la proie. Sa pauvre tête voyait se dresser sans cesse, entre elle et moi, le spectre du cancer évoqué si habilement par Marcelle.

Sentant que notre entretien risquait de tourner court sans raison apparente, je commis

l'erreur de ramener la conversation à sa santé :
— « Chérie, ce n'est pas parce que tu te sens mieux qu'il faut commettre la moindre imprudence... Il ne serait pas inutile de faire une radio maintenant que tu peux te déplacer sans risque en voiture fermée ? J'ai tout lieu de penser que ça n'a été qu'une alerte mais je serais cependant plus tranquille après cette radioscopie. Veux-tu que nous profitions de ce que Marcelle n'est pas là demain après-midi pour la faire chez moi ?... Réponds-moi, Christiane ! » — « Une radio ? Pourquoi faire, Denys ? Tu es complètement fou ! Laisse ça à tous les obsédés de ton Comité ! Moi je suis complètement guérie... je le sais ! J'ai besoin de repos, c'est tout... Laisse-moi, veux-tu »

Je m'en allai, comprenantde moins en moins et de plus en plus désemparé.

Je revins la voir le lendemain au début de l'après-midi. Notre conversation fut encore plus courte. Elle me dit qu'elle avait énormément de papiers d'affaires en retard à mettre en ordre avec maître Boitard, son notaire. Je me retirai et croisai en effet la voiture de Boitard dans l'allée du château. Nous nous fîmes un simple salut au passage.

Marcelle rentra par l'omnibus de 7 heures, pour le dîner. J'aurais aimé, maintenant que je la savais devenue pour nous une véritable amie, l'entretenir le soir même de l'attitude bizarre de Christiane mais je compris que mon assistante était lasse : le pénible pèlerinage accompli dans sa journée, avec tous les souvenirs des chers disparus qu'il évoquait pour elle l'avait brisée. Son visage était ravagé. Elle me fit pitié et je ne pus que lui dire quand elle rejoignit sa chambre après un repas à peu près silencieux : — « J'ose espérer, Marcelle, que lorsque vous revenez sous ce toit, c'est en éprouvant un peu la sensation d'y retrouver une nouvelle famille ? » Elle me répondit avec un faible sourire : « Merci, docteur. »

J'étais tellement inquiet au sujet de Christiane que je ne me donnai même pas la peine, comme j'avais pris l'habitude de le faire depuis plus d'une année en rejoignant ma propre chambre de jeter un coup d'œil pour voir si la lumière filtrait sous la porte de Marcelle Davois ? Si je l'avais fait j'aurais pu constater qu'en dépit de la tristesse de la journée qu'elle venait de passer, mon assistante avait quand même trouvé la force de s'asseoir à sa table de travail puisque j'ai sous les yeux ce qu'elle a osé écrire dans son journal ce soir-là...

« Ce 6 novembre.

« Décidément ce docteur Schenck a beaucoup de charme ! Il n'a même que cela mais il le sait et en use en virtuose. Il n'a pas semblé étonné le moins du monde quand je lui ai dit que son traitement de piqûres n'avait apporté aucune amélioration de mon état et que ce serait plutôt le contraire ! La réponse, prononcée avec la voix douce et suave, fut : — « Je vous avais demandé, Mademoiselle, de revenir me voir après votre première série de douze piqûres, c'est-à-dire au bout de trois mois. Pourquoi ne l'avez-vous pas fait ? » — « Que m'auriez-vous conseillé alors, docteur ? » — « Une nouvelle série de douze autres piqûres... » — « Vraiment ? Et si je vous disais, docteur, que si je ne suis pas revenue vous trouver, c'est uniquement parce que je vous tiens pour l'un des plus authentiques charlatans de notre époque ? » Il respira longuement, en me regardant avant de répondre : « — C'est votre droit le plus absolu, Mademoiselle... Je ne peux obliger personne, et surtout pas vous qui êtes infirmière depuis des années, à avoir confiance... Je crois me souvenir que vous étiez déjà assez sceptique lorsque vous êtes venue me voir la première fois ? Ma seule consolation est que vous n'ayez pas cru davantage dans les soi-disant bienfaits de la médecine officielle ! Auriez-vous par hasard, tenté un autre traitement ? » — « Ne vous inquiétez plus pour moi ! Si je suis de nouveau ici, c'est pour vous annoncer la visite d'une cliente... » Mon interlocuteur parut cette fois très surpris : — « Si je comprends bien, Mademoiselle, je ne vous inspire pas confiance pour vous mais pour les autres ? » — « Ce n'est pas tout à fait exact, docteur ! Si j'ai conseillé à cette dame de venir vous trouver sans tarder, c'est simplement que je vous sais parfaitement incapable de la guérir. » — « Je ne comprends pas très bien ? » — « Mme Triel, c'est la jeune femme en question, est convaincue d'avoir un cancer du poumon alors qu'en réalité elle n'a qu'un voile à la suite d'une regrettable promenade sous la pluie... Je vous avoue avoir quelque peu contribué à lui mettre en tête cette idée de cancer : ça m'arrange et facilite un plan qui ne regarde que moi...

Vous n'avez pas beaucoup de scrupules, docteur ? Moi non plus ! J'ai donc pensé, après avoir semé adroitement cette idée de mal imaginaire, que si j'orientais Mme Triel sur ce que vous appelez, avec une pointe certaine de mépris, « la Médecine officielle », on ne manquerait pas de lui faire passer des radios qui lui prouveraient qu'elle n'est absolument pas atteinte par le cancer : ce qui bouleverserait mon plan. Si, au contraire, je vous adresse cette dame, j'ai tout lieu d'espérer que vous serez enchanté ! Réfléchissez, docteur : c'est le type même de la cliente idéale pour vous... Vous lui vendez pendant un certain temps — au moins une année, je l'exige ! — vos boîtes d'ampoules inutiles en la maintenant bien dans l'idée qu'elle ne sera complètement guérie qu'après quatre séries de douze, à raison d'une par semaine... Au bout de l'année, vous lui annoncez triomphalement qu'elle est guérie ! Au besoin même vous lui faites passer alors une radio qui lui prouve qu'elle n'a absolument rien ! Quel triomphe pour vous ! Quelle réclame aussi ! C'est une personne très en vue et très riche qui peut asseoir définitivement votre réputation d'homme miraculeux... et ceci sans que vous couriez le moindre risque ! Qu'en pensez-vous, cher docteur Schenck ? » — « Je ne me prêterai jamais à une pareille manœuvre ! » — « Vous devriez savoir, depuis le temps que vous habitez notre pays, quoique vous ne soyez pas français, que le mot *jamais* ne s'emploie pas chez nous ! Et vous ferez ce que je vous dis, docteur Schenck ! Sinon je vous dénonce immédiatement à la police et au Conseil de l'Ordre des Médecins pour exercice illégal de la profession... N'avez-vous pas l'impression qu'une plainte, portée par une infirmière diplômée ayant travaillé pendant des années à Villejuif, risquerait d'entraîner pour vous les plus regrettables répercussions ? » — « Et vous ? Ne croyez-vous pas, mademoiselle Davois, que si je racontais à mon tour l'étrange proposition que vous venez de me faire, vous auriez quelques ennuis ? » — « Je n'en aurais aucun parce que vous seriez incapable de dire pour quel mobile j'agis ainsi ! D'ailleurs vous ne raconterez rien parce qu'il serait beaucoup trop dangereux pour votre « commerce » que la police vienne mettre le nez dans vos affaires. Non ! Vous allez suivre à la lettre le petit plan que je viens de vous exposer rapidement. Grâce à lui vous avez toutes les chances de devenir l'un des hommes les plus célèbres qui soient en exhibant enfin une malade guérie par vous ! J'ai complètement oublié de vous dire que j'ai pris soin de faire plusieurs radiographies et radioscopies du poumon gauche de Mme Triel... Si vous voulez bien jetez un regard sur ces clichés ? Vous constaterez comme moi que le cancer ne fait chez elle, actuellement, aucun doute... » —

« Qu'est-ce que cela veut dire ? » — « Simplement que la dame en question a vu également ces clichés et ne se fait plus d'illusions sur son état ! Ce qui était indispensable. N'est-ce pas votre avis ? » — « Comment avez-vous fait cela ? » — « Contrairement à ce que vous pourriez supposer, docteur, ces clichés ne sont pas truqués... Ce sont d'authentiques radios d'un véritable cancer du poumon : le mien ! » — « C'est monstrueux ! » — « Dans votre bouche, je préférerais le mot *habile,* docteur, si vous n'y voyez pas d'inconvénient ? Quelle différence il y aura entre ces clichés et les nouveaux que vous ferez faire du poumon de Mme Triel dans un an ! Comme je ne serai certainement plus de ce monde à cette époque, je me ferai un plaisir, docteur Schenck, de vous léguer mes propres clichés en remerciement de vos bons offices... Vous pourrez alors en faire l'usage qui vous paraîtra le plus judicieux pour convaincre les derniers sceptiques... » — « En somme, mademoiselle Davois, vous avez tout prévu ? » — « Tout, docteur ! Absolument tout ! »

« Le docteur Schenck ne disait plus rien. Son regard bleu allait alternativement du mien aux clichés... Je sentais qu'il supputait les chances. Evidemment mon offre, tout étrange qu'elle ait pu lui paraître, était tentante. Je restais moi-même impassible, me disant que s'il acceptait, cet homme était véritablement à pendre.

« Il accepta.

« Je n'eus plus qu'à établir avec lui les détails de la visite que lui ferait Christiane et ce qu'il devrait lui dire exactement. Je lui expliquai notamment qu'il était indispensable pour moi qu'il persudât cette Mme Triel qu'elle devait rester à Paris pendant toute la durée du fameux traitement. Il fallait à tout prix qu'elle s'éloignât de Denys pour me laisser le champ libre. Christiane d'ailleurs ne demanderait que cela car elle ne voulait surtout pas que Denys soupçonnât un seul instant ce qu'elle croyait être son véritable état. J'espérais de tout mon cœur aussi que, pendant le séjour dans l'air empuanti de la capitale, la tuberculose ne ferait que se développer en elle alors qu'elle croirait lutter contre le cancer.

« Nous nous sommes séparés, le docteur Schenck et moi, les meilleurs amis du monde. Je ne pense pas le revoir mais je tiendrai ma promesse : il recevra un jour mes précieux clichés que j'ai eu bien soin de rapporter avec moi ici. Ils sont de nouveau enfermés à clef dans le tiroir de la commode.

« Demain matin je commencerai ma tournée quotidienne par ma visite au château : comme elle doit m'attendre avec impatience, cette chère Christiane ! Peut-être sera-ce la dernière visite que je lui rendrai ?... Une sorte de visite d'adieu sans qu'elle puisse même s'en rendre compte. Ce serait merveilleux ! Parce qu'enfin je ne puis plus la voir, ma jeune amie ! ni elle, ni personne dans le pays, sauf Denys... Mon Denys qui bientôt sera à moi ! »

Quand je partis moi-même de bonne heure le matin pour une tournée de malades qui me tiendrait éloigné toute la journée, Marcelle Davois était déjà sortie. Je priai Clémentine de l'informer que je ne la verrais qu'à l'heure du dîner. Je ne voulais pas non plus ennuyer Christiane que je savais très nerveuse : après un jour de repos seule, peut-être serait-elle contente de me revoir le lendemain ? Je lui téléphonai simplement le soir pour prendre de ses nouvelles.

Lorsque je revins, après une journée harassante et des kilomètres parcourus en voiture, Marcelle m'attendait. Nous nous mîmes à table. Le repas fut silencieux jusqu'au moment où je demandai : — « Avez-vous eu le temps d'aller au château aujourd'hui ? » — « Oui, docteur. » — « Comment avez-vous trouvé Mme Triel ? » — « Mais très bien, docteur ! » — « Tant mieux ! Je vais lui téléphoner tout à l'heure. » — « Je ne pense pas que ce soit nécessaire, docteur... » Elle venait de dire ces mots du bout des lèvres, presque dans un souffle. Je la regardai, interloqué : — « Que voulez-vous dire, Marcelle ? » Elle me fixa longuement à son tour avant de répondre : — « Mme Triel est partie en voyage au début de l'après-midi, docteur. » — « En voyage ? » Je me levai brusquement : — « Ah ça ? Vous êtes folle, Marcelle ? » — « Non, docteur. Mais je pense qu'il serait préférable que nous passions dans la bibliothèque : j'ai une commission à vous faire de la part de Mme Triel... » — « Venez ! » Je pouvais m'attendre à beaucoup de choses, ayant constaté l'étrange comportement de Christiane à mon égard depuis quelque temps... m'attendre même à tout sauf à ce que me dit Marcelle Davois dès que j'eus refermé la porte de la bibliothèque...

— Croyez bien, docteur, que je suis désespérée d'avoir été chargée par Mme Triel de vous annoncer sa décision... J'aurais préféré qu'elle choisît quelqu'un d'autre : Clémentine par exemple... Mais je comprends aussi que Madame Triel n'ait pas voulu mettre une simple servante au courant de certaines choses...

— Peu importe le moyen de me prévenir ! Christiane vous estime beaucoup : c'est normal qu'elle vous ait demandé ce... service. Comment et pourquoi est-elle partie en voyage comme vous me l'affirmez ?

— Elle est partie en conduisant sa voiture après avoir congédié le chauffeur.

— Congédié ?

— Elle en a fait autant avec tout le personnel du château qui a quitté le pays également cet après-midi, sauf le ménage de gardiens qui habite le pavillon près de la grille d'entrée.

— Mais c'est insensé !

— Si vous voulez vérifier, docteur, vous pourriez téléphonez utilement à maître Boitard, le notaire, qui a été chargé par Mme Triel de liquider tout le monde ?

— Boitard ? En effet... j'ai croisé hier matin sa voiture dans l'allée du château...

— Je crois que Mme Triel était décidée à ne rien vous dire de son départ, docteur...

— Pourquoi ?

— Il y a des moments dans l'existence, où l'on ressent le besoin impérieux de se retrouver seul avec soi-même ou avec ses pensées... Mme Triel vit peut-être l'un de ces moments ?

— Alors, selon vous, Christiane ne serait partie que parce qu'elle ne pouvait plus supporter ma présence ?

— Je n'ai pas dit cela, docteur ! Je ne pourrais même pas le supposer... Ce n'est pas parce que l'on éprouve la nécessité de s'isoler que l'on prend obligatoirement quelqu'un en aversion ! Non ! Il fallait que Mme Triel changeât d'air pendant quelque temps, c'est tout... Je suis convaincue qu'elle vous reviendra un jour ou l'autre...

— C'est encore heureux ! Ah ça ? Est-ce que tout le monde se moque de moi ici et vous la première ?

— Personne n'oserait, docteur ! Vous seriez plutôt à plaindre...

— Ah non ! Où a-t-elle été ?

— Mme Triel n'a jamais voulu me le confier... A l'étranger peut-être ?

— C'est de la pure folie ! Dans son état ! Comment l'avez-vous laissée partir ? Vous savez aussi bien que moi, Marcelle, qu'elle est loin d'être complètement guérie ! Qu'il lui faut un repos absolu et qu'il n'y a rien de plus fatiguant qu'un long voyage en voiture !

— Je sais tout cela, docteur... Je l'ai dit et redit à Mme Triel.. Elle n'y a même pas prêté attention

— Et pour combien de temps est-elle partie ?

— Je l'ignore...

— En somme vous voulez me faire croire que Christiane, qui est ma maîtresse depuis des mois et allait devenir ma femme, vous a simplement dit : « Ma chère Marcelle, vous informerez ce soir le docteur Fortier que je suis partie pour une destination inconnue pendant une durée de temps illimitée et qu'il n'a qu'à se laisser vivre tranquillement dans l'espoir que je reviendrai un jour ? » Avouez que c'est tout de même un peu fort ? Elle ne vous a pas laissé de lettre pour moi ?

— Je l'ai suppliée d'écrire au moins un mot que je pourrais vous remettre... Elle m'a répondu que c'était tout à fait inutile et a même ajouté... Je ne sais si je dois vous répéter ses propres paroles ? J'ai peur qu'elles ne vous fassent une peine inutile ?

— Au point où j'en suis !

— Mme Triel a donc dit : « Denys est assez intelligent pour comprendre que je ne pouvais quand même pas consacrer toute ma vie à un petit médecin de province, si charmant fût-il ! »

— Elle a dit ça ?... Je comprends en effet... Laissez-moi, Marcelle. Moi aussi j'ai besoin d'être seul.

— Mais, docteur ?

— Non ! Je vous en prie ! Ne parlez plus jamais de tout cela, voulez-vous ?

— Bien, docteur... Bonsoir, docteur.

— Bonsoir.

Après son départ, je restai un long moment prostré dans la bibliothèque. J'étais incapable de rassembler mes pensées, ne réalisant pas si j'avais fait un mauvais rêve ou si, au contraire, je venais d'être mis devant une réalité brutale. Christiane partie ? Mais ce n'était pas possible ! Mon seul amour disparaissait brusquement au moment où j'étais en droit de croire que mon bonheur allait être complet ! Et cette femme invraisemblable, cette infirmière sans visage qui avait été choisie pour messagère de malheur ! Ma propre assistante m'annonçant froidement, avec son calme exaspérant, qu'il y a des moments dans la vie où l'on préfère être seul ! Tout cela était fou ! Enfin, pourquoi

Christiane m'aurait-elle quitté ? Je savais bien qu'elle n'était plus la même depuis ces dernières semaines, qu'elle m'avait semblé à plusieurs reprises vouloir s'éloigner de moi ou me détacher d'elle mais ce n'était quand même pas suffisant pour justifier une fuite aussi rapide ? Il y avait sûrement autre chose, un motif plus impérieux... Un autre homme ? J'avais du mal à le croire, connaissant la droiture de Christiane, sa franchise, la pureté de ses sentiments à mon égard. Jamais peut-être, dans ma vie, je n'ai été plus désemparé qu'à ce moment. J'étais prêt à faire n'importe quoi, n'importe quelle folie pour retrouver mon amour... Il fallait réagir tout de suite, sans trop réfléchir, à moins de se laisser sombrer complètement.

f rma, point par point, ce que m'avait dit mon

Je téléphonai à maître Boitard qui me con-
assistante. Je raccrochai encore plus désespéré et partis dans la nuit au volant de ma voiture. Les quelques kilomètres séparant la ville du château furent vite franchis. Arrivé devant l'entrée du parc, j'éprouvai un sentiment d'angoisse : la grille était fermée comme autrefois lorsque je n'étais encore qu'un enfant. Aucune lumière ne brillait à une fenêtre du château au fond de l'allée, le parc n'était que silence, les murs me semblèrent aussi redoutables à fran-

chir qu'au temps de ma jeunesse. Aucun bruit, nulle fumée — indiquant la présence d'un être humain — ne provenait même de la maison du garde située à proximité de la grille d'entrée. On aurait dit qu'un génie malfaisant avait brusquement suspendu le cours de la vie dans le château et ses dépendances. La vie s'était enfuie avec mon amour et je reculais d'un quart de siècle, à l'époque où les vieilles femmes du pays prétendaient que ce château abandonné, aux volets branlants, était hanté ! Eh quoi ? Il avait suffi du caprice irréfléchi d'une femme, partie sans trop savoir pourquoi, pour tout paralyser et revenir à ce qui n'était que le néant de la solitude !

A cette minute encore il fallait lutter... Réaction qui se traduisit cette fois par mon coup de klaxon prolongé crevant le silence pesant de la nuit. Quand je cessai d'appuyer sur le klaxon, j'eus l'impression d'avoir commis un acte barbare, d'avoir violé un silence voulu... Une ombre s'approcha des barreaux de la grille sans toutefois l'entrouvrir. Je reconnus la femme du garde et lui criai sur un ton désinvolte : — « Eh bien, mère Picru ! Qu'est-ce qui se passe ce soir ? La grille est fermée ? Tout le monde est déjà couché ? » — « Il se passe, docteur, qu'il n'y a plus personne, sauf mon mari et moi... » — « Diable ! Partis sans laisser d'adresse ? » — « Vous devriez vous renseigner auprès de maître Boitard, docteur...

C'est lui qui a reçu les instructions de Madame pour liquider tout le personnel : les derniers domestiques du château sont partis vers six heures cet après-midi... Mon mari et moi avons reçu de maître Boitard l'ordre formel de ne laisser entrer personne. » — « Même pas moi ? » La bonne femme ne répondit pas. Je n'avais plus qu'à faire demi-tour puisque moi aussi j'étais assimilé au premier venu. — « Bonsoir, mère Picru ! J'espère que vous ne vous ennuierez pas tout de même ! Ça va être moins gai maintenant, le château... »

Moins gai.. Sinistre même ! Sinistre pour moi la plaisanterie : j'étais « liquidé », moi aussi, comme le personnel ! Un vent de panique avait soufflé... Qu'est-ce qui avait bien pu précipiter cette décision brutale de Christiane ? Je roulais doucement pour rentrer en ville. Pourquoi me presser ? Personne ne m'y attendait à part les malades et je n'avais plus envie d'exercer mon métier. J'étais comme un homme dont le cerveau se serait vidé en quelques secondes... Ce qu'il y avait de moins mauvais en moi, ce qui m'aiguillonnait dans mon apostolat de médecin avait disparu... Moi aussi je me sentais envahi par le désir de partir loin, très loin... de m'éloigner de ce pays et de la ville de mes pères où j'avais cru stupidement que je pourrais connaître la joie de vivre ! J'étais sans force et sans courage quand je gravis une fois de plus le vieil escalier de la demeure familiale...

J'avançai comme un automate et me laissai tomber sur mon lit... Les sanglots m'étouffaient. Une sorte de rage impuissante devant des événements qui dépassaient mon entendement, me fit mordre l'oreiller... Je me sentais seul, affreusement seul... J'aurais voulu avoir quelqu'un près de moi, ma maman... Je ne me souviens plus si, à ce moment, je ne l'ai pas appelée au secours, dans ma détresse ? Tout ce que je sais, c'est que j'ai entendu très nettement la porte de ma chambre qui s'ouvrait derrière moi... Je me suis retourné brusquement et j'ai vu... Je l'ai vue, Elle, avec sa silhouette décharnée qui s'encadrait dans la porte !... Elle dans un invraisemblable déshabillé rose échancré pour laisser voir ce qu'elle croyait être une poitrine admirable... Elle, comme je ne l'avais encore jamais vue, sans son voile d'infirmière, avec de longs cheveux dénoués, décolorés, retombant sur les épaules et lui donnant l'aspect de la vieille fille qui veut jouer encore à la petite fille... Elle, dont le regard d'acier brillait pour la première fois d'une lueur lubrique que je ne lui avais jamais connue... Elle, s'avançant lentement vers le lit d'où je la regardais hébété, hypnotisé, incapable de faire un mouvement pour m'arracher à cette vision fantastique... Elle, dont la voix me dit avec une douceur insoupçonnée :

— J'ai compris, mon petit Denys que vous aviez besoin de quelqu'un près de vous et je suis venue... Je sais aussi quel peut être votre chagrin mais pourquoi vous mettre dans cet état ? Dites-vous bien que cette femme ne mérite pas vos larmes... Si elle est partie ainsi, c'est qu'elle ne vous a jamais réellement aimé... l'amour véritable, Denys, est beaucoup plus fort : il rive deux êtres à un tel degré qu'aucun d'eux ne peut même envisager une seconde de séparation ! Je sais mieux qu'aucune femme au monde, depuis le premier moment où je vous ai vu dans le cabinet du professeur Berthet, ce que doit être, ce qu'est l'amour... Je suis là, Denys, et si je vous quitte un jour, ce ne sera que dans la mort ! Vous me comprenez ?

— Allez-vous-en !

— Non, je ne m'en irai pas ! Parce que vous avez besoin de moi... Je le sais !... Parce que de toute éternité, je vous suis destinée sans que ni vous, ni moi nous ne puissions plus rien faire contre ça... Nous avons œuvré ensemble, travaillé, soigné, guéri les autres mais nous n'avons oublié qu'une chose : penser à nous, à notre bonheur mutuel ! Je suis pour vous la seule campagne possible, la seule qui puisse vous cajoler et vous dorloter comme a le droit de l'être un enfant adorable... Mon petit, laissez-vous faire ! Laissez mes bras vous entourer, laissez mes mains vous apporter ces caresses qui vous manquent tant et que l'autre, qui s'est enfuie comme une lâche pour retrouver un amant de passage, a toujours été incapable de vous donner... Voyez, mon chéri, comme nous sommes tout près l'un de l'autre en ce moment ? ne sentez-vous pas que nos lèvres ne demandent qu'à se rapprocher pour souder enfin un amour qui attend depuis si longtemps !

— Allez-vous-en, vieille folle !

— Vieille ?... Non, je ne suis pas vieille ! Moins vieille qu'elle ! Mon cœur à moi est jeune... Mon corps est resté intact pour vous seul ! Ce ne serait pas moi qui en aurais fait l'offrande à un autre pendant que vous étiez prisonnier ! Vieille ? Mais je suis belle, Denys ! Beaucoup plus belle qu'elle ! Vous ne m'aviez encore jamais vue telle que je suis dans la réalité ! Je cachais tout sous un voile et sous un uniforme pour vous réserver la surprise... Je gardais jalousement tous ces trésors pour le seul homme au monde qui a le droit de les posséder ! pour mon jeune amant Denys dont je veux faire aussi mon mari ! Regardez-moi : mes cheveux... Ils sont beaux, n'est-ce pas ? Vous ne vous doutiez pas qu'ils étaient aussi longs ! Je ne les ai jamais coupés... Je savais qu'ils vous plairaient ainsi !... Ma poitrine : elle est bien plus ferme que la sienne... mes seins ne sont pas vulgaires ! Je ne suis pas une femme comme cette Christiane ou une

Mme Boitard ! Ma poitrine est discrète... Mes hanches ? Tâtez mes hanches... approchez vos mains... N'ayez pas peur ! Voyez leur contour... Admirez cette silhouette ! Combien de jeunes filles peuvent-elles même se vanter d'en posséder une semblable ? Et mes chevilles ! Et mes poignets ! Avez-vous jamais contemplé attaches plus fines ? Et mes mains que je vous ai vu regarder souvent avec envie quand vous me voyiez soigner quelqu'un devant vous... Et ma taille, grande, élancée ? Et ma démarche ? Regardez-moi marcher : ne seriez-vous pas fier que les gens disent avec admiration en me voyant passer en ville : « C'est la belle Mme Fortier ! Le docteur a épousé une dame ? »

— Assez !

— Non ! Jamais assez quand il s'agit de parler de ma beauté ! Vous n'y pouvez rien, ni vous, ni personne, mais je sais que je suis belle, la plus belle ! Tous les jours, je me suis regardée dans la glace de ma chambre... Toute nue ! Voulez-vous que je me mette nue devant vous, Denys ?

— Pas ça !

— Je vous ai déjà dit que je ne partirai pas ! Je ne suis pas comme l'autre moi ! Vous ne voulez pas encore me voir nue parce que vous avez honte de n'avoir pas su deviner, ni découvrir cette beauté qui était près de vous depuis une année ! Mais je te pardonne,

s'endorme... Donne-lui ce calmant... Je ne veux plus la voir... Jamais ! » et je rejoignis ma chambre en titubant : j'étais ivre d'une vision d'épouvante.

Aussi ma stupéfaction fut-elle immense de voir entrer dans mon cabinet Marcelle Davois le lendemain matin à huit heures comme si rien ne s'était passé la veille ! Elle était de nouveau là devant moi telle que je l'avais toujours connue : le visage impénétrable encadré par le voile blanc et la silhouette emmitouflée sous la cape bleu marine. C'était à se demander si c'était bien la même femme que la folle hystérique criant un amour impossible ? Le regard lui-même avait retrouvé sa froideur glaciale. La voix sèche, dans laquelle il n'y avait plus la moindre intonation douce, me dit : — « Bonjour, docteur. Je pars pour ma tournée. Avez-vous des instructions spéciales à me donner ? » Je répondis sur le même ton impersonnel : — « Non. Rien de spécial. A tout à l'heure, Marcelle. » Une phrase que je répétais machinalement chaque matin mais qui me parut ce jour-là une véritable dérision.

Après qu'elle eut refermé sans bruit, selon son habitude, la porte donnant sur le vestibule, je me suis longuement interrogé pour savoir si j'avais réellement vécu l'horrible scène de charme ? Pourtant j'avais vu ce déshabillé ridicule, cette poitrine provocante, ces cheveux incolores... Tout cela était parfaitement déplacé, incroyable aussi pour qui connaissait la réserve voulue de cette femme dont la tenue avait été jusque-là exemplaire. Par quelle aberration s'était-elle laissé entraîner ? Une seule réponse plausible me venait à l'esprit : la passion. Une passion tardive, refoulée pendant des mois, n'attendant que l'occasion pour se déchaîner. La malheureuse avait cru son heure enfin arrivée après le départ de Christiane. Oui, c'était bien le mot : une malheureuse n'ayant jamais connu l'amour. Mais tout ce qu'elle m'avait dit hier soir sur Christiane était affreux ! Je compris à cette minute que Marcelle détestait mon amour, qu'elle haïssait Christiane, qu'elle n'avait joué qu'une comédie monstrueuse pour lui faire croire qu'elle était son amie... Hier la passion, plus forte que sa raison, l'avait trahie : Marcelle Davois s'était montrée à moi sous son véritable aspect, plus nue moralement qu'elle ne l'aurait été physiquement si j'avais cédé à son désir charnel... Pendant des semaines, des mois, elle avait attendu, épiant heure par heure l'évolution de ma liaison avec Christiane, prête à se rassasier, telle une hyène, des restes que voudrait bien lui laisser une maîtresse adorée ! La malheureuse était aussi une misérable...

Il n'était plus possible que cette femme, au double visage, capable d'une pareille hypocrisie, restât chez moi ! J'étais même bien décidé

— Les miens ?... C'est possible après tout !

Une fois encore Marcelle Davois avait réussi, en quelques minutes d'entretien, à retourner la situation à son profit ! Quand je l'avais priée de me suivre dans mon cabinet, c'était avec la ferme intention de la congédier. Lorsqu'elle en était ressortie, je me demandais comment une pareille idée avait pu me venir en tête ? Que deviendrais-je sans cette assistante extraordinaire ? Je serais perdu, littéralement submergé par le flot grandissant de la clientèle...

Et, après avoir réfléchi, j'en conclus que ce qui était arrivé la veille au soir devait fatalement se produire un jour au l'autre et que j'aurais dû le prévoir : une femme, qui n'a probablement jamais connu l'amour et qui vit sans cesse dans l'intimité d'un homme plus jeune qu'elle, sent ses instincts sexuels se réveiller brusquement avec une brutalité insensée ! Tant que Christiane avait été là, Marcelle avait réussi à lutter contre elle-même et à dominer sa passion grâce à la prodigieuse volonté de son cerveau d'acier. Peut-être même avait-elle puisé, dans l'amitié très certaine qui l'unissait à Christiane, la force nécessaire ? Marcelle Davois doit être l'une de ces femmes pour qui l'amitié passe avant tout. Si elle m'avait promis de ne plus recommencer l'horrible scène, c'était surtout parce qu'elle voulait à tout prix rester « mon amie » au sens le plus pur du mot. Et je ne devais pas attacher une trop grande importance aux paroles haineuses qu'elle avait prononcées, pendant sa crise, sur Christiane. Paroles qu'elle devait déjà regretter ? Elle me le prouva quelques jours plus tard : « Je me permets de vous demander, docteur, si vous avez enfin reçu des nouvelles de Mme Triel ? » — « Non, Marcelle. » — « C'est tout de même étrange ! Il y a quelqu'un dans le pays qui doit bien savoir où elle est en ce moment : maître Boitarld, son notaire ? » — « Je me suis fait la même réflexion que vous : j'ai été le questionner avant-hier. Mais je crois sincèrement qu'il ignore le lieu où se cache Christiane. » — « Ne pensez-vous pas, docteur, que vous pourriez vous adresser utilement à la police ? » — « La police ? pour l'obliger à ramener auprès de moi une femme qui ne pouvait plus supporter ma présence ? Non, Marcelle ! Ce serait une méthode déplorable et la police me demanderait de quoi je me mêle ? Vous oubliez que je ne suis pas marié avec Mme Triel ! »

Les jours, les semaines passèrent avec une lenteur désespérante. Il y avait déjà plus d'un mois que mon amour s'était envolé et j'en étais au même point de perplexité et d'indécision ! J'avais bien essayé de concentrer toutes mes pensées sur ma seule activité professionnelle ce fut peine perdue. Je dois reconnaître que Marcelle observa scrupuleusement sa promesse et qu'elle ne renouvela plus son étrange tentative. Nous évitions mutuellement de parler de l'absente et je sus gré à mon assistante du tact dont elle fit preuve : elle savait qu'aucun sujet de conversation ne m'était plus pénible. Les repas, qui étaient si joyeux quand Christiane y assistait, redevinrent sinistres. De temps en temps Marcelle ou moi disions quelques mots concernant un malade ou une maladie quelconque, c'était strictement tout. Les soirées ne se prolongeaient plus dans la bibliothèque : nous rejoignions chacun notre chambre. Je n'arrivais même pas à me concentrer pour ma distraction favorite : la lecture. Le visage de Christiane me poursuivait, le besoin irraisonné de sa présence bienfaisante m'obsédait. Ma bonne Clémentine devait éprouver les mêmes sentiments de tristesse et de découragement : elle ne parlait plus, accomplissant tout son service en silence. Nous étions un peu comme trois ombres — Marcelle, Clémentine et moi — se rencontrant sans le moindre plaisir plusieurs fois par jour sous le même toit et n'ayant qu'un seul désir : éviter de parler du seul sujet de conversation qui les hantait ! C'était atroce.

Les réunions du ridicule Comité de recherche du cancer continuèrent chaque semaine mais j'évitais d'y assister, trouvant toujours au dernier moment le bon prétexte d'un malade à visiter ou d'un accouchement à faire. Marcelle me remplaçait, s'acquittant consciencieusement de sa mission : après chaque séance, elle me communiquait le rapport écrit de ce qui avait été dit ou traité. Je me contentais d'approuver. C'était Marcelle qui avait expliqué au Comité que la présidente avait dû s'absenter pour un voyage important à l'étranger. Les gens avaient essayé de savoir, de percer surtout le mystère du brusque départ mais je connaissais trop mon assistante pour ne pas être certain qu'elle avait su éluder les questions indiscrètes. Je savais qu'en ville les langues allaient leur train, que les noms de la châtelaine et du docteur revenaient plus fréquemment qu'il ne l'aurait fallu dans les conversations. Mais qu'y faire ? Le mieux, la seule attitude à prendre était celle du monsieur qui ignore tout ce qu'on raconte sur lui. Les rares indiscrétions n'auraient pu venir que du personnel du château et je commençais à comprendre pourquoi Christiane avait bien fait de le liquider aussi rapidement

Aux quelques amis sincères qui me demandaient si j'avais reçu des nouvelles de Madame Triel, je répondais qu'elle se portait à merveille mais que son absence risquait de se prolonger plus qu'elle ne l'avait prévu. Dans tout cela, je faisais figure du personnage ridicule. L'envie de partir, moi aussi, me tenaillait de plus en plus. Je voulais tout abandonner, changer de profession au besoin... Une seule chose me retenait encore : l'espoir que Christiane finirait par me donner signe de vie, d'une manière ou d'une autre ? Et ma fuite ne serait-elle pas l'aveu indirect de mon chagrin inconsolable après une rupture ? Il ne fallait surtout pas que ce dernier mot fût prononcé en ville : notre liaison, à Christiane et à moi, avait toujours été discrète. Personne, en dehors de Clémentine et de Marcelle, ne pouvait affirmer avec certitude que le docteur était l'amant de la châtelaine... Et ma vie continua, monotone, grise, sur son rythme déprimant d'existence de « petit médecin de province »...

Un matin — il y avait déjà sept semaines que Christiane était partie — je reçus enfin une lettre. Mon cœur battit à la seule vue de l'enveloppe. J'avais reconnu l'écriture. J'ouvris fiévreusement : la lettre était courte, beaucoup trop à mon gré mais ce fut quand même le premier pont jeté sur notre séparation. Chose curieuse : l'enveloppe était timbrée de Paris. Christiane se cachait donc dans la capitale ? Mais pourquoi se cachait-elle ? Il n'y avait aucune mention d'adresse et simplement une date en haut à droite... La lettre avait été postée la veille. Je l'ai conservée. Je n'ai pas besoin de la relire ! Je la sais par cœur...

Mon chéri,

Si je n'ai pas donné plus tôt de mes nouvelles, c'est parce que je ne veux pas que tu saches où je suis. Je te connais trop, Denys : tu viendrais me rejoindre et il ne le faut pas! J'ignore encore où et quand nous pourrons nous revoir mais dis-toi bien que je t'adore toujours et qu'en dépit de cette séparation forcée, tu restes pour moi le seul homme. Un jour viendra où je serai complètement ta femme et où plus rien ne pourra nous séparer. Je sais aussi que tu continues à exercer ta profession avec courage : Tes malades ont besoin de toi! Reste auprès d'eux. Ne me juge surtout pas sur mon départ qui était nécessaire. Tu comprendras plus tard et te seras le premier à m'approuver. Je t'aime.

Christiane.

Je fus bouleversé à l'idée qu'un secret encore impénétrable empêchait mon amour de me dire la vérité. Ma première réaction, après avoir lu et relu ce message d'amour, fut de partir tout de suite pour Paris avec la ferme intention de retrouver Christiane coûte que coûte. Confusément, sans pouvoir dire pourquoi, j'avais l'impression que ma présence là-bas auprès d'elle était nécessaire ? Ce message ne laissait-il pas deviner, à travers sa sécheresse voulue, une profonde détresse ? Un besoin chez Christiane de reprendre contact avec le seul être en qui elle pouvait avoir une confiance absolue ?

Mais comment la retrouver ? Paris était immense... Nulle part on ne se cache mieux qu'à Paris ! Et si, par miracle, j'y parvenais, Christiane ne serait-elle pas contrariée de me voir forcer son secret avant le moment qu'elle avait choisi elle-même pour me le révéler ? Enfin quelques mots de son message me laissaient rêveur : « *Je sais aussi que tu continues à exercer ta profession avec courage.* Comment pouvait-elle le savoir ? Par la rumeur publique ? C'était assez improbable. Par quelqu'un qui avait pour mission de la tenir au courant de mes moindres faits et gestes ?... Clémentine ? Si ma bonne nounou, qui était aussi désespérée que moi de la lamentable tournure prise par les événements, avait eu l'adresse exacte de Christiane, elle se serait empressée de me la communiquer... Boitard le notaire ? Ce pouvait être lui qui, malgré ses affirmations, savait certainement où habitait sa cliente... A moins que ce ne fût Marcelle ? Cela pouvait paraître invraisemblable, mais cependant ! C'était Marcelle, et elle seule, que Christiane avait choisie pour m'informer de son départ... Marcelle qui avait été sa dernière confidente... Marcelle qui pouvait très bien être restée, sinon en relation épistolaire avec elle, du moins au courant de ses déplacements ? Marcelle qui ne m'avait peut-être joué la sinistre comédie le soir même du départ de Christiane qu'avec le plein consentement de la fuyarde uniquement pour me mettre à l'épreuve ? Non ! Je divaguais... Christiane ne se serait jamais prêtée à un jeu aussi misérable ! Marcelle non plus : sa déclaration d'amour avait été trop sincère, je m'en rendais compte maintenant. Pendant les semaines affreuses qui venaient de s'écouler, j'avais bien senti qu'elle continuait, malgré son attitude glaciale à nourrir pour moi sa passion irraisonnée. Je le devinais à mille petits riens quotidiens, à son regard volontairement fuyant, à ses silences lourds de reproches, à la gêne indéfinissable qui augmentait de jour en jour entre nous... C'était intolérable.

Plusieurs fois déjà j'avais failli lui dire : — « Ce n'est plus possible, Marcelle ! Nous avons fait tous deux un effort louable : vous pour rester à votre place d'assistante et moi pour ne pas vous renvoyer. Malheureusement je sens que ça n'ira plus jamais entre nous et que tout finira un jour par un drame si nous ne nous séparons pas bons amis immédiatement ! » Mais à chaque fois, une pudeur incompréhensible et peut-être aussi la crainte de déchaîner chez cette vieille fille une nouvelle crise, pire que la première, m'avaient retenu. J'avais continué à endurer la présence muette de mon assistante, de cette femme redoutable qui m'observait... Ne me surveillait-elle pas à la demande d'une autre ? Christiane et elle étaient devenues de telles amies ! Seules les femmes savent garder entre elles des secrets impénétrables... Je voulais être fixé une fois pour toutes. Et quand Marcelle entra dans mon cabinet pour me dire son bonjour quotidien avant de partir faire sa tournée, je ne pus résister au besoin de lui dire : « — Je viens de recevoir une lettre de Mme Triel. »

Elle pâlit, chancela même. Je crus pendant un instant qu'elle allait s'écrouler comme elle l'avait déjà fait ? Mais, très vite, sa volonté reprit le dessus et elle me dit, dans un sourire forcé qui ressemblait plutôt à un rictus douloureux : — « J'étais sûre qu'elle vous écrirait, docteur ! J'en suis tellement contente ! Comment va-t-elle ? » — « Elle ne me le dit pas mais je pense que nous la reverrons bientôt. » — « Ah ! Elle vous donne son adresse ? » — « Ce n'était pas nécessaire, puisqu'elle sait que vous la connaissez ! » — « Moi ? J'ignore absolument où elle est, docteur ! » — « Vous m'étonnez ! Vous lui envoyez pourtant de mes nouvelles ? » — « Comment le pourrais-je, docteur ? Et même si j'avais eu son adresse, ce qui n'est pas le cas, je ne l'aurais pas fait pour la bonne raison qu'elle ne me l'a pas demandé avant son départ. Je regrette de vous le dire, mais je suis persuadée que Mme Triel ne tenait nullement à avoir de vos nouvelles ! » — « C'est bon ! Allez faire votre tournée ! »

Je ne la revis pas à l'heure du déjeuner. Je me mis seul à table, pensant qu'elle devait être horriblement vexée de ce que j'ai osé mettre en doute sa franchise à mon égard ?

A deux heures les consultations commencèrent. Marcelle Davois n'était toujours pas rentrée. Ce fut Clémentine qui introduisit les malades : elle paraissait d'ailleurs enchantée de reprendre ses anciennes fonctions.

Vers six heures, quand le dernier client fut parti, Clémentine m'annonça que mon assistante venait de rentrer en déclarant qu'elle était un peu souffrante et qu'elle ne dînerait pas. Puis elle était montée directement s'enfermer dans sa chambre. Je répondis à ma nounou : — « Elle boude ! Ça lui passera ! » Clémentine se contenta de hausser les épaules.

Je dînai seul. Mais l'attitude ridicule de Marcelle commençait à m'agacer. Après le repas j'allai frapper à la porte de sa chambre. Il n'y eut pas de réponse. Aucune lumière ne filtrait sous la porte. Elle avait dû s'endormir. Comme rien n'est plus salutaire pour calmer les nerfs que le sommeil, je la verrais réapparaître tout à fait normale le lendemain matin à huit heures dans mon cabinet avant sa tournée. Je redescendis dans la bibliothèque, regrettant quand même un peu mes paroles : au fond je l'avais accusée sans avoir la moindre preuve ! Vers minuit, je rejoignis ma chambre. Au moment où je passais devant celle de Marcelle, j'entendis, à travers la porte, une plainte ressemblant à un râle. Je frappai : — « Marcelle ! Marcelle ! Vous êtes réellement souffrante ? » La réponse fut un deuxième râle, plus faible que le précédent. J'essayai d'ouvrir. La porte était fermée à clef. Je criai dans la maison : — « Clémentine ! »

Ma nounou descendit du second étage. — « Clémentine, elle ne doit pas être bien... Ecoute... » Le râle continuait. Il fallait enfoncer la porte : ce que je fis avec beaucoup de difficulté. Ces vieilles serrures de maisons de province sont solides : il me fallut près d'un quart d'heure, aidé de Clémentine, pour y parvenir. Enfin la porte céda et je pénétrai, ruisselant... La pièce était plongée dans l'obscurité. Les râles venaient du lit. Je tournai le commutateur et je la vis... Elle agonisait...

Allongée sur le lit, Marcelle Davois était telle que je l'avais vue le soir où sa folie s'était donnée libre cours dans ma chambre. Son corps inerte était revêtu du déshabillé rose, les longs cheveux dénoués se répandaient sur l'oreiller, les yeux étaient révulsés, les poings crispés sur les draps. Clémentine ne put retenir un cri : — « C'est hideux ! » Ce l'était en effet. La seule trace de vie venait de la bouche d'où s'exhalait le râle à intervalles irréguliers : elle luttait encore contre la mort envahissante... une mort qu'elle s'était donnée.

— « Regarde, Clémentine, tous ces tubes répandus sur le tapis... Du gardenal... Elle s'est empoisonnée ! » Je ramassai les tubes et les comptai : il y en avait quatre à dix centigrammes par comprimé... Elle avait absorbé juste la dose mortelle ! Si celle-ci avait été inférieure j'aurais pu la tirer d'affaire ; si elle avait été supérieure, l'effet n'aurait pas été toxique. Elle savait ce qu'elle faisait, l'infirmière diplômée ! Je devais quand même essayer de la sauver : — « Vite, Clémentine ! Apporte une cuvette et des serviettes. Je vais lui faire un lavage d'estomac. » Je descendis en courant et revins avec de l'apo-morphine dont je lui fis une piqûre pour la faire vomir. Le résultat fut maigre : c'était trop tard. J'eus alors recours au dernier moyen : une piqûre de strychnique intra-veineuse, le contre-poison du gardénal. Elle ne vomit pas davantage. Elle était perdue.

Le râle faiblissait, les pulsations s'espaçaient. Et sans qu'il me fût possible d'arriver à lui faire reprendre connaissance, cinquante minutes plus tard le cœur s'arrêtait. Mon assistante était morte chez moi par suicide ! C'était à la fois incroyable et effrayant... Clémentine me regardait hébétée et finit par dire : — « Qu'est-ce qu'il faut faire ? »

Ce qu'il fallait faire ? D'abord fermer les paupières de Marcelle Davois pour ne plus voir ces yeux révulsés... Ensuite ? Je ne savais pas. Prier peut-être ? C'était ce qu'il y avait de plus urgent pour elle. Ma vieille nounou s'était déjà agenouillée. Je l'imitai et nous récitâmes ce « Je vous salue Marie » que Marcelle Davois avait entendu elle-même tant de fois balbutier par des lèvres mourantes. Je me relevai et essayai de reconstituer les derniers instants de cette femme pour trouver le mobile qui l'avait conduite à son geste fatal ? Elle s'était traînée de la table-bureau au lit... Là, sur la table, il y avait un cahier vert d'écolier dont la couverture portait quelques mots écrits par Marcelle Davois d'une main ferme :

Ceci est mon testament
Seul le docteur Fortier aura le droit d'en prendre connaissance.

Il y avait aussi, glissés entre deux pages du cahier, des clichés de radios. Clémentine, toujours agenouillée et récitant son chapelet à mi-voix, ne me vit pas prendre le cahier. Personne au monde n'en connaîtra jamais l'existence et ne peut se douter que je l'ai encore en ce moment devant moi posé sur cette table où j'écris...

Je sortis doucement de la chambre et rejoignis mon cabinet. Je savais, en descendant l'escalier, que j'avais enfin dans ce cahier l'explication du suicide. Je ne pouvais pas me douter que c'était l'explication de tout... Mais avant même de connaître les dernières volontés de Marcelle Davois, je devais prendre une décision à son sujet. La nouvelle de son suicide éclaterait en ville dès le lendemain matin. Les suites seraient terrifiantes, pires que les conséquences de la mort de Mme Boitard. Le brigadier de gendarmerie viendrait chez moi : il y aurait enquête. Les gens supposeraient tout et ne croiraient aucune de mes affirmations. Quelles raisons valables pouvais-je donner à ce nouveau suicide ? Et je ne voyais personne autour de moi qui pût me conseiller utilement ! Clémentine ? La brave femme était plus à sa place, là-haut, en train de prier... Boitard le notaire ? Il s'était montré incapable de prendre la moindre décision après la mort de sa propre femme, comment aurait-il pu m'aider pour la mort d'une étrangère ?... Le chanoine Lefèvre ? Il me répondrait que le suicide était trop évident pour que l'Eglise se mêlât de l'affaire !... Qui alors ? Et, tout à coup, un nom surgit dans mon esprit... le seul auquel j'aurais dû penser : celui de mon ancien patron, le professeur Berthet ! Berthet pouvait m'aider ! Il viendrait à mon secours si moi, son ancien élève, je le lui demandais ! Pour un médecin les heures de repos ne comptent pas : le téléphone était sur la table. Dans ce petit annuaire j'avais l'adresse personnelle de mon maître. Je n'avais qu'à demander l'inter au service de nuit. A cette heure la ligne était libre. J'entendrai dans quelques instants la voix dont j'avais besoin...

— Allô ? le professeur Berthet ? Patron, pardonnez-moi de vous déranger en pleine nuit mais voilà ce qui m'arrive...

Et je lui racontai comment était morte celle qui avait été pendant des années sa collaboratrice. Il me laissa parler, puis sa réponse me parvint, ahurissante

— Son geste m'étonne mais au fond c'était peut-être ce qu'elle avait de mieux à faire.

— Que voulez-vous dire, Patron ?

— Marcelle Davois avait un cancer du poumon. Elle le savait déjà depuis une année et s'était refusée à ce que je tente une pneumotechnie. Elle était condamnée à brève échéance...

— Ce n'est pas possible, Patron ! Ce que vous me dites là est incroyable ! Marcelle n'était pas cancéreuse !

La voix calme répéta lentement :

— Je vous affirme qu'elle avait un cancer du poumon gauche !... C'est pour cela qu'elle a préféré en finir, rapidement.

J'étais tellement stupéfait que je ne parvenais même pas à prononcer un mot dans l'appareil.

— Eh bien, Fortier ? Vous ne dites plus rien ?... Les gens du pays sont-ils déjà au courant ?

— Non, Patron. A cette heure tout le monde dort en ville... heureusement ! Vous êtes le seul à connaître la situation avec ma vieille servante. Le corps repose là-haut dans une chambre.

— A combien de kilomètres êtes-vous de Paris ?

— 250 environ.

— Ce n'est pas terrible. Je vais prendre ma voiture et je serai auprès de vous dans les tou-

Quand j'avais déshabillé cette moribonde pour lui faire les inutiles lavages d'estomac, je n'avais pas remarqué sur son corps les moindres traces ou symptômes autres que ceux de l'empoisonnement. Je savais bien, évidemment, qu'un cancer du poumon n'est visible qu'à la radio... et le seul mot radio me fit sursauter. Ces radios qui étaient intercalées dans le petit cahier vert ? Je redescendis dans mon cabinet et me penchai avidement sur la première page : je comprenais que là se trouvait la confirmation écrite de ce que m'avait dit le professeur Berthet... Et je lus l'horrible confession pendant le reste de la nuit. A certains moments j'étais tellement écœuré que j'avais envie de déchirer le cahier en mille morceaux mais, malgré moi, une force invisible me poussait à lire jusqu'au bout, sans défaillance... Les pages les plus inouïes furent peut-être les dernières ? Je vais les relire ici une fois encore. Ensuite ce sera fini pour toujours. Le cahier disparaîtra.

Les dates des dernières pages se succèdent, rapides. Les notes sont plus hachées, plus courtes surtout. L'écriture est moins soignée, moins impersonnelle. Les pleins et les déliés d'institutrice ne sont plus respectés. On sent vraiment qu'à partir de l'instant où ma pauvre Christiane s'enfuit pour me cacher son mal, Marcelle Davois a joué carrément le jeu, abattant ses derniers atouts, luttant à la fois contre le mal qui l'envahissait et le peu de temps qui lui restait pour faire ma conquête ! Dois-je attribuer à ses longues années de refoulement sexuel le souffle de folie qui plane sur ces lignes jetées en hâte dans le cahier vert ?

« Ce 7 novembre.

« Christiane est enfin partie ! Il m'a fallu du génie pour obtenir ce résultat. J'ai triomphé parce que mon intelligence l'a complètement dominée. Si je l'avais voulu, elle aurait été se jeter dans la rivière mais ce n'était pas nécessaire : l'idée morale du cancer a suffi. Je reste seule, maîtresse de la situation. Quelle joie ce fut pour moi d'annoncer tout à l'heure à Denys qu'il ne reverrait plus la châtelaine avant longtemps ! Evidemment j'ai un peu brodé mais c'était indispensable : l'adresse a été de lui faire croire que la véritable raison cachée de cette fuite devait être un autre homme...

« Je viens d'entendre partir la voiture en pleine nuit. Denys doit se rendre au château pour vérifier tout ce que je lui ai dit : il trouvera porte close et reviendra ici désespéré. Je n'ai plus une minute à perdre ! Le moment est venu... Je vais me faire très belle pour l'accueillir à son retour... Ce déshabillé rose, que j'ai acheté hier à Paris en sortant de ma visite au docteur Schenck, est suggestif : il lui plaira. Je vais aussi dénouer mes beaux cheveux. Il va me découvrir enfin sous mon aspect de femme et non plus sous ce déguisement perpétuel d'infirmière... Il comprendra enfin la chance qu'il aura eue de me trouver sur son chemin à l'instant précis où il se croyait abandonné...

« ... Je suis prête. Je viens de me regarder une dernière fois dans la glace et je me trouve désirable. Ce déshabillé est la chose la plus excitante du monde ! Et ces cheveux qui descendent jusqu'à ma ceinture... ils dégagent une sensualité ! Je me suis à peine maquillée pour ne pas copier Christiane : il doit être séduit par le contraste d'une femme naturelle... Par contre je n'ai pas craint de me parfumer : « Vol de Nuit » de Guerlain... Jamais nom de parfum fut plus approprié : je vais voler Denys à cette femme, à toutes les femmes, en une nuit ! N'est-ce pas admirable ?

« Mon côté gauche m'a fait horriblement mal cet après-midi mais il faut souffrir avant d'avoir la récompense de l'amour. Toutes les grandes amoureuses ont souffert comme moi ! J'ai dû faire deux piqûres : la première à cinq heures pour retrouver vers sept heures la maîtrise qui m'a permis de lui annoncer, avec un calme apparent, la bonne nouvelle de la fuite de ma rivale... la deuxième, dès que je suis remontée dans cette chambre, pour avoir la force de faire ma toilette nuptiale... Mais je sens que cette double dose a été trop forte : actuellement j'ai l'impression que je vais m'évanouir... Il ne le faut pas ! Je dois réagir ! Je connais très bien maintenant l'effet de la morphine : d'abord c'est l'abrutissement puis, peu à peu, arrive la merveilleuse exaltation ! Mon horaire a été bien étudié : il reviendra de son pèlerinage décevant au château de ses amours perdues vers une heure du matin... A ce moment-là, je serai en pleine exaltation et la plus belle des amoureuses... Il ne pourra même pas me résister !

« ...La pendule du vestibule vient de sonner une heure... Il n'arrive pas ! Que fait-il donc ? Pourvu qu'il n'ait pas rencontré une autre femme ! Je suis follement jalouse ! Déjà !... J'entends une voiture... Elle passe devant la maison sans s'arrêter... Ce n'est pas la sienne. Cette attente est à la fois horrible et merveilleuse... Un autre bruit de moteur ? Cette fois, c'est lui ! Je ne me trompe pas... Les phares viennent de balayer la façade et les rideaux tirés de ma fenêtre d'amante anxieuse... Les graviers de la cour crissent ... C'est son coup de frein... Le bruit de moteur s'arrête... Un claquement de portière... Ils sont merveilleux, au fond, ces mille bruits qui marquent l'arrivée du jeune amant ! Et dire que j'ai failli ne pas connaître cette sensation par la faute de Christiane qui s'en repaissait à chaque fois qu'il arrivait en pleine nuit au château ! Maintenant c'est ma nuit qui commence... Il monte l'escalier : j'ai toujours aimé entendre son pas... Il va passer devant ma porte... Il l'a frôlée !... Il est rentré dans sa chambre. J'y vais...

« ... Que m'est-il arrivé ? Ma tête est lourde... J'ai eu un mal fou à me traîner du lit jusqu'à cette table... Ah ! oui... Je me souviens maintenant : la chambre de Denys... Il me regardait, effaré, le pauvre gosse !... Pourquoi ? On aurait dit qu'il avait peur... Peur de devenir mon amant ? Et il l'aurait été si cette maudite Clémentine n'était pas entrée ! Elle m'a empêchée de le prendre... J'ai dû m'évanouir puisque je ne me souviens plus de rien après ? Ils ont dû aussi me transporter sur ce lit de ma chambre ? La vue de Clémentine, au moment où j'allais enfin connaître l'amour, a provoqué une syncope... Denys m'a peut-être fait une piqûre d'huile camphrée ? C'est stupide de m'être écroulée comme ça au moment où je touchais au but de ma vie !

« N'ai-je pas voulu aller trop vite aussi ? Ne me suis-je pas laissé entraîner par ma passion ? J'aurais mieux fait d'attendre encore quelques jours avant de me déclarer... Je crains que mes chances ne soient très compromises, que Denys ne s'éloigne de moi par crainte de me voir recommencer ? Comment puis-je réparer cette erreur monumentale venue de ce que je n'ai pas été capable de me contrôler jusqu'au bout ? J'étais sous l'effet de la morphine. Je m'en veux ! Il faudrait que je patiente encore... mais je n'ai plus le temps : le cancer est là, qui me talonne... D'un jour à l'autre je puis me trouver paralysée, incapable de faire un mouvement, rivée sur ce lit qui sera celui de mon agonie... Je ne pourrai même plus tendre mes bras vers Denys !... Je n'ai plus une seconde à perdre : je dois rétablir tout de suite la situation !

« Il est déjà six heures du matin. D'ici deux heures au plus je descendrai, comme je le fais tous les jours, dans le cabinet de Denys. Il faut qu'il me revoie en infirmière, telle qu'il m'a toujours connue. En me voyant ainsi, il ne pensera plus qu'au métier. Et je lui dirai cette même phrase qu'il entend chaque matin : — « Bonjour, docteur. Je pars pour ma tournée. Avez-vous des instructions spéciales à me donner ? » Il me répondra machinalement : — « Non. Rien de spécial. A tout à l'heure, Marcelle. » Le contact professionnel sera repris et je partirai faire ma tournée comme si rien ne s'était passé... Je le retrouverai à l'heure du déjeuner. Il aura eu toute la matinée pour réfléchir à l'attitude qu'il doit prendre à mon égard ; je verrai bien quelle sera sa réaction ? De toute façon le gros de l'orage sera passé. Je connais trop maintenant mon petit Denys : s'il n'agit pas tout de suite, sans réfléchir, sous l'effet de la colère — il restera toujours un enfant ! — il n'a plus de réaction, il est incapable de me tenir tête. Nous aurons sûrement une conversation assez tendue mais je sais d'avance que j'en sortirai triomphante une fois de plus...

« Ce 8 novembre.

« Les choses ont repris leur cours normal. J'ai quand même eu très peur ! Peur qu'il ne veuille réellement se séparer de moi et j'ai été lâche... Je lui ai promis de ne plus jamais renouveler ma tentative. Je crois que j'aurais promis n'importe quoi pour ne pas le perdre ! Il est tout pour moi ! S'il savait à quel point je suis à lui sans qu'il ait même effleuré mes lèvres ! Je ne puis plus me passer de sa présence... Près de lui, je pourrais même devenir humble... et j'en arrive à préférer qu'il ne devienne jamais mon amant physique plutôt que d'être condamnée à ne plus le voir et à ne plus l'approcher. Je suis malheureuse ! S'il m'a pardonné, c'est parce qu'il m'a prise pour une détraquée. Il a eu pitié de moi... ce que je redoutais le plus au monde ! C'est affreux ! Il n'a pas compris que j'étais en possession de toute ma lucidité quand j'ai été m'offrir à lui dans sa chambre.

« Ce 18 décembre.

« Voilà déjà six semaines que je n'ai rien confié à ce cahier. Je n'en avais pas le courage. Qu'aurais-je écrit d'ailleurs ? Que nous n'avons fait que parler métier, que notre vie à tous deux est devenue intenable, que je le veux de plus en plus intensément et qu'il cherche par tous les moyens à m'éviter ?

« Nous ne parlons pas de l'absente. A quoi cela servirait-il ? A raviver chez lui des regrets que je ne voudrais pas qu'il éprouvât... Ma présence n'a pas réussi à la lui faire oublier. Je n'ai même pas cherché à savoir ce qu'elle était devenue ? Ce me serait pourtant facile : je n'aurais qu'à écrire à Schenck. Il faudra bien que je me décide à le faire un de ces prochains jours, ne serait-ce que pour savoir si le voile au poumon s'est développé ? Mais Schenck ne me dira sans doute rien, par prudence, dans une lettre ? Dans ce cas j'irai à Paris si j'en ai encore la force... Je ne voudrais pas m'absenter en ce moment. Denys pourrait profiter de ma première absence, même très courte, pour me remplacer. J'ai peur aussi d'être paralysée par mon mal à Paris et de ne plus revoir, avant de mourir, mon jeune amant ? Je lutte pied à pied, seconde par seconde, mais je sens que le mal gagne, qu'il s'enfonce chaque jour en profondeur, qu'il me détruit... J'ai maigri dans des proportions effroyables. Moi, avec ma taille je ne pèse plus que quarante-cinq kilos ! C'est le plus sûr symptôme de la fin proche... Pourtant j'espère encore ! Je ne voudrais pas, je ne veux pas disparaître sans avoir au moins recueilli sur mes lèvres un baiser de Denys... Je n'en demande pas plus maintenant ! La morphine me soutient et m'évite les trop grandes souffrances, mais jusqu'à quand ? Elle m'intoxique aussi...

« Ce 21 décembre.

« Elle lui a écrit ! La misérable n'a pu résister au besoin de lui dire qu'elle l'aimait toujours ! Alors qu'elle m'avait juré de ne pas lui donner signe de vie avant de se savoir complètement guérie par l'Autrichien ! Ce n'était pas sans mal que j'avais réussi à la convaincre d'agir ainsi pour que Denys ne pût jamais soupçonner le lieu où elle se terrait ! Il sait maintenant qu'elle est à Paris... Il croit aussi que je connais son adresse alors que je l'ignore parce que ça ne m'intéresse pas ! Quand il m'a annoncé ce matin qu'il comptait la revoir bientôt, j'ai manqué m'évanouir. J'ai fait un effort surhumain pour faire face mais ce sera le dernier. Je n'en puis plus... Je sens très bien que j'use en ce moment mes dernières forces pour serrer mes doigts sur cette plume qui veut m'échapper... Il n'a pas remarqué que mon bras gauche était paralysé. Je souffre atrocement depuis deux jours. Je ne puis plus rien digérer. La morphine ne me fait plus d'effet.

« Elle a écrit ! Si elle l'a fait, elle recommencera bientôt et finira par lui donner son adresse. Il y courra sans même m'avertir ! Il apprendra tout et je serai perdue... Décidément, moi qui me croyais la plus femme de toutes, je ne comprendrai jamais rien aux autres femmes ! Ma psychologie imbattable s'est révélée fausse. Deux fois déjà je me suis trompée : pour Mme Boitard qui a fait le contraire de ce que je prévoyais en se tuant au lieu de se faire opérer et pour Christiane qui n'a pas suivi l'admirable ligne de conduite que je lui avais tracée. Elle n'a pas pu résister au besoin de renouer par correspondance avec son amant au bout de quelques semaines ! Tout m'échappe, comme la plume... Mon cerveau n'a plus le pouvoir d'échafauder un nouveau plan. Il s'atrophie lui aussi : le cancer est en train de l'atteindre en se généralisant.

« J'ai quand même réussi à accomplir ce matin ma tournée... Je ne sais pas comment je suis parvenue à faire une piqûre d'acetostérandryl au mari de Mme Fayet et à poser des ventouses à la bonne des Servais ? Je ne suis pas rentrée pour le déjeuner, étant incapable de manger et voulant rester seule. Je me suis rendue au siège de notre Comité de lutte contre le cancer et je me suis assise, à ma place de secrétaire générale, dans la salle déserte... J'ai relu attentivement mon dernier rapport de séance et j'ai simplement ajouté en bas de la page, après ma signature : « Morte dans la nuit du 21 au 22 décembre » puisque j'ai décidé d'en finir.

« Dans ce tiroir j'ai depuis longtemps les tubes de gardénal que je réservais pour Christiane si elle ne s'était pas laissé impressionner par la psychose du cancer moral. Il fallait quand même bien que ces tubes fussent utiles un jour... Je sais la dose exacte qu'il faut pour ne pas manquer mon coup : mes trois années de médecine et mes vingt-cinq années d'infirmière diplômée m'auront au moins servi à apprendre cela !

« Je n'ai pas voulu assister Denys pendant ses consultations de cet après-midi et je ne suis rentrée qu'à six heures, en me traînant. J'ai cru à un moment, après avoir dit à Clémentine que je ne dînerais pas, que je serais incapable de gravir une dernière fois l'escalier ? J'y suis tout de même arrivée et je me suis affalée sur cette chaise après avoir fermé ma porte à clef... Ma main tremble... la fatigue ou l'émotion ? La fatigue... Je ne suis pas émue. Je trouve cette mort volontaire préférable à l'agonie qui me guette. Si je n'agissais pas ce soir, demain je ne pourrais plus me relever pour prendre les tubes dans le tiroir.

« Je n'ai plus qu'à faire ma toilette funèbre : ce sera la même que la toilette nuptiale. Je ne veux pas mourir sous cet uniforme qui ne m'a apporté que le malheur ! Je veux surtout que Denys, lorsqu'il enfoncera la porte pour savoir ce que je deviens, me retrouve telle qu'il m'a vue l'autre soir. Peut-être finira-t-il par me trouver belle dans la mort ? Je dois m'arrêter d'écrire sinon je n'aurai plus assez d'énergie pour passer le déshabillé rose, me parfumer le corps, dénouer mes cheveux... Je n'ai qu'un bras valide pour tout faire ! S'il me reste un peu de force, quand j'aurai terminé cette dernière toilette, j'essaierai d'écrire encore quelques mots sur ce cahier avant d'absorber les cachets...

« ... Ma toilette est faite : je suis belle. La maison est silencieuse, Denys doit être en train de dîner avec l'horrible Clémentine qui fait le service ? J'aimais assez cette salle à manger où lui et moi nous sommes trouvés si souvent seuls, face à face, sans la rivale.

« Je viens d'écrire sur la couverture du cahier que c'était mon testament et que seul Denys pourrait en prendre connaissance... Si je lui fais ce legs c'est pour qu'il puisse lui servir à sauver sa Christiane. Je pense qu'il en est encore temps : le voile du poumon gauche a dû se développer mais un séjour immédiat et prolongé dans les montagnes doit permettre de la tirer d'affaire. Je n'agis pas par philanthropie — je n'y ai jamais cru ! — ni par grandeur d'âme... Je n'ai pas d'âme. Je fais ce geste pour deux raisons : d'abord parce que seuls les gens inintelligents ne savent pas reconnaître qu'ils ont perdu la partie, ensuite pour donner à Denys la plus grande de toutes les preuves d'amour... Un amour qui lui permettra de garder longtemps avec lui la femme que j'ai le plus détestée au monde et que je continuerai à maudire de ma tombe. Je t'aime tant, mon petit Denys, que je préfère te savoir heureux avec elle plutôt que seul et misérable sur cette terre... Ne penses-tu pas après cela que je t'ai aimé plus qu'elle ne saura jamais le faire ? Ne finiras-tu pas par m'adorer à ton tour dans le souvenir ?

« ... Que de surprises, mon chéri, te réserve la lecture de ce cahier ! Je pense qu'aucun homme au monde n'aura pris connaissance d'un semblable testament ! Tu vois, Denys, tu es encore un privilégié !... Oh ! je me doute bien qu'après avoir lu ces pages, tu les feras disparaître ! Tu ne peux pas les communiquer à d'autres : ce serait la preuve écrite de ton incapacité professionnelle... Mon pauvre petit ! Ce serait l'étrange révélation de la cause véritable de la mort du père Heurteloup, de celle du suicide de la belle Mme Boitard, des raisons qui ont motivé la création de l'inutile Comité, de la fuite inexplicable de la châtelaine du pays... Ça te couvrirait de honte et de ridicule !

Tu serais contraint de partir toi aussi et de changer de profession ! Cela je ne le veux pas car je sais, pour t'avoir vu acharné à ton métier, que tu l'aimes passionnément sans le connaître. Combien de médecins ont-ils vraiment connu leur métier ? Ce sera pourtant en lui seul, et non dans des caresses, que tu trouveras comme moi les plus grandes satisfactions de ta vie !

« Pour que tu n'aies plus le moindre doute sur tout ce que j'ai confié à ce cahier, j'ai pris soin de glisser entre ses pages mes radios dérobées à Villejuif. Tu auras toujours la possibilité de les remettre au docteur Schenck à qui je les ai promises. Ne crois-tu pas que ce sera pour toi le plus sûr moyen d'avoir rapidement l'adresse où se cache Christiane ? Le charlatan la connaît certainement.

« ... Je viens de sortir du tiroir les quatre petits tubes... C'est curieux comme il faut peu de chose pour mourir alors que les hommes attachent tant d'importance à la vie !

« ... Ai-je une toute dernière volonté à exprimer ? Non. Je pense n'avoir plus rien à dire... Evidemment, si cela ne te donnait pas trop d'ennuis, j'aimerais assez, Denys, que tu fasses transporter mon corps au cimetière du Père-Lachaise où une place l'attend auprès de mes parents. Mais moi, contrairement à eux qui ont été tous deux vaincus par le mal, j'aurai quand même réussi, à l'avant-dernière minute, à voler au CANCER la mort qu'il me préparait ! »

Ainsi se terminait ce que Marcelle Davois, infirmière diplômée des Hôpitaux de Paris, sage-femme de 1re classe et titulaire de tous les brevets de radiologie, appelait « son testament »... La première date du cahier est un 2 novembre, jour des Morts ; la dernière un 21 décembre, jour de la naissance d'un nouvel hiver...

Quand je tournai la dernière page, où le mot Fin était inutile l'aube grise du 22 décembre commençait à poindre. J'ai enfermé soigneusement à mon tour le cahier dans un tiroir et je suis remonté vers la chambre mortuaire. Clémentine n'y était plus, les bougies achevaient de se consumer en jetant des lueurs irréelles sur le visage de la morte. Seul en face d'elle, je pus la contempler longuement : ses traits étaient détendus, les longues mains fines jointes sur le chapelet... Cette femme, qui prétendait ne pas avoir d'âme, avait-elle fini par la découvrir enfin dans un autre monde ? Il semblait que ce cerveau tourmenté avait trouvé la seule paix durable... Maintenant que je connaissais tout d'elle, j'en arrivais à me demander comment il avait pu se faire que tant de méchanceté, de duplicité, de monstruosité, aient été réunies en un même être ? A cette seconde je ne l'ai pas trouvée belle comme elle l'avait souhaité mais elle m'apparut grande dans l'horreur...

En la regardant je me suis demandé quel nom, en dehors du sien qui était quelconque, aurait pu lui donner un observateur anonyme ayant assisté à ses machinations criminelles depuis le premier jour où elle était entrée à mon service ? Une seule dénomination me vint tout naturellement à l'esprit : « La Corruptrice ». Ne désignait-elle pas une femme dont le seul but caché était de pourrir les autres par vice ou part intérêt ? Cette morte n'avait-elle pas été cette femme ? Si Marcelle Davois employa toute son intelligence et sa volonté à corrompre moralement ceux qu'elle put approcher, ce fut parce qu'elle s'est sentie incapable de devenir une corruptrice de chair : son aspect physique le lui interdisait. Si elle avait pu devenir ma maîtresse, comme elle le souhaitait, j'aurais été un homme perdu, un homme fini, un homme damné...

Pour y parvenir, elle avait attaqué successivement tous ceux qui m'entouraient... Attaque qui ne fut jamais farouche, ni directe : elle chercha toujours le point faible, l'endroit sensible où l'ennemi lui paraîtrait vulnérable. Devant ce corps déjà rigide et ces mains hypocritement jointes sur un chapelet, les terribles expériences me revenaient en mémoire... C'étaient les orphelines du dispensaire auxquelles elle avait voulu faire comprendre que Dieu n'existait pas et n'avait été inventé que par les nonnes pour mieux les surveiller : le chanoine Lefèvre avait admirablement flairé ce début de corruption de conscience... Ce fut ensuite l'abominable conseillère qui parvint à persuader Mme Boitard que la beauté sculpturale de sa poitrine devait être détruite si elle voulait continuer à vivre : corruption de la Beauté !... Ce fut la pression faite sur ce Schenck — qui cependant était loin d'être l'apôtre qu'elle avait décrit à Christiane ! — pour l'amener, par peur d'être dénoncé, à faire croire à une femme affolée qu'il allait la guérir d'un mal qu'elle n'avait pas : corruption par chantage ! Ce fut enfin la lente et prodigieuse tentative faite sur les pensées d'une amoureuse aussi sincère que ma maîtresse pour la détacher de moi moralement et physiquement : corruption du cœur !

Voilà celle qu'avait été cette morte... Pouvais-je avoir la moindre pitié pour elle après tout le mal qu'elle m'avait fait ? Je ressortis de la chambre mortuaire sans éprouver le moindre regret.

... Mon bon maître, le professeur Berthet, était là une heure plus tard. Après m'avoir serré la main, sans prononcer un mot, il me suivit dans la chambre où elle reposait. Lui aussi la contempla longuement avant de dire :

— Je pense qu'il est inutile, mon petit, de vous donner d'autres explications ?

— Inutile en effet, Patron. J'ai tout compris mais trop tard...

— Qu'allez-vous faire ?

— Partir.

— Ce n'est pas la meilleure tactique. Fortier ! Il faut d'abord cacher se suicide. Tous ceux qui ont encore vu hier votre assistante circuler en ville ne comprendraient pas ! Il faut proclamer à voix haute que Marcelle Davois a été enlevée en quelques heures par le cancer du poumon qui la minait depuis longtemps. Nous en donnerons les preuves si c'est nécessaire. Ce serait épouvantable, dans l'esprit des gens de cette région où vous venez justement de créer un Comité de recherche contre le mal, d'apprendre que celle qui s'est le plus consacrée à cette tâche magnifique n'ait pas eu le courage d'attendre la mort ! Ce serait la dénégation de toute l'œuvre entreprise, de tous nos efforts pour lutter contre le fléau... Je vous ai dit au téléphone que ce geste de Marcelle Davois m'étonnait : il n'est pas en harmonie avec le courage surhumain dont elle avait su faire preuve jusqu'à ce jour. C'est un acte de lâcheté qui la rabaisse à un niveau indigne de l'admirable collaboratrice que j'ai connue. Peut-être est-ce aussi la preuve tardive que je me suis entièrement trompé sur son compte ? Je préfère ne pas le savoir, mais j'ai beaucoup de peine...

— Cette femme ne méritait pas votre confiance, Patron.

— Vous devez avoir raison mais il faut quand même sauver la face ! Elle s'est tuée parce qu'elle a eu peur de connaître les derniers instants de la lente agonie qu'elle vivait déjà depuis des mois... Si seulement elle m'avait écouté ! Je l'aurais peut-être tirée d'affaire ? Elle risquait d'être la première dont j'aurais guéri le cancer du poumon ! Car je sais que j'y arriverai, Fortier ! Et, si ce n'est pas moi, ce sera un autre... Vous peut-être qui êtes jeune ? Je sens que nous sommes au bord de la réussite ! Qu'est-ce qui nous dit que dans quelques jours, quelques mois, quelques années au plus on n'aura pas trouvé enfin le remède sauveur ? Nous sommes des milliers dans le monde qui cherchons... Je suis sûr que nous trouverons un jour ! Le cancer ne sera plus qu'un affreux souvenir comme toutes ces maladies dont on ne parle déjà plus depuis que la science les a définitivement enrayées ! J'ai foi dans l'avenir, Fortier...

— Moi aussi, Patron, quand je suis près d'un homme comme vous !

— Il le faut, sinon nous n'aurions plus qu'à dételer, vous et moi ! En ce qui concerne cette malheureuse, nous devons faire d'elle une héroïne.

— Une héroïne ?

— Oui : l'infirmière modèle qui a continué,

se sachant irrémédiablement perdue, à lutter jusqu'aux limites extrêmes de ses forces pour soigner les autres et les aider à s'arracher au mal qui l'emporterait un jour elle-même ! N'est-ce pas beau ça, mon petit Fortier ?

— Oui, Patron. Mais... si elle s'était donné la mort pour une toute autre raison ?

— Il ne peut pas y en avoir d'autre ! Il ne le faudrait pas pour vous... Vous me comprenez ?

— Je comprends...

— Vous allez tout de suite avertir le personnage le plus important de la ville, le maire, pour l'informer du décès de Marcelle Davois enlevée par son cancer du poumon... Une mort qui doit prendre une allure sublime pour tous ceux qu'elle a soignés et qui viendront s'incliner devant son corps... En attendant qu'ils arrivent, nous allons rédiger ensemble le bulletin. Mais il ne faut pas que ceux qui l'ont admirée la voient une dernière fois dans ce déshabillé ridicule... Il est indispensable, pour sa mémoire, qu'elle soit morte à la tâche, sans avoir même eu le temps de changer de vêtements, sous son uniforme, en portant le voile blanc que tous lui ont connu. Car elle ne fut que cela, mais à un degré immense : L'INFIRMIERE ! Son enterrement doit être officiel : toute la ville et les gens des environs devront lui rendre ce dernier hommage. Elle restait seule au monde : nous conduirons le deuil, vous et moi. Je ferai venir une délégation de ses anciens camarades de Villejuif.

— Mais, Patron, je dois partir tout de suite pour Paris.

— Non, vous attendrez ! Ce serait une grave erreur : les gens n'admettraient pas que vous n'assistiez pas aux obsèques de votre assistante.

— Vous ne pouvez pas comprendre. Patron ! J'ai quelqu'un à sauver... Quelqu'un qui m'est très cher et qui est peut-être sur le point de mourir par la seule faute de cette femme monstrueuse à laquelle vous voulez que l'on rende des honneurs !

— Vous partirez après l'enterrement, Fortier, croyez-moi !... Mais vous reviendrez ?

— Je ne sais pas...

— Docteur Fortier ! Vous n'avez pas le droit de déserter ! Cette ville et tout le pays ont confiance en vous... Votre mission est loin d'être remplie Elle ne fait que commencer ! Je ne veux pas savoir ce qui a pu se passer entre Marcelle Davois et vous, ça ne me regarde pas... Je vous demande seulement de me répondre sur votre honneur d'homme et de médecin, à deux questions : saviez-vous qu'elle voulait se tuer ?

— Je l'ignorais.

— Estimez-vous qu'elle l'a fait pour ne pas mourir du cancer ou... à cause de vous ?

— Je ne peux pas répondre...

— C'est une raison de plus pour que vous suiviez son enterrement... Et maintenant que vous m'avez fait cet aveu, vous ne pouvez pas ne pas faire ce que je vous demande : vous partirez, si vous estimez que votre présence ailleurs est nécessaire, pendant quelques semaines, quelques mois au besoin mais j'exige de vous que vous reveniez parmi votre clientèle ?

— Je reviendrai...

— Je connais un excellent médecin qui vous remplacera pendant votre absence. Je lui téléphonerai tout à l'heure et, s'il ne pouvait pas venir, je n'hésiterais pas à le faire moi-même pour assurer la continuité...

Toute la ville défila dans ma maison devant l'infirmière Marcelle Davois. Puis il y eut un enterrement grandiose. Le maire, les conseillers municipaux, la délégation de Villejuif, les enfants des écoles, les membres du Comité anticancéreux et — en tête du défilé — le professeur Berthet et moi, suivîmes le corps jusqu'à la petit gare où attendait le fourgon mortuaire qui la ramènerait à Paris. Là aussi la psychologie implacable de Marcelle Davois s'était trompée : n'avait-elle pas prévu dans son cahier qu'il n'y aurait que Clémentine à suivre son enterrement par plaisir ?

Il pleuvait quand s'ébranla le train omnibus après lequel avait été accroché le fourgon. Et, ne remarquant plus personne dans cette foule qui s'était massée sur le quai pour dire un dernier adieu à celle qui s'en allait vers un cimetière de la capitale, je me revoyais deux années plus tôt, attendant également sous la pluie — un 2 novembre — l'assistante que m'avait si chaleureusement recommandé mon ancien patron... Je revoyais dans ma mémoire les silhouettes familières de ceux que j'avais rencontrés ce jour-là : le père Heurteloup et la belle Mme Boitard... les deux malheureux habitants de ma petite ville dont Marcelle Davois s'était servie pour semer la psychose de mort...

Mon remplaçant, qui est toujours là-bas attendant mon retour, arriva le soir même. Je partis aussitôt en voiture pour Paris avec le professeur Berthet. Nous n'échangeâmes pas trois mots pendant tout le voyage. Je sentais qu'un lourd secret nous séparait, mon ancien maître et moi... Mais pouvais-je lui raconter l'horrible déclaration d'amour que m'avait faite Marcelle Davois une nuit dans ma chambre ? Avais-je le droit de lui révéler tout ce que je venais d'apprendre par la lecture du testament dont elle m'avait fait le seul légataire ?

Quand nous nous quittâmes, il me tendit quand même la main en disant : — « Au revoir, mon petit Fortier. Il faudra bien qu'un jour vous et moi nous oublions tout cela ! »

— Monsieur Schenck ?

— Oui, Monsieur...

— Appelez-moi docteur... Docteur Fortier ! Un titre que vous n'avez pas le droit de porter ! Où habite Mme Triel ?

— Mme Triel ? Je ne connais pas...

— Ne faites pas l'ignorant ! Ça ne vous va pas ! Je répète : où habite Mme Triel ?... C'est l'une de vos « clientes » ! Vous ne voulez pas répondre ? J'ai ici quelque chose qui vous déliera peut-être la langue... Vous connaissez ces radios ? Je suis chargé de vous les remettre par disposition testamentaire d'une morte qui fut aussi votre cliente.

— Elle est déjà morte ? Dans ce cas je puis répondre à votre question : la dame dont vous me demandez l'adresse habite la villa « Cyclamen » à Saint-Cloud...

— Je devrais maintenant vous remettre ces clichés, mais je ne le ferai pas. J'estime qu'un pareil geste serait contraire à l'honnêteté de la profession que je représente... Mais rassurez-vous ! Je les déchire en votre présence : vous ne pourrez pas les utiliser pour accréditer votre légende et elles ne pourront pas non plus vous nuire... Les individus de votre espèce ont toujours un passeport prêt sur eux, n'est-ce pas, monsieur Schenck ? Il est huit heures, je repasserai à midi pour savoir si vous avez décampé ? Et si par hasard ce n'était pas fait, je vous ferais immédiatement arrêter ! Je vous laisse la possibilité d'aller vous faire prendre dans un autre pays...

J'ai retrouvé mon amour à la ville « Cyclamen ». Son mal véritable avait fait des progrès effrayants et elle ne s'en rendait pas compte ! Elle était persuadée que ses quintes de toux déchirantes provenaient de son cancer du poumon ! Mais elle était sûre aussi que le pseudo-docteur autrichien la guérirait, tellement elle avait confiance dans tout ce que lui avait dit Marcelle Davois ! Elle ne voulait pas me croire quand je lui affirmai qu'elle n'avait pas la moindre affection cancéreuse ! Je pus mesurer alors l'étendue du mal créé dans un cerveau sain et équilibré par la hantise morale du cancer et je pris la résolution de lutter à l'avenir non seulement pour ôter cette idée fixe de l'esprit de la femme que j'aimais mais aussi de l'imagination détraquée de tous ceux qui viendraient me trouver en prononçant ces quelques mots — « Ne croyez-vous pas, docteur, que mon mal a une origine cancéreuse ? » Car la douloureuse expérience que je viens de vivre m'a au moins appris que ce cancer, dont les ravages sont certains, est cependant moins fréquent qu'on ne le croit généralement. Je sais aussi qu'un jour prochain viendra où ce fléau ne pourra plus être le refuge commode de certains de mes confrères qui murmurent sur un ton confidentiel, quand ils ne parviennent pas à découvrir la nature exacte de l'affection qu'ils ont à soigner : « C'est un cancer généralisé... »

Pour convaincre Christiane, il m'a fallu mentir... J'ai été obligé de lui dire : — « Je sais, mon amour, combien tu estimais « notre » admirable Marcelle et à quel point tu avais confiance dans sa longue expérience... mais nul n'est infaillible ! La pauvre Marcelle, rongée par son propre mal, finissait par voir le cancer partout ! Aussi s'est-elle trompée pour ton cas. » — « Mais mes radios sont la preuve irréfutable. Denys ! » — « Tes radios ? Si je te disais la vérité à leur sujet, tu ne me croirais pas ! Je te demande simplement de m'accompagner à Villejuif où Berthet t'en fera passer de nouvelles qui te tranquilliseront... Tu sais la confiance que j'ai dans mon ancien patron ?... Mille fois je t'ai parlé de lui... Allons le voir tout de suite ! »

Elle consentit enfin à m'accompagner. Cette fois l'examen à Villejuif fut de courte durée. Et j'entendis, après la radiographie, mon bon maître dire en souriant à Christiane : — « Chère Madame, je voudrais bien ne recevoir ici que des clientes comme vous ! » Et comme il sentait qu'elle n'était pas encore tout à fait convaincue, il ajouta : — « Pour que vous n'ayez plus aucun doute, je vais faire développer les clichés que vous pourrez emporter avec vous et regarder de temps en temps si le doute vous reprenait... Mais vous allez vous laisser soigner énergiquement par le docteur Fortier : il faut faire disparaître ce voile gris que je n'aime pas du tout sur votre poumon gauche ! Le remède sera simple : un repos absolu au grand air grâce à un séjour de quelques mois en montagne. Ensuite vous épouserez votre médecin... C'est mon ordonnance, chère Madame... et vous l'obligerez à retourner dans sa petite ville où l'on a besoin de lui. »

Nous avons suivi ces prescriptions : nous sommes maintenant dans une vallée de lumière et de soleil. Depuis trois mois déjà nous habitons dans un chalet de montagne isolé, face au massif grandiose du Pelvoux. Christiane a emporté avec elle les radios que lui a données Berthet et je sais que tous les jours elle les regarde en cachette... Elle commence à croire, non pas qu'elle n'a jamais eu le moindre cancer, mais qu'elle a été miraculeusement guérie par le sérum du « docteur » Schenck ! Ne m'a-t-elle pas dit hier soir encore : — « Sais-tu, chéri, que je suis une ingrate ? Je n'ai pas remercié le docteur Schenck ! » — « Tu as tout le temps, mon amour... » Elle avait tout le temps en effet car j'ai omis d'écrire ici qu'avant de quitter Paris, en compagnie de Christiane, j'avais tenu ma promesse... J'étais bien repassé le lendemain à midi chez « monsieur » Schenck : il était parti pour une destination inconnue...

Je suis sûr à présent de guérir Christiane :

le voile du poumon se résorbe et sa plaie morale se cicatrise lentement. Il me faudra encore du temps mais nous quitterons un jour ces montagnes pour rejoindre dans l'Ouest le fief des docteurs Fortier. Depuis que j'ai eu le courage de revivre en trois nuits tout le drame, je me sens mieux armé et plus mûri pour exercer de nouveau la profession que j'aime.

... Une fois encore les glaciers commencent à rosir. Mais c'est pour moi l'aube de la délivrance. Plus jamais je ne revivrai cette histoire... Mes notes sont là, le cahier vert aussi... Dans la cheminée le feu est sur le point de mourir avec la renaissance du jour : je vais le raviver pour une dernière flambée en y jetant ces documents. Ainsi nul, en dehors de moi, ne connaîtra jamais le travail monstrueux de cette corruptrice dont la légende publique a fait une héroïne...

AYCARD et LARGE
253* Les perles de Vénus

BARBUSSE Henri
13** Le feu

BARCLAY Florence L.
287** Le Rosaire

BATAILLE Michel
302** La ville des fous

BEAUMONT Germaine
33* Le déclin du jour

BIBESCO Princesse
77* Katia

BODIN Paul
332* Une jeune femme

BORDEAUX Henry
20* La robe de laine

BORDONOVE Georges
313** Chien de feu

BORY Jean-Louis
81** Mon village à l'heure allemande

BUCK Pearl
29** Fils de dragon
127** Promesse

BURON Nicole de
248* Sainte Chérie

CARRIÈRE Anne-Marie
291* Dictionnaire des hommes

CARS Guy des
47** La brute
97** Le château de la juive
125** La tricheuse
173** L'impure
229** La corruptrice
246** La demoiselle d'Opéra
265** Les filles de joie
295** La dame du cirque
303** Cette étrange tendresse
322** La cathédrale de haine
331** L'officier sans nom

CARTON Pauline
221* Les théâtres de Carton

CASTILLO Michel del
105* Tanguy

CASTLE J. et HAILEY A.
305* 714 appelle Vancouver

CASTRIES René de
310* Les ténèbres extérieures

CESBRON Gilbert
6** Chiens perdus sans collier
38* La tradition Fontquernie
65** Vous verrez le ciel ouvert
131** Il est plus tard que tu ne penses

CHEREAU Gaston
288** Monseigneur voyage

CLAVEL Bernard
290* Le tonnerre de Dieu
300* Le voyage du père
309* L'Espagnol
324* Malataverne
333** L'hercule sur la place

COLETTE
2* Le blé en herbe
68* La fin de Chéri
106* L'entrave
153* La naissance du jour

COURTELINE Georges
3* Le train de 8 h 47
59* Messieurs les Ronds de cuir
142* Les gaîtés de l'escadron

CURTIS Jean-Louis
312** La parade
320** Cygne sauvage
321** Un jeune couple

DAUDET Alphonse
34* Tartarin de Tarascon

DEKOBRA Maurice
286* Fusillé à l'aube
292* Minuit place Pigalle
307** Le sphinx a parlé
315** Sérénade au bourreau
330** Mon cœur au ralenti
338** Flammes de velours

DHOTEL André
61* Le pays où l'on n'arrive jamais

DUCHÉ Jean
75* Elle et lui
147* Trois sans toit

DUTOURD Jean
318** Le déjeuner du lundi

ESCARPIT Robert
293* Le littératron

FAST Howard
101** Spartacus

FLAUBERT Gustave
103** Madame Bovary

FRANCE Claire
169* Les enfants qui s'aiment

FRONDAIE Pierre
297** L'homme à l'Hispano
306* Deux fois vingt ans
314* Béatrice devant le désir

GENEVOIX Maurice
76* La dernière harde
180* Sous Verdun
191* Nuits de guerre

GILBRETH F. et E.
45* Treize à la douzaine

GREENE Graham
4* Un Américain bien tranquille
55** L'agent secret
135* Notre agent à La Havane

GUARESCHI Giovanni
1** Le petit monde de don Camillo
52* Don Camillo et ses ouailles
130* Don Camillo et Peppone

GUTH Paul
236* Jeanne la mince
258* Jeanne la mince à Paris
329** Jeanne la mince et l'amour

HURST Fanny
261** Back Street

KIRST H. H.
31** 08/15. La révolte du caporal Asch
121** 08/15. Les étranges aventures de guerre de l'adjudant Asch
139** 08/15. Le lieutenant Asch dans la débâcle
188*** La fabrique des officiers
224** La nuit des généraux
304*** Kameraden

KOSINSKI Jerzy
270** L'oiseau bariolé

LENORMAND H.-R.
257* Une fille est une fille

LEVIS MIREPOIX Duc de
43* Montségur, les cathares

L'HOTE Jean
53* La communale
260* Confessions d'un enfant de chœur

LOWERY Bruce
165* La cicatrice

MALLET-JORIS Françoise
87** Les mensonges
301** La chambre rouge
311** L'Empire céleste
317** Les personnages

MARKANDAYA Kamala
117* Le riz et la mousson

MARTIN VIGIL J.-L.
327** Tierra Brava

MASSON René
44* Les jeux dangereux

MAURIAC François
35* L'agneau
93* Galigaï
129* Préséances

MAUROIS André
71** Terre promise
192* Les roses de septembre

MERREL Concordia
336** Le collier brisé

MONNIER Thyde
Les Desmichels:
206* Grand-Cap. T. I
210** Le pain des pauvres. T. II
218** Nans le berger. T. III
222** La demoiselle. T. IV
231** Travaux. T. V
237** Le figuier stérile. T. VI

MORAVIA Alberto
115** La Ciociara
175** Les indifférents
298*** La belle Romaine
319** Le conformiste
334* Agostino

MORRIS Edita
141* Les fleurs d'Hiroshima

NATHANSON E. M.
308*** Douze salopards

NÉMIROVSKY Irène
328* Jézabel

PEREC Georges
259* Les choses

PÉROCHON Ernest
69* Nêne

PEYRÉ Joseph
109** Guadalquivir
186** Jean le Basque

PEYREFITTE Roger
17** Les amitiés particulières
86* Mademoiselle de Murville
107** Les ambassades
325*** Les juifs
335*** Les Américains

PROUTY Olive
137** Une femme cherche son destin
184** Fabia

RENARD Jules
11* Poil de Carotte
164* Histoires naturelles

ROBLES Emmanuel
9* Cela s'appelle l'aurore

ROMAINS Jules
Les hommes de bonne volonté:
154*** Le 6 octobre. — Crime de Quinette. T. I
166*** Les amours enfantines. — Eros de Paris. T. II
170*** Les superbes. — Les humbles. T. III
181*** Recherche d'une église. — Province. T. IV
193*** Montée des périls. — Les pouvoirs. T. V
198*** Recours à l'abîme. — Les créateurs. T. VI
212*** Mission à Rome. — Le drapeau noir. T. VII
226*** Prélude à Verdun. — Verdun. T. VIII
233*** Vorge contre Quinette. — La douceur de la vie. T. IX
242*** Cette grande lueur à l'Est. — Le monde est ton aventure. T. X
250*** Journées dans la montagne. — Les travaux et les joies. T. XI
254*** Naissance de la bande. — Comparutions. T. XII
267*** Le tapis magique. — Françoise. T. XIII
282*** Le 7 octobre. Chronologie. Documents. Le fichier des hommes de bonne volonté. T. XIV

SALISACHS Mercedes
296** Moyenne corniche

SALMINEN Sally
263** Katrina

SHUTE Nevil
316** Décollage interdit

SIMON Pierre-Henri
83* Les raisins verts

SIX PARISIENS ANONYMES
289* Dictionnaire des femmes

SMITH Wilbur A.
326** Le dernier train du Katanga

TROYAT Henri
10* Le neige en deuil
La lumière des justes:
272** Les compagnons du coquelicot. T. I
274** La Barynia. T. II
276** La gloire des vaincus. T. III
278** Les dames de Sibérie. T. IV
280** Sophie ou la fin des combats. T. V
323* Le geste d'Eve

URIS Léon
143*** Exodus

VERY Pierre
54* Goupi-Mains Rouges

VIALAR Paul
36* Fatôme (en réimpression)
57** L'éperon d'argent
299** Le bon Dieu sans confession
337** L'homme de chasse

WALLACE Lew
79** Ben-Hur

WEBB Mary
63** La renarde
157** Sept pour un secret

—

BARBARIN Georges
A. 216* Le secret de la Grande Pyramide

BATAILLE Michel
A. 192** Gilles de Rais

BERNSTEIN Morey
A. 212* A la recherche de Bridey Murphy

CHARROUX Robert
A. 190** Trésors du monde

CHEVALLEY Abel
A. 200* La bête du Gévaudan

CHURCHWARD James
A. 223** Mu, le continent perdu

FULOP-MILLER R.
A. 195** Raspoutine

HASTIER Louis
A. 188** La double mort de Louis XVII

LARGUIER Léo
A. 220* Le faiseur d'or, Nicolas Flamel

MOURA Jean et LOUVET Paul
A. 204** Saint-Germain, le Rose-Croix immortel

OSSENDOWSKI Ferdinand
A. 202** Bêtes, hommes et dieux

RAMPA T. Lobsang
A. 11** Le troisième œil
A. 210** Histoire de Rampa

SAURAT Denis
A. 187* L'Atlantide et le règne des géants
A. 206* La religion des géants

SÈDE Gérard de
A. 185** Les Templiers sont parmi nous
Le trésor maudit de Rennes-le-Château

SENDY Jean
A. 208* La lune, clé de la Bible

TARADE Guy
A. 214** Soucoupes volantes et civilisations d'outre-espace

VILLENEUVE Roland
A. 198** Poisons et empoisonneurs célèbres

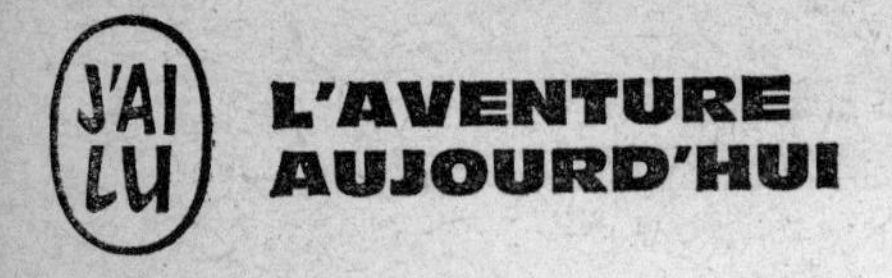

EDITIONS J'AI LU

*35, rue Mazarine, Paris VIe*

Exclusivité de vente en librairie:
FLAMMARION

Imprimerie Union-Rencontre 68 Mulhouse - 3904/275
Dépôt légal: 4e trimestre 1969
Printed in France